Despiértame con un beso

Despiértame con un beso

Clara Álbori

tombooktu.com

www.facebook.com/tombooktu
www.tombooktu.blogspot.com
www.twitter.com/tombooktu
#despiertameconunbeso

Colección: Tombooktu Chicklit
www.chicklit.tombooktu.com
www.tombooktu.com

Tombooktu es una marca de Ediciones Nowtilus:
www.nowtilus.com
Si eres escritor contacta con Tombooktu:
www.facebook.com/editortombooktu

Título: Despiértame con un beso
Autor: © Clara Álbori

Elaboración de textos: Santos Rodríguez
Revisión y adaptación literaria: Teresa Escarpenter

Responsable editorial: Isabel López-Ayllón Martínez
Maquetación: Patricia T. Sánchez Cid
Diseño de cubierta: Santiago Bringas

ISBN Papel: 978-84-15747-60-4
ISBN Impresión bajo demanda: 978-84-15747-61-1
ISBN Digital: 978-84-15747-62-8
Fecha de publicación: Junio 2015

Impreso en España
Imprime: Servicepoint
Depósito legal: M-18960-2015

A toda mi familia, a mi madre,
a mi hermano y, en especial, a mi padre,
por haber confiado en mí desde el principio y
por haberme ayudado y apoyado en esta gran aventura.

Índice

❦

Prólogo 11

Capítulo 1. 13

Capítulo 2. 23

Capítulo 3. 31

Capítulo 4. 39

Capítulo 5. 49

Capítulo 6. 57

Capítulo 7. 63

Capítulo 8. 73

Capítulo 9. 83

Capítulo 10. 95

Capítulo 11. 105

Capítulo 12. 113

Capítulo 13. 119

Capítulo 14. 125

Capítulo 15. 139

Capítulo 16. 153

Capítulo 17. 163

Capítulo 18. 173

Capítulo 19. 183

Capítulo 20. 195

Capítulo 21. 209

Capítulo 22. 225

Capítulo 23. 237

Capítulo 24. 247

Capítulo 25. 255

Capítulo 26. 265

Capítulo 27. 273

Capítulo 28. 285

Capítulo 29. 295

Capítulo 30. 305

Capítulo 31. 313

Capítulo 32. 323

Epílogo 329

Agradecimientos 333

Prólogo

❦

—¡Hala qué chuloooooo!

Una pequeña niña miraba con ojos risueños todo lo que había a su alrededor. Gente con sus maletas esperaba que la recepcionista le diera la llave de su habitación, otros paseaban con la toalla apoyada en el hombro camino de la piscina y muchas familias y parejas se dirigían a la cercana playa para disfrutar del sol, la arena y el mar. Con sus apenas seis años, Nerea era una niña despierta, vivaz, locuela y la debilidad de su padre.

Impaciente, la pequeña comenzó a tirar de la mano de su padre para ver qué había detrás de una gran puerta de cristal que permanecía abierta. Alejandro, sonriendo por la energía de su hija, la cogió en brazos y se dirigió con ella a donde quería ir. El gran comedor del Hotel Villa Magic apareció ante los ojos de la pequeña que abrió la boca impresionada por su inmensidad. Decenas de sillas y mesas perfectamente colocadas deslumbraron a la pequeña, quien saludaba con la mano y una sonrisa a todos los camareros que le prestaban atención.

—¿Te gusta el comedor, princesa?

—Síííí. Es mucho más grande que el de casa. ¿Podemos poner en casa uno como este? Yo quiero, papiiii.

—Pero, cariño, no cabe en casa.

Nerea bajó la cabeza triste, pero Alejandro para volver a hacerla sonreír, le levantó la barbilla con los dedos para que lo mirara y hacer que le mostrara su sonrisa de nuevo.

—Pero te prometo que cuando seas mayor te compraré un enorme y precioso castillo para que mi princesa pueda tener el comedor más grande del mundo.

—¿Con un príncipe azul? –dijo la pequeña ilusionada.

—Por supuesto –le sonrío su padre–. Y como en los cuentos, te despertará con un beso.

La niña volvió a sonreír y le dio un gran abrazo y un beso a su padre, feliz de estar con él. Sus padres se acababan de divorciar, pero la inocencia de Nerea hacía que pensara que su padre ya no vivía en casa porque su trabajo le requería dormir en el hotel.

—Veo que ha llegado tu princesita –les sobresaltó una voz.

—Sí, Pedro –contestó Alejandro y clavando la mirada en su hija dijo–: Nerea, este señor es Pedro y es el dueño de todo esto.

—¡Halaaaaaaa! ¿Todo esto es tuyo? Yo, cuando sea mayor, quiero vivir en una casa tan grande como esta.

Pedro y Alejandro rieron divertidos ante las ocurrencias de la pequeña. Hacía tres años que Alejandro había comenzado a trabajar en el Hotel Villa Magic como camarero hasta alcanzar el puesto de *maître*. Había estudiado Turismo y hablaba cuatro idiomas: español, inglés, francés e italiano. También controlaba de economía y estaba atento a todo lo que ocurría en el hotel.

Desde que nació la pequeña, tanto Alejandro como su mujer, notaron que su matrimonio no era lo mismo. Ambos acordaron una separación amistosa sin que afectara a la niña y estuvieron de acuerdo en que Nerea pasase ese verano mes y medio con su padre en el hotel donde trabajaba.

Pedro y él habían congeniado desde el principio hasta convertirse en muy buenos amigos. Ambos estaban divorciados y tenían un hijo al que veían de vez en cuando y siempre que podían. Pero, a diferencia de Alejandro, la exmujer de Pedro era una alcohólica que apenas se preocupaba por su hijo, por lo que éste estaba intentando que le quitasen la custodia del niño a esa mujer a la que tanto había amado y que ahora se pasaba el día amargada y hundiendo sus penas en el alcohol.

Ese verano, Nerea lo pasó feliz en las piscinas que había en el hotel, degustando cada noche la fuente de chocolate que ponían en la cena y jugando con su padre sin parar mientras Pedro sonreía al ver a aquella pequeña.

Verano tras verano, Nerea volvía al hotel, hasta que a los quince años dejó de hacerlo. Su madre se puso gravemente enferma y se desvivía por cuidarla para que se recuperara. Tras siete años de lucha, Carolina no pudo más y se suicidó en el momento que Nerea entraba por la puerta para darle su medicación.

1

❧❦

28 de mayo de 2014

Comenzaban a llegar al Hotel Villa Magic reservas para el verano que ya se acercaba. El hotel era cada vez más famoso por su imagen familiar, además de económico para que sus huéspedes pasasen unas relajantes vacaciones en él. Cientos de actividades para los niños atraían a las familias y otras instalaciones como el *spa* o el gimnasio, hacían que cientos de parejas se relajaran en ese pequeño paraíso.

Alejandro, en los más de veinte años que llevaba trabajando, se había ganado el puesto de director de hotel y Pedro estaba encantado con su trabajo.

Esa mañana, en su descanso diario, Alejandro había aprovechado para llamar a su hija y se quedó tremendamente preocupado cuando colgó.

Hacía apenas tres meses que su novio de toda la vida la había dejado por una mujer que podría ser su madre, pero con gran poder adquisitivo. Desde que Alejandro conoció al chico por el que su hija tenía una perenne sonrisa, vio en él algo raro, sobre todo cuando este le preguntó si se ganaba un buen sueldo con su puesto.

Ese desgraciado lo único que quería era vivir del cuento a través de Nerea, ya que ella le contó que el chico había dejado de buscar trabajo cuando supo que cada mes Alejandro le pasaba una buena cantidad de dinero para subsistir. En ese momento, Nerea estaba tan enamorada de él, que no vio lo que en realidad sucedía. Y lo que más le dolió a ella no fue la ruptura, sino cómo la había engañado y utilizado.

Alejandro sabía que su hija llevaba meses muy baja de moral, a pesar de que sus amigas la hacían salir e incluso a veces conseguían animarla, pero nada. Seguía encerrada en sí misma y su padre ya no sabía que hacer.

—Buenos días, Alejandro —saludó Pedro entrando por la puerta—: ¿Mucho ajetreo esta mañana?

—No, la verdad. Aunque tenemos que mandar un fontanero a arreglar el baño de la 312 y mirar por qué no funciona el aire acondicionado de la 758 antes de que empiecen a llegar los huéspedes.

—Esta tarde me encargaré de llamar al técnico para que le eche un vistazo. —Se quedó pensativo mirando al suelo y una sonrisa iluminó su rostro—. La verdad es que cada año desde el 1 de junio hasta el 5 de septiembre rozamos e, incluso, conseguimos el cien por cien de la ocupación. ¿Quién me lo iba a decir cuando me arriesgué con este proyecto?

Alejandro suspiró y asintió, pero Pedro lo conocía desde hacía más de veinte años y cuando bajaba la mirada, suspiraba y entrelazaba los dedos era porque algo le preocupaba. Y sabiendo la situación por la que estaba pasando Nerea, pondría la mano en el fuego a que la pobre muchacha seguía igual.

—¿Has hablado con Nerea?

Alejandro asintió con la cabeza y se pasó la mano por el pelo.

—Sí, y sigue igual. No levanta cabeza. Con la muerte de su madre se volvió más frágil e insegura. ¡Y ahora ese gilipollas le ha hecho sentir peor con su engaño! —bramó enfadado.

—Como pille a ese tío le corto el pescuezo y las pelotas —dijo Pedro totalmente en serio.

Pedro adoraba a Nerea. Desde que ella era pequeña ambos se habían mostrado un gran cariño y para Nerea, Pedro era como un segundo padre que la había apoyado y ayudado en todo.

Alejandro se levantó de la silla y abrió con su llave la vitrina donde tenía las bebidas. Se echó una nueva taza de café y le pasó otra a Pedro. En ambas añadió un chorrito de whisky para darle más sabor. Volvió a sentarse frente al ordenador mientras Pedro seguía de pie apoyado en la pared.

—Hace diez años que Nerea no viene a pasar el verano aquí. ¿Qué te parece si la animamos a que venga estos tres meses y que desconecte un poco? Y si quiere que se traiga a sus amigas.

—¿Tres meses? ¿Gratis? Sabes que a mí no me importa, es a ella.

Pedro sonrió y se sentó en la silla que había frente a él dejando el vaso en la mesa.

—Por mi princesita lo que sea y aquí mando yo.

—Sabes que se negará. O te paga algo o no viene

—Tú déjame a mí —le dijo convencido.

Levantándose de la silla, rodeó el escritorio hasta tener mejor acceso al teléfono. Marcó el número de, como la llamaba Pedro, la princesa del hotel, y de buen humor estuvo contándole anécdotas recientes del hotel consiguiendo que Nerea se carcajeara y se olvidara un rato de todo lo que le atormentaba.

Pedro, tras preparar el terreno, propuso a Nerea su invitación a pasar el verano entero en el hotel con sus amigas, pero ella, al saber que ninguna pagaría absolutamente nada, se negó.

—Pedro, lo siento, pero yo no soy ninguna gorrona.

—Aquí mando yo, princesa, y si quiero que vengas, desconectes y lo pases bien, lo harás. ¿Cuánto tiempo vas a estar así?

Nerea suspiró y se retiró el teléfono de la oreja poniendo los ojos en blanco y negando con la cabeza. Pedro no la dejaría negarse.

—No, Pedro, no podemos ir cuatro personas por el morro. Déjame al menos pagarte un mes. Si me permites eso, voy —negoció.

—No, no, princesa. El trato es ese y si no vienes, te traigo yo —la amenazó.

Nerea se rindió. No estaba de humor para discutir.

—Está bien, pero no me pienso quedar todo el verano. Un mes como mucho.

—Eso ya lo veremos, princesa.

Pedro la conocía de sobra para saber que no se iría hasta que tuviera que hacerlo por obligación. Cuando era pequeña nunca quería abandonar el hotel y lo hacía no sin lloros y pucheros, y con caras tristes una vez fue creciendo. Y aunque desde los quince años no iba al hotel a pasar el verano, Pedro sabía que a sus veinticinco le iba a seguir fascinando estar en el Hotel Villa Magic y más en compañía de sus amigas.

—Eso ya lo veremos. Además tengo que buscar trabajo y no puedo pasarme el verano de fiesta en fiesta sabiendo que sigo en el paro y que desperdicio el dinero en cubatas.

—Nerea, ¿estás a gusto en Oviedo? —preguntó Pedro sabiendo que la respuesta era «no».

—La verdad es que no mucho. Me mudé de Logroño porque todas las calles me recordaban a mi madre y no puedo estar en Oviedo porque me recuerda todo a él.

—Me lo imaginaba —dijo Pedro tomando un sorbo de café—. Por eso, ¿qué te parece si te ayudo a encontrar trabajo y piso aquí?

—¿En Gandía?

A Alejandro, que estaba pendiente de la conversación, pensar en la posibilidad de que su hija se trasladase a Gandía a vivir, le formó un nudo en el estómago. No deseaba nada más.

—Piénsalo, princesa. Sé que echas de menos a tu padre, y si vivieras aquí os podríais ver siempre que quisierais. Volveríais a estar juntos.

A Nerea se le escapó una lágrima al pensar en su padre. Le veía muy pocas veces al año y le echaba mucho de menos. Volver a estar a su lado, era lo que más feliz le hacía y no perdía nada por buscar un trabajo allí. Se conocía la ciudad al dedillo.

—Princesa, puedes quedarte en el hotel hasta que encontremos algo —continuó Pedro al notar su silencio.

—Te prometo pensármelo, ¿vale? La verdad es que os echo mucho de menos a los dos.

—Entonces, ¿te veo el 1 de junio? —preguntó esperanzado.

—No, iremos como muy pronto el 3. Y prepárate para la llegada de cuatro locas al Hotel Villa Magic.

Pedro se despidió de Nerea con una sonrisa y le mostró otra a Alejandro para que supiera que de nuevo su niña volvía a pasar el verano en el hotel con ellos.

Ambos amigos se abrazaron ante la fantástica noticia y brindaron con sus cafés. Sabían que, aunque al principio Nerea estuviera aún decaída, poco a poco se iría animando y volvería a convertirse en la chica risueña y alegre que ambos conocían. Pedro volvió a coger el teléfono y llamó a recepción pidiendo que preparasen las dos mejores habitaciones dobles del hotel situadas en el segundo piso. Todo tenía que estar perfecto para la princesa del hotel.

Alejandro, en los quince minutos que tenía libres, comenzó a buscar pisos para su hija y ofertas de trabajo en los mejores centros educativos. Su niña se merecía lo mejor y estaba seguro de que conseguiría un buen puesto de psicopedagoga en alguno de los colegios de la zona.

Tras la llamada del que era para ella su segundo padre, Nerea llamó a Ada, Elena y Laila para verlas en el bar que había debajo de su casa y contarles su escapada de, en un principio, un mes al hotel donde trabajaba su padre.

—Habrás aceptado, ¿no? —dijo Laila señalándola con un dedo—: Mira que si no... ¡Te ganas una colleja! Todo el día sufriendo por el hijo puta de Íñigo, pues no me da la gana, ¡coño!

Nerea sonrió y negó con la cabeza. Laila y sus collejas. El camarero llegó con las bebidas de las chicas y cuando las dejó delante de cada una, Ada, sin ningún disimulo, le desnudó con la mirada por encima del hombro mientras el chico se alejaba.

—Antes de irnos de viaje, me llevo su número y una noche loca —dijo Ada volviendo a colocarse bien.

—A lo que íbamos —continuó Elena—: Así que vamos a pasar el mes de junio en Gandía.

—Por supuesto —contestó Ada por Nerea—. Un buen lugar para disfrutar, desconectar, divertirnos y follar.

Todas rieron y comenzaron a hacer planes de lo que harían y bromearon sobre los tíos con los que ligarían. Comenzaron a buscar por el móvil discotecas cerca del hotel y chiringuitos cercanos de donde se iban a ir con un polvo asegurado.

*

Nerea conoció a Ada hace cuatro años, cuando se mudó a Oviedo. Ella fue la agente inmobiliaria que le encontró el piso y poco a poco se fue forjando entre ellas una gran amistad. A Laila y a Elena las conocieron poco después, una noche que salían de una discoteca y las vieron intentando quitarse a unos pesados de encima que querían llevárselas a la cama. Nerea y Ada fueron a rescatarlas y desde entonces las cuatro amigas eran inseparables.

Laila es la más mayor. Tiene veintiocho años, es morena y bajita, pero con mucho carácter. Como ella dice, pequeña pero matona. Elena tiene un año menos que Laila, el cabello color chocolate y unos impresionantes ojos verdes. Ada es de la misma edad que Nerea y la que más disfruta de la vida. Los hombres caen a sus pies al contemplar sus perfectos rizos rojizos. Aprovecha todas las oportunidades que se le ponen por delante antes de encontrar al definitivo o bien hasta que, como ella dice, «se le caigan las tetas». Nerea es la más sensata de todas, pero tiene carácter y su punto divertido, aunque ahora están escondidos. Las personas que la conocen se quedan maravilladas por sus ojos grandes y marrones que le proporcionan una intensa mirada y un color de pelo de un tono indescifrable, cercano al rubio oscuro.

—En realidad, Pedro me ha ofrecido que nos quedáramos los tres meses. De junio a agosto —se sinceró Nerea rascándose detrás de la oreja.

—Y tú le has dicho que sólo junio, ¿me equivoco? —Nerea asintió—. Al final te ganas la colleja. Ya estás llamando a Pedro y decirle que vamos los tres meses —protestó Laila—. Ahora estamos todas sin curro por esta mierda de crisis. A Elena se le acabó ayer el contrato temporal en el hospital, a Ada la echaron el mes pasado porque su jefe enchufó a la idiota de su hija y le sobraba un empleado, yo llevo tres meses sin trabajar y subsisto gracias a que me concedieron las ayudas durante medio año y tú has ido de colegio en colegio, mirando en academias especializadas buscando un puesto y nada. Incluso has pensado en abrir tú algo, pero claro, se necesita pasta para ello.

Elena y Ada suspiraron y asintieron dándose cuenta de lo mal que sonaban sus vidas. Se volvían locas buscando trabajo y lo máximo que conseguían eran puestos temporales, pero algo era algo y cualquier tipo de ingreso venía bien.

—Al final nos veo a todas, a este paso, currando de putas —bromeó Elena sacando el móvil que no le paraba de sonar.

—¿Quién te mensajea tanto? –le preguntó extrañada Ada.

—Un pesado con el que me acosté el fin de semana pasado —contestó Elena silenciando el móvil–. Se ve que no entiende lo que significa rollo de una noche.

—Que nos desviamos del tema –dijo Laila–. Lo que quiero decir es que pasamos el año preocupadas y volviéndonos locas por un trabajo y desde hace años no nos tomamos unas largas y merecidas vacaciones. Así que Nerea, no me jodas y acepta esos tres meses, que nos merecemos desconectar y disfrutar.

Nerea se dio por vencida, Laila tenía razón. Tres meses de desconexión total les vendría bien a todas y ella tendría más tiempo de buscar piso allí. Aunque si lo pensaba, quedarse a vivir en Gandía significaría estar más cerca de su padre, pero alejarse de sus amigas. Decidió no pensar en eso aún. El tiempo diría qué decisión tomar.

—Está bien, iremos los tres meses, pero por favor, cuidado con lo que hacéis dentro del hotel. Es un hotel bastante familiar y hay muchos niños, es más la zona de la piscina está pensada para ellos.

—Vaya, ¿entonces no podemos hacer *topless* en la piscina? —bromeó Ada–. Está bien, discreción. Y oye, ¿habitaciones individuales o compartidas? A mí me da igual, pero digo yo que cuando queramos echar un polvo la otra tiene dos opciones: o se une, o se larga.

—Creo que las habitaciones serán de dos personas y tranquila, que cuando eso me voy a dar una vuelta y ya me llamas cuando el tío se haya ido.

—Pues en menos de una semana, ¡nos vamos de vacaciones! –gritó emocionada Elena.

Las cuatro amigas brindaron por lo que estaba por llegar, pero Ada volvió la vista hacia el *sexy* camarero y se le resbaló su vaso cayendo a la mesa. Se rompió en mil pedazos provocando un gran estruendo e hizo que todas saltaran de sus sillas para evitar que el líquido las manchara.

—Joder, Ada, mira que eres torpe —se quejó Laila.

—Ha sido sin querer —se defendió poniendo cara angelical.

Rápidamente el camarero, tras dejar sus consumiciones a otros clientes, fue a la mesa de ellas con la bandeja vacía y un trapo húmedo para recoger el estropicio.

—Lo siento mucho —se disculpó Ada.

—No pasa nada señorita, estas cosas pasan.

Ada, se quedó hipnotizada por la deslumbrante sonrisa que le mostraba su próxima conquista. Abrió su bolso y sacó un boli para apuntar su número y su nombre en una servilleta.

—Me gustaría compensarte por el estropicio que he montado —dijo tendiéndole la servilleta doblada—. Llámame y lo haré.

El camarero con otra sonrisa aceptó la servilleta con el número de esa preciosa pelirroja a la que, por supuesto, iba a llamar.

—¿Tienes algo que hacer el viernes por la tarde?

—No. Ni el viernes, ni el sábado, ni el domingo —contestó Ada con una sonrisa coqueta.

—Entonces te llamo y quedamos. Y toma —dijo sacando una tarjeta—, aquí tienes el mío.

El camarero, tras limpiar la mesa, se despidió de Ada con un guiño y ella sonrió. Nerea, Laila y Elena habían observado en silencio la escena y al ver la cara de su amiga, supieron que el vaso lo había dejado caer adrede.

—A ti no se te ha resbalado el vaso, ¿verdad? —dijo Elena cruzándose de brazos.

Ada soltó una pequeña carcajada y negó con la cabeza.

—Otra que tiene una colleja. Anda que…

—Os dije que iba a conseguir su número y este fin de semana llegará la noche loca. Y ahora, vámonos que tenemos que empezar a hacer las maletas.

2

Nerea repasaba por décima vez sus maletas. No quería olvidarse nada y aunque en el hotel había servicio de lavandería, prefería llevar ropa de más, por si acaso. Mejor que sobrase que no que faltase. En esos cinco días, había pensado mucho en la posibilidad de mudarse junto a su padre y buscar trabajo allí, pero no quería dejar de ver a sus amigas.

Por otro lado, Oviedo le traía malos recuerdos. Lugares donde Íñigo le susurraba que la quería simplemente para poder beneficiarse del sueldo de su padre y vivir del cuento. ¡Si ni siquiera trabajaba ni se molestaba en buscar trabajo! Pero si tenía que mudarse por él, significaría que era una cobarde. Tenía tres meses por delante para ver qué hacer. Si quedarse o regresar.

Ese último día que pasaría en Oviedo antes de su marcha, decidió poner a punto la casa e irse pronto a la cama. Saldrían a las cuatro de la mañana e irían en dos coches. El equipaje de las cuatro no cabía en uno solo.

Estaba nerviosa. Hacía diez años que no pisaba el hotel y le apetecía volver y recordar anécdotas de cuando era pequeña o simplemente volver a disfrutar de la piscina.

A las ocho ya estaba metida en la cama, pero obviamente, no conseguía dormirse, así que cogió el móvil y marcó el número de su padre.

—Hola, cariño –dijo Alejandro tras descolgar.

—Hola, papá. ¿Cómo estás?

—Muy bien y más sabiendo que mañana nos vemos. Me alegro de que vayamos a pasar un mes entero los dos juntos. Te añoro mucho, princesa.

Ese apelativo cariñoso era muy especial para ella. Siempre la habían llamado así y le gustaba, sobre todo cuando de pequeña su padre le decía que ella era la princesa y el hotel su castillo y que pronto encontraría a un príncipe azul que cada día la despertaría con un beso de amor.

—En realidad papá, no vamos a vernos un mes.

—¿No? ¿Por qué, cariño? ¿Ha pasado algo? —dijo Alejandro asustado pensando que su princesa había decidido finalmente no ir.

—No, no ha pasado nada. No vamos a vernos un mes porque al final nos quedamos los tres meses.

—¡Eso es fantástico! —dijo ilusionado Alejandro—. A Pedro le va a encantar la noticia. Además así tenemos más tiempo para buscarte algo.

—Papá, en cuanto a eso, te lo agradezco, pero no sé si me quedaré a vivir allí. Mis amigas viven en Oviedo y no me gustaría separarme de ellas.

Alejandro mostró una sonrisa comprensiva. No quería dar a su hija a elegir entre él o sus amigas. Decidiera lo que decidiera, él la seguiría queriendo y que pasase todo el verano de nuevo en el hotel, le hacía muy feliz.

—Piénsatelo, ¿vale princesa? Sabes que hagas lo que hagas siempre te apoyaré, te querré y estaré a tu lado.

—Lo sé, papá.

—Tengo que colgarte, cariño. Es la hora de que los empleados cenemos.

—Dale recuerdos a Pedro de mi parte. Te quiero.

—Y yo a ti, princesa.

Alejandro colgó y salió del despacho hacia el comedor del hotel. Cuando llegó la mayoría estaban ya sentados y cenando. Cogió una bandeja y se puso al lado de Pedro para hacerse una ensalada.

—Acabo de hablar con Nerea. Al final se queda los tres meses que le propusiste al principio.

—¿De verdad? —dijo Pedro levantando la cabeza de la comida—. Eso es maravilloso. Me alegro mucho y le vendrá bien. ¿Has encontrado algo para ella?

—Sobre eso, le seguiré buscando, pero me ha dicho que no sabe si se quedará aquí. Piensa que sus amigas viven en Oviedo y aquí no conoce a casi nadie.

—Es verdad. Bueno, dejemos que decida el tiempo.

Al acabar la cena, Pedro reunió a sus empleados para hablarles de las huéspedes que llegaban al día siguiente. Ocuparían las habitaciones 201 y 202 durante tres meses y entre todos les harían estar lo más a gusto posible. Los empleados asintieron y abandonaron la sala para seguir con sus respectivos trabajos

A las cuatro de la mañana Ada, Elena y Laila se reunieron en el portal de la casa de Nerea para salir todas juntas hacia Gandía. Les quedaba un largo viaje por delante y harían varias paradas para cambiar de conductora y que así las otras pudieran descansar. Los maleteros de ambos coches estaban llenos de maletas e incluso les costó cerrarlos.

—Esto de llevar ropa de por si acaso nos sale caro. Total luego no nos pondremos ni la mitad de la ropa que llevamos —dijo Laila cuando consiguió cerrar el maletero de su Citroën C3 azul cielo.

—Ya, pero seguiremos haciéndolo.

El móvil de Ada comenzó a sonar y todas la miraron sorprendidas.

—¿Quién te llama a estas horas? —dijo Nerea montándose en el asiento del piloto de su Seat Ibiza.

—Eduardo —contestó colgando el teléfono.

—¿Quién es Eduardo? —preguntó curiosa Elena.

—El camarero del otro día. Quiere volver a quedar conmigo pero yo no. Que polvo más nefasto.

Todas arquearon las cejas en busca de detalles.

—Lo único que hizo fue metérmela. Sin preliminares, ni hostias. No hubo tocamientos ni nada porque decía que sólo quería sentir y poner los cinco sentidos en su polla. Ni siquiera estábamos cuerpo contra cuerpo, estaba lo más alejado posible sujetándose con los brazos al colchón.

—Si lo que no te pase a ti…

—Ya, no le pasa a nadie. En fin, a ver si por allá hay tíos con más ganas de follar.

Emprendieron enseguida el viaje. Tenían ocho horas por delante de carretera donde las que iban de copiloto cambiaban los CD, entablaban una conversación o echaban una pequeña cabezada. Durante el camino pararon varias veces en áreas de descanso para tomar un buen café y cambiar de piloto. A las diez de la mañana, pararon en Honrubia, donde desayunaron en condiciones antes de proseguir el viaje.

—Estoy muerta —dijo Ada bebiéndose su quinto café del día—. No sé vosotras, pero yo en cuanto llegue me meto a la cama de cabeza

Todas asintieron, estaban agotadas.

—Odio los viajes tan largos, aunque luego merezcan la pena —se quejó Elena—. No sé cómo aguantabas de pequeña.

—Porque vivía en Logroño y el viaje son tres horas menos. Sólo hacíamos una parada y se aguantaba mejor. Además iba tan ilusionada que me daba igual las horas que estuviera metida en el coche —dijo Nerea con una sonrisa al recordar esos años.

—Nosotras vamos ilusionadas y míranos —dijo Laila señalándose de arriba abajo con las manos.

—No me compares la ilusión de una niña con la de una enana de veintiocho.

—¿Me has llamado enana? Te voy a dar una colleja como vuelvas a llamarme así. Mediré metro y medio pero alargo la mano y te llego a la nuca aunque seas veinte centímetros más alta que yo. Y encima te doy fuerte.

—Pequeña, pero matona —rio Elena.

Tras recuperar fuerzas, salieron del bar y volvieron a sus vehículos. Nerea y Laila serían las responsables de que llegaran sanas y salvas al hotel. Les quedaba poco más de dos horas por delante y las cuatro necesitaban una cama urgente. Esas dos horas Ada y Nerea pusieron el disco de su artista favorito mientras mantenían una charla sobre los años que Nerea pasó en el hotel. Ada miró por el espejo retrovisor para ver si el coche de Laila las seguía de cerca y soltó una carcajada al verlas bailar muy motivadas dentro del pequeño coche lo que parecía ser la coreografía de *Saturday night*.

—¿De qué te ríes? —preguntó extrañada Nerea con la mirada en la carretera.

—Esas dos —dijo señalando atrás— Ya han empezado la fiesta.

Nerea miró por el espejo y soltó otra carcajada al verlas moverse tan rítmicamente, pero subiendo el volumen de la radio junto a Ada, decidió imitarlas.

Por fin, a las doce y media del mediodía, llegaron a su destino. Pararon frente a la puerta para poder descargar mejor las maletas. Luego ya irían a aparcar.

—Menos mal que ya hemos llegado. Tengo el culo tan sudado que el propio sudor serviría de lubricante para el sexo anal —dijo Ada saliendo del coche.

—Ada, ¿acabamos de llegar y ya piensas en follar? —rio Elena.

—Pues sí —dijo bajándose un poco las gafas de sol para observar mejor a dos chicos que se paseaban sólo con el bañador puesto—. ¡Cómo lo vamos a pasar!

Comenzaron a descargar las maletas, quedando a sus pies un total de ocho. Cada una llevaba dos maletas hasta arriba de ropa que amenazaban con explotar de un momento a otro.

—Quedaos vosotras dos aquí mientras nosotras aparcamos y... —Se detuvo Nerea al oír la voz de un hombre.

—Buenos días señoritas —dijo un chico de no más de veinte años acercándose a ellas junto a otro de su misma edad—. ¿Alguna de vosotras es Nerea Delgado?

—Sí, yo —dijo Nerea sorprendida.

—Tenemos órdenes de aparcar sus coches. Si me permiten las llaves...

Nerea reconoció el uniforme y las placas de los empleados del hotel, así que ella y Laila les dieron las llaves para que los chicos pudieran hacer su trabajo.

—¡Qué guay! Hasta con aparcacoches —exclamó Ada.

—No sabía que tuvieran este servicio —dijo Nerea tirando de sus maletas por la rampa—. Lo habrán puesto estos años que no he venido en verano.

Tras subir la empinada cuesta y con más cansancio por el peso de las maletas, llegaron a la enorme puerta. Nerea comenzó a mirar todo el exterior del hotel hasta dar con una pareja que se besaba apasionadamente, apoyados en una de las columnas del exterior al lado de la puerta. El chico vestía unos pantalones hasta las rodillas azules y una camiseta blanca que cortaba la respiración a cualquiera. Nerea frunció el ceño al averiguar que se trataba de uno de los empleados del hotel y la chica no era más que una huésped. ¿Acaso los empleados no tenían prohibido liarse con clientes del hotel? Cuando el joven dejó de besar a la turista, desvió la mirada hacia Nerea y sonrió de medio lado. Avergonzada, volvió a coger las asas de sus maletas y caminó, más bien corrió, al interior del hotel donde sus amigas saboreaban un delicioso refresco casero con un color anaranjado.

—¡Bienvenida al Hotel Villa Magic! —dijo un hombre de unos cuarenta y siete años tendiéndole un vaso con la bebida anaranjada—: Toma, preciosa, que con este calor se agradece algo fresquito.

Nerea sonrió y aceptó la bebida que acabó enseguida. ¡Estaba buenísima! No era ni zumo de naranja ni Kas. Pero tenía un sabor dulce y refrescante, así que todas fueron a la fuente donde se encontraba la deliciosa bebida y se sirvieron otro vaso.

—¡¡Princesa!! —gritó alguien a sus espaldas.

Pedro corrió hacia ella y la abrazó con fuerza. Le dio varios besos en la mejilla y cuando se separó, la examinó de arriba abajo sin soltarle de las manos.

—Estás preciosa, princesa. Te tratan bien los años, no como a mí.

—No seas bobo, Pedro. Estás fantástico.

—¿No vas a presentarme a tus amigas?

—Claro. —Nerea se volvió hacia ellas e hizo las presentaciones—: Elena, Ada, Laila, este es Pedro, mi ángel de la guarda, Pedro, estas son las locas de mis amigas.

—Encantado jovencitas. Tenía ganas de conoceros.

Se dieron dos besos y sonrieron encantadas por la simpatía de aquel hombre.

—Queríamos agradecerle que nos deje quedarnos aquí, la verdad es que es una pasada —dijo Laila sin poder dejar de sonreír.

—No me cuesta nada y tuteadme. Estoy rodeado de juventud y me siento uno de ellos —rio Pedro—. Espero que disfrutéis de todo lo que os rodea.

—¿Dónde está mi padre?

Unas manos taparon los ojos de Nerea y escuchó en su oído.

—¿Me buscabas, princesa?

Nerea rápidamente se dio la vuelta y se lanzó a los brazos de su padre. Llevaban demasiado tiempo sin verse y aquel abrazo acompañado de lágrimas les supo a gloria.

—No llores, cariño —dijo Alejandro secándole las lágrimas con los pulgares—. Tengo que seguir trabajando, pero esta noche me gustaría cenar con vosotras, si no os importa —dijo mirando a las amigas de su hija.

—Para nada, señor Delgado —contestó Elena.

—Llamadme Alejandro, que señor Delgado suena a viejo y estirado.

Todos rieron y tras despedirse de las chicas, Pedro y Alejandro se marcharon para continuar con su trabajo.

Nerea dio los datos en recepción y la recepcionista les entregó las llaves de las habitaciones antes de desearles una buena estancia, pero antes de subir, Nerea, les pidió que les llevaran algo de comer, ya que necesitaban descansar cuanto antes.

Subieron al segundo piso y cuando el ascensor se abrió ante ellas se mostró un gran *hall*. Comenzaron a buscar la habitación y entraron en una puerta a la derecha del ascensor donde se encontraban dos habitaciones contiguas. Eran sus habitaciones, alejadas del largo pasillo donde se encontraban el resto. Así no molestarían a nadie ni nadie las molestaría. Abrieron con sus tarjetas y tras dejar las maletas en un lado, se tiraron a las camas. Ada y Nerea compartirían habitación al igual que lo harían Elena y Laila. Consiguieron volver a levantarse de la cama y corrieron las cortinas para contemplar las maravillosas vistas al mar desde la gran terraza. Era la habitación perfecta, con un baño, dos camas, terraza, televisión y nevera. No necesitaban nada más.

A la una les subieron la comida y tras comer todas juntas en la terraza de la habitación de Laila y Elena, Nerea y Ada regresaron a la suya. Todas necesitaban dormir una larga siesta.

3

❧❀❧

Cuatro horas después de quedarse dormida, Nerea se despertó de su larga siesta. Tanto ella como Ada habían corrido las cortinas para que no entrase luz y se habían olvidado de encender el aire acondicionado, por lo que estaba completamente sudada. Con cuidado de no despertar a su compañera, se levantó y cerró la puerta del baño. Necesitaba una ducha urgente.

Se recogió el pelo en un moño mal hecho y dejó que el agua se deslizara por su cuerpo. Con una toalla anudada a su pecho abrió la maleta y sacó un sencillo vestido blanco. Se calzó unas sandalias planas plateadas y con cuidado salió de la habitación, pero antes de bajar apoyó la oreja en la habitación de Elena y Laila para comprobar si seguían durmiendo. La competición de ronquidos, en la que participaban las dos, le confirmó su sospecha así que decidió ir a dar una vuelta por el hotel.

El defecto que siempre veía Nerea en el hotel es que sólo había dos ascensores y era un milagro que consiguieras usar al menos uno de ellos. Suerte que estaba en la segunda planta y podía bajar y subir por las escaleras cubiertas de una alfombra azulada sin cansarse.

Al llegar al *hall* se quedó mirando el suelo que tanto le gustaba de pequeña, donde siempre iba pisando los cuadros blancos porque creía que el negro la iba a engullir si lo pisaba. Su padre siempre reía al verla saltar de cuadro blanco en cuadro blanco. Nerea sonrió ante ese recuerdo y siguió caminando hasta llegar al bar-salón del hotel. Sus paredes eran de un tono azul eléctrico combinado con el blanco y las mesas y las sillas le daban un toque más veraniego y alegre. A la izquierda había una pequeña escalera formada por dos escalones que unía el bar al salón. Allí, los animadores infantiles entretenían a los niños y, gracias al enorme espacio, por las noches hacían todo tipo de juegos

Tras beberse una *coca-cola*, Nerea se dirigió al comedor. La puerta estaba cerrada, pero la abrió un poco para volver a contemplar la gran sala que la había fascinado de pequeña. Fue lo primero que vio y siempre sería especial para ella.

—No sé si se ha dado cuenta de que el comedor está cerrado —dijo una voz masculina a su espalda.

Nerea se sobresaltó y se dio la vuelta para encontrarse con el chico que había visto morrease con una guiri en la entrada. Era alto y con el pelo oscuro. Sus ojos eran los más azules que Nerea había visto nunca y tenía un buen porte. Era delgado con un cuerpo fibroso y una espalda ancha que invitaba a ser acariciada.

—Sé que está cerrado, no soy idiota. Sólo lo estaba viendo.

El joven comenzó a acercarse a Nerea con los brazos cruzados y una mirada vacilante hasta colocarse frente a ella.

—Te contestaría que si puedes ser un tanto idiota porque eres rubia, pero no es exactamente ese color —dijo cogiéndole un mechón—. ¿Castaña clara? Tampoco. ¡¿Se puede saber de qué color tienes el pelo?!

—¡Qué más te da! —dijo irritada quitándole el mechón de sus dedos de un manotazo.

—¿Y qué hacías espiando en el comedor como una niña pequeña?

El chico colocó una mano al lado de la cabeza de Nerea y agachó un poco su cara para encontrarse con sus grandes ojos marrones.

—¿Y a ti qué te importa? —dijo Nerea intentando irse, pero él la cogió del codo.

—Sí me importa, porque trabajo aquí y no quiero que nada ni nadie perjudique al hotel —dijo serio.

Cansada, suspiró y le miró para contestarle.

—Cuando era pequeña venía todos los veranos, ¿contento? Y tras mucho tiempo he vuelto a venir tras la insistencia del propietario del hotel.

—Ah, sí —expresó el joven con burla—. Tú eres la que, junto con tus amigas, pensáis en mudaros al hotel. He visto todo el equipaje que llevabais. ¡¿A dónde vais con dos maletones cada una?!

—Nos vamos a quedar aquí tres meses, así que espero que me dejes disfrutarlos y te limites a hacer tu trabajo.

De un tirón, Nerea se soltó de su agarre y continuó su camino. Quería alejarse de ese idiota cuanto antes, pero un comentario del chico hizo que se detuviese.

—Así que tú eres la famosa princesita del hotel, la hija del director. Permíteme que me presente —le tendió la mano, pero al ver que ella seguía con los brazos cruzados, él se la cogió y se la estrechó—: Soy Hugo, uno de los animadores infantiles. Espero ver a la princesita esta noche en mi espectáculo, sentadita como un indio junto a los demás niños de su edad dando palmitas —dijo con burla comenzando a dar palmadas infantiles—: Ya que eres la niñita mimada, además de una gorrona, te comportarás también como tal, ¿no?

Nerea le miró enfadada. ¿Quién se había creído para hablarla así? La estaba tratando como una idiota y no consentiría que otro gilipollas la pisoteara como hizo su ex, por lo que dando un paso hacia él, le dijo:

—Dime: ¿Una niña mimada o una princesita haría esto?

Sin ningún tipo de vergüenza ni pudor, Nerea rodeó con su mano la bragueta del animador y le clavó las uñas apretando todo lo que pudo.

—Limítate a hacer tu trabajo y déjame disfrutar de los tres meses que estaré aquí y te aseguro que como me vuelvas a tratar como si fuera una idiota, esto no quedará en un simple apretón.

Tras esto, Nerea se dio la vuelta y continuó su camino hacia la piscina dejando a Hugo agachado con las manos apoyadas en las rodillas, la respiración irregular y cerrando los ojos con fuerza como si de esa forma el dolor remitiera más rápido. Levantó la vista y miró furioso la puerta por donde la princesa Cascanueces había desaparecido. Eso no quedaría así, pensaba dejarle cuatro cositas bien claritas a esa consentida.

Con una sonrisa de satisfacción tras la batalla con el animador infantil, Nerea caminó por un pasillo en el exterior que conducía a la piscina y a un pequeño porche donde podías tomar lo que te apeteciera o merendar algo de lo que te ofrecía el pequeño bufé libre.

Seguía igual. Una piscina de mayor profundidad, otra de profundidad media, un *jacuzzi* y otra piscina para los más pequeños donde había un parque en su interior con un cubo de agua que, al llenarse, volcaba y mojaba a todo el que se encontraba a su alrededor.

Hugo apareció en la zona de la piscina como alma que lleva el diablo para hablar con aquella perturbada, pero se detuvo al ver aparecer a Alejandro. Pudo ver cómo hablaban y él la besaba en la frente con el amor de un padre.

—¿Qué haces aquí? –dijo Pedro a su espalda–. Ahora le toca a Samuel lidiar con las actividades de los niños.

—Lo sé, sólo… iba a por algo de comer. Sabes que me gusta más coger algo en el bufé que ofrece la piscina.

—¿Y qué hacías aquí parado? –le preguntó curioso.

—Estaba observando cómo Alejandro abraza a esa chica. ¿Es ella?

Pedro clavó la vista donde la tenía Hugo. Alejandro abrazaba a su hija y caminaban juntos para sentarse en una mesa.

—Sí. Es Nerea.

—La famosa princesa del hotel –dijo con retintín.

—¿Y ese tono?

—Que de princesa no tiene nada –dijo en un susurro enfadado por lo sucedido–. Menudo carácter, un poco más y me convierte en un *castrato*.

Pedro comenzó a reír mientras Hugo le contaba lo sucedido hace unos minutos con ella en el *hall* cerca de comedor.

—Cuida tus palabras con ella, Hugo. La conozco y es la persona más buena, cariñosa y dulce que he conocido nunca, pero cuando algo no le agrada, arde Troya.

—Tranquilo, no pienso volver a acercarme a ella.

Pedro le dio una palmada en el hombro y se encaminó a donde estaban Alejandro y su hija charlando. Cuando Nerea lo vio, se puso de pie y lo abrazó. Hugo contempló la escena, pero cuando sus ojos chocaron con los de ella y vio cómo le fulminaba con la mirada, se dio media vuelta y se fue. Cuanto más lejos estuvieran el uno del otro, mejor.

Nerea disfrutaba de una agradable merienda y de la charla con las personas que más quería en el mundo, pero su cabeza estaba en otra parte, en el guapísimo animador infantil. «Espera, ¿guapísimo? ¿Había pensado eso?», sacudió la cabeza como si así la idea lograra desaparecer de su mente, pero no podía negarlo: el chico estaba de muy buen ver, aunque fuera un gilipollas.

A las seis de la tarde recibió un mensaje de Ada preguntándole dónde estaba, por lo que se disculpó con su padre y Pedro y subió a la habitación.

—¿Dónde estabas? —dijo Ada consiguiendo abrocharse la parte de arriba del biquini cuando Nerea entró en la habitación.

—Merendando en la piscina con mi padre y Pedro.

—¿Llevas el bañador puesto? —Nerea negó con la cabeza—: Pues póntelo que vamos a darnos un chapuzón y a tomar un rato el sol en la piscina.

—Por la tarde no le da el sol, sólo por la mañana —aclaró Nerea sacándose el vestido por la cabeza para cambiarse.

—Pues a darnos un chapuzón.

Se puso un biquini de rayas blancas y azul marino y volvió a colocarse el vestido blanco por encima. Cogieron sus respectivas bolsas de la piscina y salieron de la habitación al pasillo donde Elena y Laila ya las esperaban con las toallas apoyadas en los hombros.

—¿Quién ha ganado? —preguntó Nerea con una sonrisa maliciosa.

—¿Qué? —preguntó extrañada Elena.

—Vuestro concurso de ronquidos, ¿quién ha derribado la pared antes?

—¡Yo no ronco! —contestaron Laila y Elena a la vez.

—Por dios si hasta yo os he oído —aseguró Ada.

—Roncar no ronco, pero dar collejas, ¡lo hago como nadie! —advirtió Laila levantando la mano.

Como era de esperar, el ascensor estaba ocupado y cuando paraba en su planta, estaba lleno de gente, así que al final bajaron por las escaleras. Atravesaron la recepción hasta llegar a la puerta que daba a la piscina pero dos personas dificultaban su paso por ella. Cuando uno de ellos las vio, se apartó e hizo una seña a su compañero para que hiciera lo mismo. El joven se giró y al ver de quien se trataba, se colocó en medio de la puerta impidiéndolas el paso.

—Vaya, la princesa Cascanueces. ¿A darte un baño?

—Apártate y déjanos pasar —contestó Nerea con el desafío en su mirada.

—O si no, ¿qué? ¿Vas a volver a tocarme los cascabeles? —contestó Hugo vacilante.

—Es posible, ya comprobaste antes que no tengo ningún reparo.

Laila, Elena y Ada se miraron unas a otras sorprendidas. ¿Qué había pasado entre esos dos? Nerea intentó pasar por la puerta pero Hugo se lo impidió.

—Y dime, ¿vais a hacer *topless*? Lo digo porque hay niños y no quiero que los traumaticéis. Sobre todo tú —dijo señalando a Nerea—. No puedes permitir que esos pobres niños vean las tuyas al aire. Son demasiado pequeñas y les harías perder la ilusión pensando que todas son así de enanas. Les marcarías de por vida.

Nerea achinó los ojos. «¿De qué iba? Además su pecho era de un tamaño normal. ¡Tenía una 90B!». El compañero de Hugo y las amigas de ella, contemplaban sin decir palabra la escena. Nerea, se acercó a él y de nuevo le agarró su zona más sensible apretando más fuerte que antes y clavándole las uñas con tanta fuerza que temió que se le rompieran hasta que Hugo cayó al suelo por el dolor.

—A este paso, te dejo estéril si no lo estás ya. Por tu bien, déjanos en paz a mis amigas y a mí o te aseguro que tendrás problemas.

—¿Qué? ¿Te chivarás a tu papá el director? —le dijo burlándose.

—No, ya que como has podido comprobar dos veces en menos de dos horas, puedo arreglármelas muy bien yo solita.

Nerea pasó por encima de Hugo que seguía retorciéndose en el suelo y sus amigas la siguieron aún alucinadas por lo que acababan de contemplar. ¿Cuándo había vuelto la Nerea que ellas conocían? Por lo que vieron, ella sólo necesitaba algo que la hiciera reaccionar y eso les alegró.

Tras darse un buen chapuzón, se tumbaron en unas hamacas donde Nerea les relató lo sucedido y las cuatro rieron a carcajadas.

—Eso habría sido digno de ver.

—Bueno, ya os he hecho una pequeña repetición en la entrada de la piscina.

—Hay que reconocer —dijo Ada sentándose en la hamaca— que el tío esta buenísimo, pero es tan gilipollas que queda descartado de mis folleteos de verano. Además tras el encontronazo contigo, creo que no se le vuelve a levantar.

Todas rieron y dos horas después subieron a sus respectivas habitaciones. En breve cenarían con Alejandro. Él y Nerea tenían que ponerse al día con muchas cosas y su padre estaba deseando conocer a las amigas de su hija. La cena transcurrió divertida y amena y todos disfrutaron de la compañía y del buen ambiente. Cansadas tras el largo día, todas se acostaron. Quedaban tres meses por delante para salir por la ciudad, explorar los lugares de la zona y los cuerpos que rondaban por la maravillosa Gandía.

4

El teléfono de la mesilla de la habitación de Nerea y Ada comenzó a sonar, pero ninguna lo cogió. Se taparon la cabeza con la almohada y esperaron a que el sonido remitiera para poder continuar durmiendo, pero cada vez que paraba, volvía a sonar. ¡¿No las podían dejar dormir?!

—Nerea... —llamó Ada con voz adormilada— coge el puto teléfono que lo tienes al lado y pregunta quién es, luego cuando bajemos, se lo metemos por el culo.

Nerea soltó un pequeño gruñido y extendió una mano comenzando a palpar la mesa hasta coger el dichoso teléfono.

—Diga...

—Princesa Cascanueces, son las nueve. En una hora se cierra el comedor. Os vais a quedar sin desayunar.

Nerea abrió los ojos de golpe al escuchar la voz del dichoso animador infantil. ¡Será idiota! No hacía ni veinticuatro horas que lo conocía y ya estaba de nuevo tocándole los ovarios.

—¿Ahora también eres recepcionista? —contestó tras contar diez o rompería el teléfono.

—Vaya, veo que me has reconocido. No, pero tu padre me pidió que llamara a vuestras habitaciones para despertaros, ya que si no os quedáis sin desayunar.

—Ya bajamos.

Nerea colgó de mal humor y Ada se sobresaltó al oír el fuerte golpe del teléfono al colgar. Ambas se tumbaron boca arriba y tras estirarse, ducharse y vestirse, salieron de la habitación para esperar a las otras dos, a quienes también habían avisado por teléfono.

Media hora después entraban en el restaurante con cara de sueño y algunas legañas aún visibles. Desayunaron despacio haciendo esfuerzos sobrehumanos por no dormirse, aunque todas permanecían con los ojos cerrados.

—Princesa Cascanueces —Nerea oyó como le susurraban al oído—. Son más de las diez y tenemos que recoger. Así que acábate el café pronto.

Tras resoplar y sin ganas de discutir con ese papanatas, cogió el café y levantándose de la mesa se lo tiró a los pies. Hugo saltó hacia atrás sacudiendo los pies que le abrasaban a causa del café.

—¡Joder! ¡Eres una maldita perturbada!

Sin darse la vuelta y continuando su camino, Nerea levantó el brazo derecho mostrándole su dedo corazón. El resto se quedaron un rato más sentadas y mirando a esos dos asombradas por su comportamiento, pero conscientes de que tenían que recoger, se levantaron y fueron tras Nerea.

—¿A qué ha venido eso? —dijo Ada cuando llegaron a las puertas de las habitaciones—. ¿No crees que te has pasado?

—¿Sabías que él ha sido el que nos ha llamado para despertarnos? Aunque por orden de mi padre…

—Pues entonces no, no te has pasado.

Laila y Elena miraron a Nerea mientras negaban con la cabeza.

—El chico sólo ha cumplido órdenes de tu padre. ¿Si hubiese llamado tu padre o cualquier otro empleado del hotel también le hubieras tirado el café? —le replicó Elena.

—No ha sido por eso…

—Claro —dijo irónicamente Laila colocando las manos en las caderas—. La excusa de que te ha dicho que tienen que recoger es la necesaria para hacer lo que has hecho, ¿no? Mira Nerea, el chico ha cumplido con su obligación y lo mínimo que puedes hacer es pedirle disculpas por tirarle el café. Puede que no te caiga bien, pero estaba trabajando y los empleados tienen unos horarios que deben cumplir.

—Es qué no sé que me pasa con ese... ¡dichoso animador! Me pone nerviosa y me resulta difícil ignorarle.

—Nerea —suspiró Elena—. Sabemos que desde lo de Íñigo, tu manera de reaccionar ante algo negativo es demasiado... ¿exagerada? Tienes que pensar antes de hacer las cosas. No puedes ir así por la vida, Nerea. Tirando el café o agarrándole la pirindola a los tíos que te pongan histérica.

Nerea entró en la habitación rabiosa al darse cuenta de que sus amigas tenían razón, pero ese imbécil la ponía de los nervios. Parecía que le gustaba pincharla a todas horas y no hacía ni un día que había llegado al hotel. Lo mejor era ignorarle a partir de ahora.

Aprovechando el madrugón, cogieron sus cosas y salieron del hotel en dirección a la playa. Mientras atravesaban el *hall*, Nerea y Hugo cruzaron una mirada desafiante, pero la retiraron rápidamente.

Por suerte, la playa se encontraba frente al hotel cruzando la carretera y al llegar al pequeño camino hecho con tablas de madera, se quitaron las chanclas para notar la arena en sus pies. Se pusieron cerca de la orilla, pero lo justo para que el agua no llegara hasta donde estaban.

—Madre mía —dijo Ada extendiendo la toalla en la arena—. ¿Veis lo mismo que yo?

Todas comenzaron a mirar en la misma dirección que Ada pero no vieron a lo que se refería.

—¿Qué pasa? —dijo Elena encogiéndose de hombros.

—Mirad al socorrista del puesto. Dios mío, está para comérselo.

—¿Un socorrista? Muy típico, ¿no crees? —dijo Elena poniéndose el sombrero y recostándose en la toalla para tomar el sol.

—Lo sé, pero no quita que esté bueno.

Durante toda la mañana tomaron el sol mientras leían, escuchaban música o simplemente charlaban cambiando de posición para que el sol les cogiera por todas las partes de su cuerpo. De vez en cuando alguna se levantaba para traer granizados del chiringuito pero Ada sólo tenía ojos para el guapo socorrista. Ya tenía primera víctima.

A medio día el sol pegaba fuerte y el mar no era del agrado de ninguna. No soportaban que la arena se les quedara después pegada por todo el cuerpo, pero Ada no pudo más y fue a nadar un rato. Laila, Nerea y Elena se pusieron de pie y se calzaron las chanclas para no quemarse con la arena. Estaban cansadas de estar tumbadas.

—¿Esa no se está alejando demasiado? —señaló Elena a Ada.

—Sabe nadar y en el Mediterráneo puedes alejarte bastante hasta que te cubra por completo —explicó Nerea.

Ada comenzó a flotar moviendo ligeramente los brazos y las piernas y a hacer movimientos cómicos provocando una pequeña risa en sus amigas. Se siguió alejando un poco más y de repente hizo un gesto de dolor y comenzó a gritar. Intentaba sacar la cabeza del agua, pero siempre acababa hundiéndose. Asustadas, las tres comenzaron a correr hacia el agua gritando su nombre y pidiendo ayuda.

El socorrista saltó de su puesto y corrió mientras se quitaba la camiseta. Nadó rápido y llegó hasta Ada antes que sus amigas. La sacó inconsciente del agua y la tumbó en la arena para practicarle los primeros auxilios. Nerea, Elena y Laila se pusieron de rodillas a su alrededor con las lágrimas asomando por sus ojos.

—Ada, por favor... —suplicó Nerea con las manos juntas sobre la boca como si rezara—. ¡¡Despierta!!

El socorrista comenzó a hacerle el boca a boca y Ada comenzó a toser y a escupir agua. El joven que la había salvado la ayudó a incorporarse y rápidamente todas se lanzaron a abrazarla.

—¡Que susto nos has dado! ¡¡No vuelvas a alejarte tanto o te la cargas!! —gritó Laila llorando.

—Lo siento, me dio un tirón en la pierna y sentí como que no podía nadar, pero estoy bien.

El socorrista se acercó a Ada para poder examinarla mejor y al comprobar que estaba bien, la ayudó a levantarse.

—Tenga cuidado, señorita. Podríamos haber perdido una vida en el mar.

—Lo tendré —dijo Ada sonriendo al socorrista—. Oye, sé que igual te suena raro, pero… ¿te gustaría quedar conmigo esta noche? Así puedo agradecerte que me salvaras la vida. Eres mi héroe.

El socorrista sonrió de medio lado y le pidió a Ada que le dejara su móvil.

—Este es mi número. Llámame y quedamos, preciosa.

Ada asintió y le guiñó el ojo a modo de despedida. Cuando su héroe se dio la vuelta, se lamió el labio superior y se volvió a sus amigas con una sonrisa, pero le desapareció enseguida al ver cómo la miraban.

—¿Qué pasa?

—Dime que no has fingido que te ahogabas dándonos un susto de muerte para conseguir un polvo con el socorrista —le advirtió Elena con el dedo índice en alto.

Ada comenzó a recoger sus cosas con sentimiento de culpabilidad. Le tendría que haber contado su plan a las chicas. Había fingido un tirón en la pierna y que se quedaba inconsciente para que el socorrista la rescatara. Sólo tuvo que retener un poco de agua en la boca para soltarla tosiendo cuando decidiera volver en sí como veía que hacían en las películas.

—Lo siento, os tenía que haber advertido.

—Directamente no tendrías que haberlo hecho. ¡Tú sabes la angustia que hemos pasado pensando lo peor! —dijo Elena furiosa.

Enfadadas, comenzaron a recoger sus pertenencias y caminaron hacia el hotel caladas tras el baño que se habían dado para rescatarla y con arena hasta las orejas. Caminaban a paso ligero pero con cuidado de no caerse, ya que se habían metido al mar con las chanclas para no perder tiempo en el rescate.

—Chicas, lo siento, ¿vale?

—Sabemos que lo sientes —dijo Nerea dándose la vuelta antes de entrar al hotel—. Pero eso no nos quita el susto y el sufrimiento que hemos pasado por ti.

Entró al hotel cada vez más cabreada y tras dar cuatro pasos, resbaló y cayó al suelo dándose un fuerte golpe en la cadera.

—¡Mierda! —gritó Nerea colocándose una mano en la zona del golpe.

—Aparte de princesa Cascanueces, ¿también quieres ser la princesa Moratones? —se mofó Hugo que había visto la caída y no dejaba de reír.

La mezcla del enfado con Ada, la furia con ese idiota y la humillación vivida, hizo que Nerea no pudiera más y comenzara a llorar silenciosamente. Se levantó como pudo y quitándose las chanclas corrió a su habitación con el objetivo de quedarse allí todo el día. Ahora necesitaba soledad.

Nerea se encerró en la habitación y se desahogó mojando la almohada con sus lágrimas. La zona izquierda de la cadera le dolía horrores por el golpe y no tenía nada para darse. Ada, a pesar de que tenía también llave de la habitación, llamó con los nudillos e intentó hablar con ella, pero Nerea quería estar sola. Al día siguiente se le pasaría, pero hasta entonces sus amigas sabían que era mejor que se relajara y ordenara sus emociones.

Desde que Íñigo la había utilizado y manipulado se sentía más vulnerable y su cuerpo reaccionaba enseguida a los estímulos negativos o directamente veía fantasmas donde no los había. En ocasiones incluso no se sentía la misma persona de antes, Íñigo la había marcado y no sabía si en un futuro le dejaría a un lado para poder vivir su vida como quería. Con los bajones puntuales que le daban por su culpa, él siempre permanecería inconscientemente en su vida.

Finalmente se quedó dormida y abrió los ojos cuando oyó unos suaves golpes llamar a la puerta. Supuso que era Ada, pero no abrió. Ella tenía llave y al comprobar su silencio entraría, pero los golpes siguieron sonando y aún más dormida que despierta se levantó para abrir, aunque se despertó de golpe al ver quién estaba al otro lado.

—¿Qué haces aquí? ¿Vienes a ponerme otro de tus estúpidos motes?

—En realidad vengo a traerte esto —dijo Hugo levantando los brazos para mostrarle una bolsa de hielo y una pomada—. Tu padre se ha enterado de lo ocurrido y me ha dicho que te lo suba, así que toma que ya me voy —finalizó con tono enfadado.

Nerea bajó la cabeza empezando a ser consciente de que, aunque el chico era un idiota y de los gordos, ahora se estaba pasando con su comportamiento. Él la ayudaba y ella le estaba despreciando.

—Gracias —dijo finalmente Nerea—. Pero pasa, tengo que decirte algo desde nuestro último encuentro en el desayuno o creo que mi subconsciente me martirizará toda mi vida.

Nerea se apartó para dejarle paso. Hugo la miró sorprendido y levantando las cejas, entró y esperó a que ella se tumbara en la cama para ayudarla a calmar el dolor de su cadera. Ella seguía con el vestido que se había puesto para ir a la playa y todavía lo tenía algo húmedo por haberlo hecho con el biquini mojado.

Hugo se quedó parado de pie en frente de la cama con la bolsa de hielo y la crema en las manos y Nerea le miraba aún desde la puerta. Él, al ver que no se movía, hizo una seña a la cama para que se sentara y poder mirarle la zona del golpe.

A paso lento, Nerea se sentó a lo indio en mitad de la cama y él al filo de esta cerca de ella.

—¿Llevas el biquini puesto?

—Sí —contestó en apenas un susurro.

—Entonces, ¿te importa mucho levantarte el vestido para ver la zona del golpe?

Nerea no habló, sino que se llevó las manos al extremo de su vestido y enrollándolo, lo levantó hasta quedar por encima de la cadera, mostrando el pequeño hematoma que se estaba formando. Hugo acercó despacio la mano para tocarlo, pero cuando sus dedos rozaron su piel, Nerea se movió para apartarla soltando un gemido de dolor.

—¿Te duele?

Nerea asintió. Con cuidado, Hugo le colocó el hielo apartándolo y volviéndolo a poner, para que poco a poco Nerea fuera acostumbrándose a la baja temperatura. Le sujetó el hielo en la cadera durante unos minutos hasta que la zona quedó insensibilizada por el frío. Hugo se levantó de la cama para dejar la bolsa en el lavabo, ya que se empezaba a derretir y calar todo.

Seguían sin hablar cuando comenzó a extenderle la pomada delicadamente por el hematoma. Nerea inconscientemente, cerró los ojos para sentir mejor sus caricias. No sabía porqué pero se sentía muy a gusto en ese momento.

—Quería pedirte disculpas por lo que te he dicho cuando te has caído. Ha estado fuera de lugar.

—Ya, bueno… no es mi mejor día.

—¿Puedo preguntarte por qué estabas tan enfadada?

La crema ya estaba totalmente extendida, pero Hugo continuó con sus caricias notando la suavidad de la piel de la chica.

—En resumen, porque Ada fingió que se estaba ahogando para conseguir un polvo con el socorrista.

—¿Quién de las tres es Ada? —preguntó Hugo cerrando la crema con el tapón.

—La pelirroja.

Hugo asintió y la habitación quedó inundada con un incómodo silencio que el animador, rompió:

—Antes cuando me has invitado a pasar, has dicho que tenías que decirme algo.

Ambos sonrieron y Nerea le volvió a mirar muy seria.

—Sí, la verdad es que yo también quería pedirte disculpas por lo de esta mañana. Si me despiertan me pongo de muy mal humor.

—Ya me lo han dicho. Sinceramente, creía que ese arranque de mal humor había sido por ser el objetivo de la princesa Cascanueces.

—En parte también, ¿y quién te ha dicho que si me despiertan me pongo de mal humor? —preguntó frunciendo el ceño.

—Tu padre tras reírse de lo que ha pasado.

Nerea se puso roja y cogió la almohada para ocultarse la cara con ella. Su padre a veces era lo peor. Hugo volvió a reír ante ese gesto y le quitó la almohada de la cara.

—¡Yo lo mato!

—Ni se te ocurra. Tu padre es un hombre increíble y le debo mucho.

Al oír el tono de voz con que lo decía, enseguida supo que su padre, con sus sabias palabras y consejos, le había ayudado con respecto a algo de su vida, pero no quiso preguntarle.

—Pues eso, espero que me perdones por no entender que sólo cumplías con tu trabajo tanto cuando me has despertado como cuando me has dicho que teníais que recoger. Pero esto no cambia nada, te sigo odiando por ser un tanto gilipollas.

—Disculpas aceptadas, princesita Cascanueces.

Un incómodo silencio invadió la habitación y cuando quiso darse cuenta, Nerea le estaba mirando la boca. La tenía entreabierta y unos labios carnosos que parecían ser suaves e invitaban a ser besados. Al sentirse embobada, rápidamente retiró la mirada de su boca y colocándose el pelo detrás de las orejas se levantó de la cama.

—Creo que deberías irte.

—Sí. Tengo que preparar lo de esta noche. Hasta luego.

Nerea expulsó todo el aire que tenía retenido en sus pulmones y poniéndose unos pantalones cortos y una camiseta de tirantes bajó a ver a su padre. Le contó lo ocurrido y le dijo que Hugo había cumplido con sus órdenes, pero que seguía sin caerle bien.

—Tus amigas están en el bar de la piscina.

—¿Qué? —dijo Nerea sin entender a que se refería exactamente su padre.

—Vete y dales un abrazo. A veces en la vida pequeños gestos, como un abrazo, un beso o una caricia, son suficientes para demostrar perdón, ánimo o sentimientos.

Nerea sonrió y tras darle un beso a su padre, salió disparada hacia la piscina, donde Ada, Laila y Elena tomaban una cerveza con cara de preocupación. Corrió hacia ellas y las abrazó. Comenzaron a deslizarse de nuevo lágrimas de los ojos de Ada sin que esta dejase de disculparse.

—Ya vale, Ada. Sabes que estás más que perdonada. Ahora discúlpame tú a mí por mi comportamiento. Sabes que ahora todo me afecta más, pero sé que pronto cambiará. Lo siento así.

Ada asintió y volvió a abrazarla.

5

—No me jodas que hay cola para entrar a cenar.

El Hotel Villa Magic tenía un grandísimo comedor, pero no era extraño que estuviese lleno y tuvieses que esperar a entrar. Tenía muchísima variedad de comida. Una zona con las comidas que más le gustaban a los niños, otra con más variedad aún para hacerte ensaladas, comerte un gran chuletón o un sabroso pescado al horno y por último la zona de los postres, donde cada noche ponían una fuente de chocolate, alternando entre el negro y el blanco. Nerea tenía una gran anécdota con esa fuente.

La *maître* se llamaba Sara y llevaba más de diez años en ese puesto. Era una chica muy simpática y alegre que conseguía ganarse a los huéspedes y hacer más entretenida la espera.

—Nerea, ¿eres tú? Madre mía, mi niña, qué guapa estás.

Sara y Nerea se abrazaron y tras presentarles a sus amigas, las cinco entablaron una conversación, hasta que por fin consiguieron mesa.

—¿Qué haces? ¿Intentar mover la comida con la mente? —preguntó Nerea al ver cómo Laila examinaba toda la comida.

—Es que hay tanta comida, que no sé qué coger. Quiero probar eso, pero también esto y no me va a entrar en el cuerpo.

—Coge un poco de cada —sugirió Nerea.

—¿No has visto todo lo que he cogido ya? —dijo señalando la mesa donde estaban.

Nerea le sonrió y continuó eligiendo su cena. La mesa donde se sentaban estaba llena de platos. Todas habían cogido un poco de todo, pero sabían que no iban a poder con ello y así fue. La mitad de la comida se quedó intacta.

—No puedo más —dijo Ada medio recostada en la silla con las manos en la tripa—. Creo que es la primera vez que vengo a un hotel y dejo comida en el plato porque no me entra. Con la buena pinta que tenían los aros de cebolla, que lo he dejado para lo último y si como uno ¡reviento!

—¿Queréis postre? —preguntó Nerea levantándose de la silla.

—¡¿Qué dices?! No me entra nada más —dijo Elena.

—Bueno, pues yo voy a cogerme un par de brochetas de fruta mojadas en la fuente de chocolate.

—Ahora que lo dices… creo que dos brochetitas de esas sí me entran. Tráeme, porfi —dijo Ada poniendo morritos.

—¿Te molesta mucho traerme a mí también? —pidió Laila

—¿Y a mí? —las imitó Elena.

Al final todas le pidieron ese delicioso postre y Nerea cogió un plato grande para poner ahí las ocho brochetas mojadas en chocolate. Estaban formadas por una fresa, plátano, kiwi, naranja y melón y el sabor del chocolate mejoraba su gusto.

—Espera, espera —oyó Nerea una voz a su espalda.

—¿Otra vez tú? Puedes dejarme en paz de una vez, por favor —dijo dando una patada en el suelo cansada de ese idiota.

—Sólo vengo a ayudarte.

Nerea le dio la espalda a Hugo y él aprovechó para pasarle el brazo izquierdo por la cintura y pegar su espalda a su pecho. Llevó su mano derecha a la de ella para colocarla encima, y la guió hacia la fuente para que la brocheta quedara empapada de chocolate. En esos segundos, que para Nerea fueron una eternidad, sólo pudo sentir el calor de sus manos y su aliento en la oreja.

—Muy bien princesa —dijo Hugo apartándose y comenzando a dar infantiles palmas para burlarse de ella—: Ya has aprendido a poner chocolate a la fruta sin tirarte la fuente encima.

Nerea abrió la boca cuando oyó ese último comentario. ¿Cómo sabía él lo que hizo siendo una niña? Además fue sin querer. A los ocho años, Nerea era demasiado bajita para llegar a la fuente y subiéndose a una silla, la cogió con la mano para atraerla hacia ella provocando que se le cayera todo el chocolate encima y que casi rompiera la fuente. Alejandro la rescató y la estuvo bañando mientras ella lloraba avergonzada por lo que había pasado y su padre intentaba consolarla.

Hugo seguía riéndose y ella volvía a sentirse una inútil al haber vuelto a dejarse manejar por un tío para su diversión. Le dio un pequeño empujón, pero Hugo tropezó y en un intento de no caerse, colocó la mano en el extremo del gigantesco bol del arroz con leche, haciendo que volcara y que la mayor parte del contenido acabara duchándole por completo. Nerea se llevó una mano a la boca y comenzó a reír a carcajadas.

—Me voy a empezar a cagar en todos tus antepasados, princesita Cascanueces. ¡Mira lo que me has hecho! —bramó enfurecido.

—¿Yo? —dijo Nerea señalándose—. Perdona, pero yo sólo he puesto distancia entre nosotros con un pequeño empujón. Tú, que no miras por dónde vas, has pisado mal y ¡tú! te has tirado el bol en un intento de sujetarte a la mesa y no caer.

Hugo le echó una mirada llena de furia mientras ella seguía con su sonrisa burlona.

—Mira el lado positivo —dijo Nerea cogiendo el plato con las brochetas rebanadas en chocolate—: Ahora eres un poco más dulce.

Cuando Nerea llegó a su mesa, todas se echaron hacia adelante para poder susurrarse. Desde allí habían visto todo y aunque rieron al verlo, sabían que Nerea se había vuelto a pasar con el pobre chico.

—Pero ¿qué le has hecho ahora?

—¡Otras! Yo no he hecho nada, si habéis visto bien, él se ha tropezado y se ha tirado el arroz encima.

—Pero porque tú le has empujado.

—Pero yo no he hecho que él mismo se tire el bol y si le he empujado es porque estaba invadiendo mi espacio.

Tras degustar las deliciosas brochetas, fueron al bar-salón del hotel para tomarse unos cubatas. Se sentaron en una de las mesas que se encontraban en la zona del salón, donde se veía mejor el espectáculo que organizaban los animadores y los niños correteaban y jugaban ansiosos por ver qué hacían los animadores esa noche.

—Creo que es la primera vez que le voy a ver trabajar —dijo Nerea señalando a Hugo antes de meterse la pajita en la boca.

—Pues yo creo que hace bien su trabajo. Mira como los niños se acercan a él —comentó Laila con una tierna sonrisa al ver a los niños ir hacia Hugo.

—Precisamente su trabajo consiste en eso, en que los niños caigan a sus pies.

—No sé qué tienes contra él, Nerea —dijo Elena mirándola seria.

—Pues que desde que nos conocimos no hace más que tocarme los ovarios —resopló cansada de hablar de ese idiota.

—¿Él a ti los ovarios o tú a él los cascabeles? —se mofó Ada.

—Las dos cosas —contestó Laila—. Yo a estos dos les doy una colleja y para lo próximo que abrirán la boca será para pedirse disculpas.

Nerea vio cómo Hugo mandaba a todos los niños sentarse en el suelo mientras el otro animador infantil entraba en la estancia con un carro en el que había seis tartas de nata.

—Veréis, niños, —comenzó a decir Hugo— estas tartas de aquí, no son unas tartas cualesquiera, sino tartas mágicas. ¿Sabéis por qué?

Los niños negaron con la cabeza.

—Porque a veces, estas tartas cobran vida y salen disparadas hacia la gente. Ya veréis.

Hugo cogió una tarta con cuidado y comenzó a moverse con ella como si fuese la tarta quien le controlara. Los niños reían y gritaban cuando se acercaba a ellos, pero Hugo la controló y resoplando se pasó exageradamente la mano por la frente como si se secara el sudor, pero la tarta salió disparada hacia un lado cayéndose al suelo boca abajo. Hugo se llevó las manos cómicamente a la boca y miró de nuevo a los niños con los ojos muy abiertos.

—Es que, Hugo —comenzó a hablar su compañero—, no tienes ni idea de controlarlas. Verás se hace así.

El otro animador cogió otra tarta y se agachó frente a un niño para que soplara diciéndole que su aire anularía la magia de la tarta.

—¿Ves? —dijo enseñándosela a Hugo.

—¿Y qué pasa si se vuelve a soplar? —preguntó Hugo divertido mirando a los niños.

—Que vuelve la magia.

Entonces Hugo se agachó con los niños y les hizo señas con las manos para que se acercasen y así hablarles en voz muy baja.

—¿Queréis que sople y que vuelva la magia de la tarta a ver qué pasa?

Todos asintieron divertidos y Hugo acercándose sigilosamente por detrás a su compañero mientras los niños reían y el otro animador infantil fingía que no se enteraba, sopló en la tarta que acabó en la camiseta del animador. Los niños rieron y aplaudieron, y el compañero de Hugo lo miró con falso enfado.

—Ahora te las arreglas solito con las tartas —dijo mientras se colocaba en una esquina a mirarse las uñas mostrándose indiferente.

A pesar de que Nerea intentaba mantenerse seria, al ver cómo Hugo y su compañero hacían su espectáculo no podía controlar la risa dentro de ella y alguna se le escapaba, pero rápidamente se ponía la mano en la boca para disimular, aunque sus amigas la habían pillado y Hugo también.

—Pues me he quedado solo, así que, necesito a una valiente voluntaria que tenga los ojos marrones y grandes y un color de pelo indescifrable.

Nerea y Hugo cruzaron sus miradas y ella levantó una ceja. «Vas listo si crees que me voy a levantar de esta silla», pensó Nerea negando con la cabeza y lanzándole una mirada de advertencia. Pero Hugo no se dejó intimidar por esa mirada y se acercó hasta su mesa.

—Sí, sí, tú eres la valiente voluntaria que estaba buscando, ¿o me vas a decir que le tienes miedo a las tartas mágicas? —Miró a los niños—. Venga, chicos, hacedle la gallina.

Los pequeños, divertidos, comenzaron a imitar a la gallina, pero Nerea no se movía, así que Hugo la cogió de las manos y la llevó hasta el lugar donde serían el centro de atención mientras las traidoras de sus amigas comenzaban a sacarle fotos y grabarla. A pesar de oponer resistencia, él era más fuerte que ella y tuvo que dejarse arrastrar.

—¿No vas a decirme tu nombre? –la vaciló Hugo.

—Nerea –contestó pensando en los niños que los observaban. No le quedaba más remedio que quedarse quietecita.

—Muy bien, Nerea –dijo Hugo cogiendo una tarta–. Vas a ser la primera en probar este delicioso postre. ¿Alguno de vosotros tiene una cuchara? –preguntó dirigiéndose a los niños que volvieron a negar.

—Bueno da igual, así también la puedes probar.

Hugo le estampó a Nerea la tarta en la cara para diversión de todos menos de ella. Se retiró con los dedos la nata de los ojos y asesinó a Hugo con la mirada.

—¿Está buena?

Sin decir palabra, Nerea cogió dos tartas y se acercó a él.

—Buenísima, pero creo que deberías probarla para comprobarlo.

Dicho esto, le dio un tartazo en la entrepierna provocando a los espectadores mayores carcajadas.

—Uy, perdón. Aún tenía nata en los ojos y creía que eso era la boca, espera que ahora sí que acierto.

La segunda tarta que tenía en las manos acabó en la cara de Hugo y Nerea se las sacudió para quitarse un poco de nata. Alejandro y Pedro pasaron por el bar para tomarse una buena copa de coñac, y se quedaron sorprendidos al ver el espectáculo que esos dos estaban montando. Divertidos, se sentaron en unas mesas y siguieron disfrutándolo.

—Preciosa, creo que deberías dejar de comer dulces –dijo cogiendo la última tarta del carrito–. Chicos, ¿sabéis dónde van todos los dulces que comemos?

Antes de que los niños contestaran, Hugo le dio la vuelta a Nerea y estampó la tarta en su trasero.

—¡Al culo! –contestó Hugo divertido.

En ese momento en el que todos reían, Nerea levantó las cejas divertida mirando al animador al notar que no apartaba la mano de su trasero. Se quedó completamente anonadada con ese gesto. Apenas se soportaban, pero increíblemente, estaba disfrutando con ese divertido espectáculo y no le importaba que tuviera la mano en esa zona de su anatomía.

Todos los presentes se levantaron y aplaudieron una vez acabó el espectáculo y Nerea, al ver a Hugo saludar, ella, cómicamente, también lo hizo. Aunque al principio se enfadó, no podía negar que se había divertido mucho participando en el espectáculo.

Alejandro y Pedro se acercaron a ellos para darles unas toallas mientras Samuel, el otro animador infantil, que se había retirado para que Hugo hiciera solo el número, continuó entreteniendo el ambiente.

—Vaya, cariño —dijo Alejandro mirando a su hija—. Creo que te voy a contratar como compañera de Hugo. Hacéis muy buena pareja.

—Ni de broma, papá. Esto no estaba previsto —contestó limpiándose la nata de la cara con la toalla.

—Y por eso ha sido el mejor espectáculo que ha habido en el hotel desde hace tiempo —dijo Pedro sin parar de reír—. Hacéis muy buen equipo los dos.

—Pedro —advirtió Nerea—. No veas cosas que no son.

Antes de irse Hugo, con una sonrisa burlona, guiñó un ojo a Nerea y se marchó. Necesitaba una ducha.

En la habitación, tras un baño a fondo para quitarse los restos de nata, Nerea y sus amigas repasaban los vídeos y fotos que le habían hecho en el bar-salón. Todas rieron, incluida Nerea, y comentaron cada cosa que veían como cuando Hugo le dio el tartazo en el trasero y dejó ahí más tiempo la mano. Parecía increíble pero a Nerea no le molestó que hiciera eso. Es más, sonreía al recordarlo, sobre todo cómo el animador miraba embobado su trasero. Con una sonrisa y recordando lo que había hecho junto a Hugo, Nerea se durmió.

6

❦

Eran las cuatro de la mañana cuando Nerea se despertó con la respiración agitada y lágrimas en los ojos. Miró a Ada que dormía profundamente y se llevó una mano a la boca para ahogar un llanto. Había vuelto a soñar con su madre. Se levantó y fue al baño para echarse agua por la cara e intentar relajarse, pero le era imposible. Apoyó la espalda en la puerta y se deslizó hasta quedar sentada en el suelo, abrazada a ella misma. Habían pasado más de tres años desde la muerte de su madre, pero su último recuerdo volvía sin ella quererlo.

Salió del baño y se calzó las chanclas que usaba a modo de zapatillas de casa y con el pijama puesto, cogió la llave y salió de la habitación con cuidado de no despertar a Ada. Respiró profundamente y se secó las lágrimas antes de subir a la habitación de su padre. Le necesitaba.

A esas horas la mayor parte de los huéspedes dormían, pero siempre te encontrabas al guiri borracho por los pasillos probando la llave en todas las habitaciones hasta dar con la suya.

Cogió el ascensor y subió hasta la octava planta. La última del hotel y donde se encontraban las habitaciones de los empleados que decidían quedarse a dormir allí. Su padre, a pesar de tener un pequeño apartamento cerca del hotel, no le gustaba estar tiempo allí porque se sentía demasiado solo. Por eso dormía en el hotel donde se sentía más a gusto cerca de los otros empleados que día a día se habían convertido en su familia.

Nerea caminó por el pasillo de la octava planta pero se detuvo cuando una de las puertas se abrió y de ahí salió una chica morena con el pelo alborotado y colocándose bien la ropa. Detrás de ella, salió Hugo vestido sólo con unos *boxers*, que la rodeó por la cintura para besarla salvajemente.

—¡*Merci*! —dijo la morena en un perfecto francés.

La francesa le regaló una última sonrisa y se dirigió hacia el ascensor emitiendo un suspiro de victoria y satisfacción tras la noche que acababa de pasar con el *sexy* animador infantil.

—¿No deberías tener prohibido, como el resto de los empleados, tener líos con las huéspedes? —dijo Nerea cruzándose de brazos.

—¿Celosa, princesita? —rio y se miró la muñeca como si tuviese un reloj en ella—. Creo que puedo aguantar una hora más. Pasa y te complazco.

—¡Imbécil! Encima las engañarás para llevártelas a la cama. Como no saben español la mayoría a las que te tiras…

—Princesa Cascanueces, me tiro a chicas de todas las nacionalidades incluidas españolas, ya que te interesa tanto saberlo. Además no engaño a nadie. Aunque no te lo parezca, a mis veintiocho años, tengo la carrera de turismo y hablo, además de español e inglés, francés e italiano.

—Y ya veo para lo que te sirve. Con la carrera entretienes a los niños y con los idiomas follas con quien te dé la gana.

Hugo lanzó una carcajada y se apoyó en el quicio de la puerta desnudándola con la mirada.

—No estás mal, princesita —dijo acercándose hasta dejarla arrinconada contra la pared.

—Déjame si no quieres tener problemas —amenazó comenzando a ponerse nerviosa.

Pero Hugo no sólo no le hizo caso, sino que hundió la nariz en su cuello. Olía de maravilla y su miembro comenzaba a latir dentro de los calzoncillos.

—¿Qué problemas? ¿Te chivarás a tu papá que me follo a algunas clientas?

—No, porque tarde o temprano te pillarán y te irás a tomar por culo.

—Pedro ya sabe lo que hago y si no me despide es porque soy el mejor animador infantil, además me lío con ellas fuera de horario de trabajo y eso no le agrada, pero está permitido.

—Apártate –le miró con furia y comenzando a agobiarse. Aún tenía una fuerte opresión en el pecho tras el sueño–. Por favor... -susurró.

Comprendiendo que se estaba pasando con la chica y más al oír cómo le suplicaba, Hugo lo hizo y dio un paso hacia atrás para dejarle su espacio.

—No lo niegues, princesita. Sé que te atraigo como al resto de las féminas y te aseguro, que tarde o temprano acabarás tumbada en mi cama y abierta de piernas, como todas.

Nerea le abofeteó y se enfrentó de nuevo a él.

—Eres un completo hijo de puta. ¡¿Por qué no puedes dejarme en paz?!

—Eres tú la que no para de tocarme los huevos tanto metafórica como literalmente.

Ignorándole y con la furia en el rostro, Nerea caminó por el pasillo donde se encontraban las habitaciones de los empleados hasta llegar a la puerta del cuarto de su padre. El sueño volvía a su cabeza y comenzó a llamar con más fuerza y más insistencia al notar cómo las lágrimas aparecían de nuevo. Hugo se quedó parado en el pasillo viéndola golpear la puerta de la habitación de su padre mientras se ocultaba el rostro con el pelo ¿Acaso estaba llorando? ¿Sería por su culpa?

Cuando por fin Alejandro abrió la puerta, encontró a su hija con la cara descompuesta y a Hugo mirándola serio y medio desnudo ¿Qué significaba eso?

—¿Qué ocurre, cariño?

—Mamá...

Fue lo único que pudo decir Nerea antes de que su padre la abrazara. Sólo una palabra hizo falta para comprender que su hija había vuelto a soñar con su madre. Alejandro hizo que Nerea pasase dentro y volviéndose hacia Hugo dijo:

—Hugo, por favor, ¿te importaría mucho ir a la cocina y subirme una tila?

El chico negó con la cabeza y se metió en la habitación para vestirse y bajar a por lo que le habían pedido ¿Por qué le estaba afectando ver llorar a esa malcriada? ¿Acaso se sentía culpable? Él no había hecho nada para que estuviera así, ¿o sí?

Cuando Alejandro entró en la habitación, se encontró a Nerea acurrucada en el sillón y llorando en silencio. Se acercó a ella y la abrazó acariciándole el pelo y besándola en la frente. Su hija había vuelto a soñar con su madre y eso siempre le traía el horrible recuerdo de cómo la vio quitarse la vida.

—¿Me lo quieres contar? —le dijo Alejandro en un susurro.

—He soñado con la última noche que pasé con ella. El momento que la dejé cinco minutos sola para ir a por sus pastillas y cuando volví a la habitación, y vi la sangre y el cuchillo y…

Nerea volvió a derrumbarse. La imagen de su madre tumbada en la cama con las venas cortadas y la sangre manchando las sábanas y cayendo al suelo, fue un golpe duro para ella. La ambulancia llegó enseguida, pero nada pudieron hacer por su vida. Carolina no soportaba más los dolores y estaba harta de recorrer los hospitales de medio país buscando algo que le alargara la vida y le aplacara los dolores. Su cáncer pancreático era irreversible y decidió abandonar el mundo para acabar con su sufrimiento.

—Recuerdo que cuando fui a por sus pastillas —siguió Nerea entre sollozos —antes de salir de la habitación, me detuvo para decirme que me quería. Yo no entendí a qué venía todo eso, le dije que yo también a ella y cuando volví lo entendí. Se estaba despidiendo de mí.

Los llantos de Nerea volvieron a aumentar y a Alejandro se le escapó una lágrima al recordar a la que fue la mujer que más amó en el mundo. A pesar de que se divorciaron cuando Nerea tenía seis años, siguieron en contacto y entablaron una gran amistad, pero él nunca dejó de quererla.

El ruido de alguien llamando a la puerta, hizo que Alejandro soltara a su hija y fuera a abrir.

—Gracias Hugo —dijo Alejandro cogiendo la tila que le tendía.

—No hay de qué. Oye, Alejandro, ¿puedo preguntar qué le pasa?

Durante el tiempo que había durado el trayecto para llevar-le la tila a Alejandro, Hugo no había parado de darle vueltas pensando si él había sido el culpable del estado de Nerea. ¡Se estaba sintiendo mal por esa malcriada! Necesitaba saber que él no era el culpable o no dormiría durante lo que quedaba de noche.

—Su madre. Se suicidó mientras ella iba a buscar sus medicinas cuando Nerea tenía veintidós años. La encontró cuando ya no se podía hacer nada, fue un duro golpe. Lo tiene superado, pero en ocasiones sueña con ella. Sueña con el momento que la encontró muerta, sueña recuerdos, o sueña que está viva y sigue en su vida. Al día siguiente está mejor, pero en el momento que se despierta de esos sueños, se siente débil y necesita a alguien a su lado. Rara vez le sucede, pero cuando lo hace…lo pasa muy mal.

Hugo asintió y se despidió de Alejandro hasta la mañana siguiente. Nerea, más tranquila se tomó la tila que había pedido su padre para ella mientras él se tomaba un poco de whisky.

—¿Mejor? —Nerea asintió—. ¿Necesitas algo más?

—¿Puedo quedarme a dormir contigo? Vale, sé que tengo una edad pero te necesito cerca, papá. Ha sido mucho tiempo sin ti, soportando sola los sueños.

—Claro que puedes pasar la noche aquí, cielo. Por cierto, ¿qué hacíais tú y Hugo en el pasillo?

—Pues… cuando he subido, me he equivocado de puerta y he llamado a la suya. No me acordaba si tu habitación era esta o la de al lado, así que me he confundido y por eso él estaba fuera —mintió.

—¿En calzoncillos? —preguntó levantando las cejas.

—Papá, la gran mayoría de los hombres duermen así. A ti te gusta más el pijama y a él pues le gustara más dormir fresquito.

—Ese chico también lo ha pasado mal por su madre.

—¿Por qué?

—No soy quien para hablar de eso, Nerea —dijo sentándose en el sofá a su lado—. Pero es un buen chico que ha trabajado muy duro y superado cosas en la vida hasta ser el gran muchacho que es.

Nerea levantó las cejas ante el término «gran muchacho» y Alejandro rio ante ese gesto.

—Sé que Hugo no te cae bien, pero porque no te has esforzado por conocerle

—¿Y para qué quieres que lo conozca? –dijo dando un sorbo a la tila.

—Porque sé que podría ser un gran apoyo para ti y una persona en la que confiar. Os ayudarías mutuamente, lo sé.

Nerea dejó el vaso en la mesilla y negó con la cabeza. ¿Su padre estaba haciendo de celestina o se lo parecía?

—Lo siento, papá. Es un imbécil.

Alejandro volvió a reír y se acercó a su hija para besarla en la frente como siempre hacía.

—Vamos a dormir, que mañana quiero enseñarte algo, ¿de acuerdo?

Nerea asintió y ocupó la cama individual que había en la habitación de su padre, intrigada por lo que le había mencionado de Hugo. ¿Qué escondía bajo esa fachada de tío insensible y mujeriego? Con esa pregunta en la cabeza, Morfeo llamó a su puerta.

7

❦

$\mathcal{D}$os horas después, el despertador de Alejandro comenzó a sonar. Tenía que desayunar para ponerse en marcha, así que con cuidado de no despertar a su hija, se duchó y se puso el traje, pero al salir del baño vio a Nerea levantada y mirando por la ventana el amanecer en el mar.

—¿Qué haces despierta? Son las seis y media, duerme un poco más.

—Me he desvelado y sabes que cuando me desvelo ya no consigo dormir –bostezó.

Nerea se dio la vuelta para mirar a su padre quien se quedó mirándola frunciendo el ceño.

—¿Qué pasa? –preguntó Nerea.

—Mírate en el espejo.

Asustada, corrió hacia al baño y abrió los ojos como platos al ver un rastro de babas secas por toda su boca.

—Ainss ¡qué asco!

—No exageres cariño que eso con agua se quita.

—Pero a mí me sigue dando asco.

—Pero si son tus babas –rio Alejandro–. Cuando se secan te queda el rastro.

Nerea hizo caso a su padre y comenzó a lavarse la cara raspando con la uña la prueba de que se había pasado las apenas dos horas que había dormido babeando.

Mientras su hija estaba en el baño, Alejandro cogió la almohada en la que había dormido Nerea para ver el pequeño charco que había formado con su saliva. Quitó la sábana y la dejó en el bidé del baño para que la retiraran cuando fueran a limpiar la habitación.

—¿Quieres venir a desayunar conmigo y con Pedro o prefieres hacerlo más tarde cuando tus amigas se despierten?

—Voy contigo, además ayer me dijiste que hoy me tenías que enseñar algo.

—Está bien, te dejo que te vistas y te espero fuera.

Cuando Alejandro salió de la habitación, Nerea se quedó en el baño para acabar de asearse. Cogió un cepillo de dientes nuevo que su padre siempre tenía en el cajón y se lavó los dientes consiguiendo el aroma fresco de la menta que le encantaba tener por las mañanas. Hasta que no lo tenía, no se sentía limpia. Salió del baño y cuando fue a vestirse, se dio cuenta de que había subido a la habitación de su padre con el pijama. Tenía que ir a la suya a buscar ropa.

—Papá, tengo que ir a mi habitación a por ropa. Subí con el pijama.

—Ve bajando y te esperamos en tu puerta.

Nerea asintió y caminó hacia el ascensor pensando en lo último que le había dicho su padre. «Te esperamos», pensó qué seguramente Pedro le acompañaría.

Abrió la puerta de su habitación lo más sigilosamente que pudo y cogiendo la ropa, se cambió en el baño. Dejó el pijama a los pies de la cama y tras recogerse el pelo en una coleta alta, salió de la habitación.

—¿Todo bien? —preguntó Alejandro que la esperaba apoyado en la pared.

—Sí, ¿y Pedro? —dijo al ver solo a su padre esperándola.

—Estará abajo, junto con el resto de los empleados.

Si Pedro no iba a esperarla junto a su padre, ¿a qué se debía ese te esperamos? Pero lo averiguó nada más clavar la vista en el ascensor. Un guapísimo Hugo vestido con el uniforme que llevaba cada día les esperaba con las manos metidas en los bolsillos.

—Buenos días, princesita Cascanueces.

Alejandro miró a otro lado y rio al ver cómo su hija achinaba los ojos asesinando a Hugo con la mirada. No era la primera vez que oía ese mote para hablar de Nerea. Esta ni le habló. Entraron en el ascensor en silencio y cuando se abrieron las puertas, caminaron hasta el comedor.

—¡Qué sorpresa! –dijo Pedro abrazando a Nerea–. ¿Qué haces despierta, princesa? ¿Recordar viejos tiempos?

Cuando era pequeña, Nerea siempre quería desayunar con su padre y Pedro. Se levantaba todos los días a las seis para comenzar el día junto a ellos, pero siempre se quedaba dormida mientras se tomaba la leche y Alejandro acababa cogiéndola en brazos y subiéndola a la habitación.

—Me he desvelado y no consigo dormir, así que vengo a desayunar con vosotros.

—¿No te quedarás dormida? –le preguntó divertido.

Nerea sonrió.

—No, ya no. O eso espero –bromeó ella mientras se sentaba en una de las mesas junto con su padre y más empleados. Pero Pedro, desde la suya, le hizo una señal a Alejandro para que se acercara.

—Cielo, lo siento pero tengo que ir donde Pedro. Tenemos que hablar sobre un asuntillo del hotel.

—Tranquilo, ve.

—No me gusta dejarte sola –dijo mirando el comedor como si buscara a alguien–, ¡Hugo! –lo llamó–. Tengo que ir a hablar de unas cosas con Pedro. ¿Puedes sentarte con Nerea y hacerle compañía?

—Mientras mantenga el café en la taza, será un placer –dijo acercándose a ella mostrando una sonrisa maliciosa.

Hugo se sentó bruscamente en la silla al lado de Nerea golpeando su brazo. Ante el golpe, Nerea cogió la silla y se movió a la izquierda alejándose de él, pero Hugo hizo lo mismo para mayor enfado de ella. ¿Por qué su padre le había hecho eso? Sabía que el dichoso animador infantil le caía fatal. Lo mejor sería ignorarle o no desayunaría tranquila.

Ambos cogían diferentes alimentos que había en el centro de la mesa y parecían tener un imán para querer coger siempre lo mismo, haciendo que se pelearan por el último cruasán o por las últimas gotas del zumo.

Cuando Hugo acabó su desayuno, se llevó la mano a la boca y giró la cabeza hacia donde estaba ella para soltar un ruidoso eructo.

—¡Serás cerdo! –le gritó Nerea dándole un manotazo.

—¿Tú no has visto nunca *Shrek*? Mejor fuera que dentro.

—Ya, pero has tenido que hacerlo en mi oído.

Hugo sin contestarla, sonrió. No tenía ni idea de qué le pasaba con la hija del director. Era la primera mujer con la que se comportaba como un completo idiota, a pesar de que le atraía más que ninguna. Cuando la tenía delante, se descontrolaba. Por su parte, Nerea aún no se explicaba por qué le buscaba constantemente con la mirada. En la piscina, en el bar-salón o en cualquier instalación del hotel, no dejaba de mirarle. Y lo peor de todo, era que no podía dejar de pensar en él cuando no lo veía.

—Vete a la mierda –bramó enfadada levantándose de la silla.

Nerea comenzó a poner en el plato que había usado los vasos y cubiertos para llevarlos todos a la vez a la cocina cuando notó un aliento en su oído.

—Contigo delante para que no me pierda.

Como no lo esperaba, Nerea se asustó y dejó caer lo que tenía en las manos haciéndose añicos. El estruendo de la cubertería al romperse hizo que todos se giraran hacia ella provocando que Nerea enrojeciera y Hugo no dejara de reír. «¿Pero qué le pasaba a ese con ella? ¿Es que no la podía dejar en paz? ¿No la podía ignorar?», se decía.

Una de las camareras se acercó a ella y le dijo que no se preocupara que ella lo recogería. Nerea no pudo decir nada, sólo asintió con la cabeza y se fue del comedor mirando al suelo y dando grandes zancadas.

Pedro fulminó a Hugo con la mirada y él levantó las manos en señal de paz. Él no había hecho nada para que se le cayeran los platos, sólo le había contestado al oído. Pero al ver cómo le miraba, puso los ojos en blanco y se encargó él mismo de limpiar el estropicio.

Nerea caminó directa hacia el despacho de su padre y le mandó un mensaje al móvil para decirle que le esperaba allí para ver eso que le tenía que enseñar. Su padre no tardó en llegar y se colocó frente a su ordenador para introducir la dirección de la página que llevaba mirando desde hacía tres días.

—Es una academia especial para tratar casos de niños con problemas tanto pedagógicos como psicológicos. Hay dos puestos vacantes uno de sustitución durante seis meses y otro fijo si les gustases. ¿Qué te parece?

—Bien, pero… todavía no sé si voy a quedarme a vivir aquí. Ya sabes que mis amigas viven en Oviedo.

—Lo sé, cariño. Las entrevistas para el puesto comienzan en septiembre, así que para entonces ya habrás tomado una decisión.

Nerea asintió y se apoyó en el escritorio de su padre para leer la oferta de trabajo. La verdad es que le gustaría y había posibilidades de conseguirlo, pero no estaba muy convencida de dar ese cambio.

—Cariño, escucha. Tienes tres meses por delante para pensártelo y en cuanto al piso donde podrías vivir si aceptaras…, sabes que yo tengo un apartamento que apenas uso. Sería todo tuyo.

—No sé, papá, es que quiero quedarme y a la vez no quiero. Oviedo no es precisamente el pueblo de al lado.

Alejandro se puso en pie y besó a su hija en la coronilla. Él también tuvo que tomar la decisión de abandonar Logroño cuando le ofrecieron un puesto en el Hotel Villa Magic, pero la mala situación que estaba pasando con su mujer, le hizo más fácil tomar la decisión. Aunque vería menos a su hija, no quería que su pequeña creciera en un hogar lleno de peleas y gritos. Por eso, aceptó la separación amistosa y pasar con su hija el máximo tiempo que su trabajo le permitiera. Aunque no la vio tanto como quiso, no se perdió ningún acontecimiento importante y, por ello, daba las gracias al cielo.

—No te agobies por esto, pero tienes que pensar muy bien antes de tomar una decisión.

Cuando Nerea salió del despacho de su padre, eran las ocho de la mañana. A sus amigas les quedaba una hora de sueño, así que volvió a la habitación. Se puso el biquini y cogió la toalla antes de irse a la piscina. A esas horas no había nadie ya que el socorrista no empezaba su turno hasta las nueve. «Si me ahogo problema mío», pensó Nerea metiéndose en el agua poco a poco. Cuando esta le llegó por las rodillas, dio un salto y se tiró de cabeza para comenzar a nadar.

Le encantaba hacer largos siempre que podía. Aparte de que ejercitaba el cuerpo entero, le relajaba y a su ritmo no se cansaba. Hizo varios largos tanto en estilo crol como de espaldas.

Antes de que llegara el socorrista, se colocó en el centro de la piscina y relajándose, cerró los ojos y comenzó a flotar en el agua.

—¡Princesita! ¿Te traigo unos manguitos?

Nerea puso los ojos en blanco y comenzó a nadar para salir de la piscina. Cogió la toalla y se secó la cara antes de cubrirse con ella para comenzar a secarse el resto del cuerpo.

—¿Por qué no vas a hacer tu trabajo? —le dijo cansada de su presencia.

—Estoy esperando que lleguen unas cajas con materiales para hacer juegos con los niños y hay que dejarlas en el almacén que se encuentra en la piscina. ¿Y tú? ¿No sabes que la piscina se abre a las nueve?

—La piscina está abierta las veinticuatro horas. Es el socorrista el que tiene horario. Si alguien se ahoga fuera del horario del socorrista, no sería problema del hotel.

—Dime princesita —dijo Hugo colocándose a su espalda para susurrarle al oído—. ¿Te animarías a meterte conmigo una noche de estas... sin nada?

—En tus sueños, bonito.

—Piénsalo. Estoy seguro de que disfrutaríamos los dos. Y mi invitación para que vengas a mi cama sigue en pie.

Nerea fue a abofetearle pero él fue más rápido y atrapó su mano. Ella fue a darle con la otra, pero Hugo volvió a atraparla, dejando ambas manos sujetas y cruzadas. La toalla de Nerea cayó al suelo al no seguir agarrada y ambos se miraron a los ojos durante unos segundos. Sus rostros fueron acercándose. Podían sentir el aliento del otro chocar en sus labios.

Hugo comenzó a aflojar a Nerea del agarre y comenzó a bajar la cabeza. Necesitaba sentir sus labios húmedos sobre los de él, pero Nerea aprovechó su bajada de guardia para soltarse de sus manos y empujarle hasta que cayó a la piscina.

—Esto es por lo del desayuno, guapito de cara —dijo Nerea con los brazos en jarras cuando Hugo saco la cabeza—. Y que te quede claro, yo no soy ninguna de las ingenuas que pululan por el hotel y se desnudan en cuanto les susurras al oído sensualmente.

—¿Así que crees que mi manera de susurrar es sensual? —la provocó Hugo.

Nerea soltó un grito por la irritación y se tiró a la piscina para intentar ahogarle. Colocó sus dos manos en la cabeza de Hugo y comenzó a empujar hacia abajo, pero él era más fuerte que ella y no podía. En su intento por ahogarle, los pechos de Nerea quedaron en la cara de Hugo que comenzó a notar cómo comenzaba a excitarse por momentos, así que colocó las manos en los costados de la chica y le comenzó a hacer cosquillas. Nerea empezó a reír y retorcerse mientras Hugo disfrutaba de su contacto. ¿Qué le pasaba? ¿Acaso esa malcriada comenzaba a gustarle? Su carácter le ofuscaba y para echar un polvo rápido ya tenía a las clientas del hotel que le desnudaban con la mirada cada vez que pasaba cerca. ¿Por qué comenzaba a pensar en ella de esa forma?

—¡Para! ¡Para! —gritaba Nerea comenzando a quejarse por las cosquillas.

Pero Hugo siguió y siguió hasta que el pie de Nerea impactó en su entrepierna haciendo que se doblara por la mitad y la soltara.

—¡Serás bruta!

—No lo he hecho adrede, que lo sepas. Pero si me hacen cosquillas, no soy responsable de mis actos, además ya tendrías que tener esa zona insensibilizada.

—¡¡Hugo!! —gritó alguien andando hacia ellos—. ¿Qué cojones haces en la piscina?

Hugo se puso en posición horizontal y de un fuerte golpe, estiró la pierna hacia arriba como lo hubiera hecho una bailarina.

—Natación sincronizada. ¿Tú que crees? La princesita Cascanueces que no tenía otra cosa que hacer que tirarme a la piscina vestido.

—¡Tendrás morro! —se quejó Nerea enfadada salpicándole.

Samuel comenzó a reír al ver a aquellos dos. Pedro y Alejandro hablaban mucho de ellos cuando se reunían algunos empleados y comenzaban a ser famosos en el hotel.

—Así que esta es la famosa princesa Cascanueces. Encantado, preciosa, soy Samuel, otro de los animadores infantiles y compañero de Hugo. No para de hablar de ti.

—Mentiroso —dijo Hugo salpicándole.

—Encantada, Samuel. No sé cómo le soportas.

Nerea salió de la piscina seguida de Hugo y comenzó a secarse sentada en una hamaca. Hugo, calado hasta los huesos, le guiñó un ojo a esta al ver cómo ella le fulminaba con la mirada y acompañó a Samuel a por las cajas. Ya iría luego a cambiarse.

Nerea se colocó el vestido por encima del biquini aún mojado y se quedó mirando cómo Hugo intentaba colocar las cajas dentro del almacén unas encima de otras. El peso de las cajas hacía que sus músculos se tensaran y se le marcaran más por encima de la camiseta mojada haciendo que le mirara completamente embobada.

—Princesita, en vez de desnudarme con la mirada, ¿por qué no ayudas y haces algo? —dijo Hugo secándose el sudor de la frente.

Sin saber por qué, Nerea se acercó hasta donde estaban ellos. El almacén se encontraba a un lado a apenas metro y medio de la piscina. Un paso en falso y podías acabar calado.

—¿Qué quieres que haga?

—Sujeta esta caja.

Hugo le pasó la pesada caja de manera tan brusca que hizo que Nerea tropezara y cayera vestida a la piscina, aunque Hugo había conseguido salvar la caja de darse un baño.

—¡Gilipollas! —dijo Nerea saliendo de la piscina.

—¿Yo? Yo no he hecho nada. Yo te he dado un pequeño empujoncito y tú que no miras por dónde vas, has pisado mal y te has caído a la piscina — dijo burlándose recordando lo que ella le dijo cuando se le cayó el bol con el arroz con leche.

Nerea se dio la vuelta y caminó a paso rápido para largarse de allí. Ese tío acabaría con ella antes de que terminasen las vacaciones.

—Por cierto princesita —la llamó Hugo antes de que abandonara la piscina—. Ese vestido te queda mil veces mejor mojado —dijo lamiéndose provocativamente el labio superior.

Nerea puso los ojos en blanco y recogiendo sus cosas se marchó a su habitación sin darse cuenta de que sus amigas salían del comedor.

—¡Nerea! —la llamaron—. ¿Dónde estabas?

—He desayunado con mi padre y después he ido a nadar, nada más.

—¿Y desde cuando nadas con la ropa puesta? —dijo Laila señalando su vestido calado.

—¡Ha sido el imbécil de Hugo! Me ha tirado a la piscina vestida.

—¿Y tú te has ido sin más? —preguntó Elena levantando las cejas.

—No, yo también le he tirado a él vestido.

—¿Los dos solos y en la piscina? ¿Algo que contar señorita Nerea Delgado? —dijo Ada con una sonrisa picarona.

—Sí, que mañana mismo robo cianuro de la cocina. ¡Ese tío va a acabar conmigo!

Todas rieron a excepción de Nerea que subió a la habitación para cambiarse y secarse un poco el pelo.

8

Habían pasado dos semanas desde que Nerea y sus amigas habían llegado a pasar el verano en el Hotel Villa Magic y con esas dos semanas, había llegado el 22 de junio, el cumpleaños de Nerea. Cumplía veintiséis primaveras y, ese día, todas estaban dispuestas a pasarlo en grande. Los cumpleaños eran una vez al año y estaban aún en edad de disfrutarlos de la mejor manera posible. Saliendo de fiesta, brindando con unos buenos cubatas y conociendo a hombres interesantes.

Alejandro recibió a su hija en el *hall* del hotel con una gran sonrisa y la felicitó tras besarla y abrazarla. Desayunó junto con su padre y Pedro mientras Laila, Ada y Elena iban en busca del regalo perfecto. Con la desconexión que llevaban, se habían olvidado del día en el que vivían y el cumpleaños de Nerea les había caído encima.

Alejandro le dio un paquete envuelto en un papel plateado en cuyo interior había un álbum con las fotos que se hicieron en el hotel los nueve años que Nerea estuvo pasando allí los veranos. Salía ella con siete años en la recepción, en la piscina, jugando con los animadores... Una sonrisa se instaló en el rostro de Nerea acompañado de unos ojos lagrimosos debido a la emoción. Abrazó a su padre y le dio las gracias. En ocasiones, los regalos más simples, son los que más gustan y más emocionan, y eso le ocurrió a Nerea con el regalo de su progenitor.

Cuando le tocó el turno a Pedro, Nerea comenzó a rasgar el papel como cuando era niña y se encontró con la saga completa de sus libros favoritos, ¡y firmados por su escritora! Además, incluía una pequeña nota donde la autora la felicitaba y le agradecía que formara parte de sus lectoras.

A la hora de comer, unas sudorosas Ada, Elena y Laila llegaron al hotel llenas de bolsas de tiendas distintas. Habían estado cuatro horas de compras y aunque les encantaba, siempre acababan agotadas.

—Pero... pero... ¿qué habéis comprado, locas?

—Lo tuyo es esto —dijo Ada entregándole una bolsa—, esto y esto. —Le entregó dos bolsas más—. Y lo estrenarás esta noche.

—¿Y el resto?

—Pues verás, tu padre nos ha dado las indicaciones de un centro comercial cerca del hotel y hemos ido. ¡Era inmenso! Así que nos hemos perdido buscando la salida y dando vueltas y vueltas y vueltas hemos pasado por una tienda que estaba de liquidación y ya ves —dijo señalando las más de doce bolsas que llevaban—. ¡Tenían cosas muy monas!

—Y dime —dijo Nerea poniendo los brazos en jarras—: ¿Dónde vais a meter tanta ropa en la maleta?

Abrieron los ojos y se miraron las unas a las otras. Nerea tenía razón, en la maleta no les iba a caber nada más. Cuando llegaron iban a reventar y ahora más.

—Hemos venido en dos coches. Pondremos las bolsas en los asientos de atrás. ¿Ves? Pienso en todo —dijo Ada con una sonrisa coqueta.

A las once de la noche, tras cenar, subieron a sus habitaciones para cambiarse e ir a la discoteca que había cerca del hotel doblando la esquina. Ada se encontraba frente al espejo extendiéndose bien la capa de maquillaje mientras Nerea, ya vestida y arreglada, intentaba ponerse un moño alto, pero no le estaba quedando como a ella le gustaba.

—¡Joder! —maldijo—. Hoy el moño se me resiste.

—A ver —dijo Ada dejando el lápiz de ojos encima del lavabo.

Nerea se sentó en la cama y Ada se colocó de rodillas detrás de ella para hacerle el moño alto. El pelo recogido resaltaba el cuello de Nerea y dejaba a la vista el colgante plateado con un corazón que le habían regalado sus amigas.

—Ya está —dijo Ada levantándose de la cama—. A ver cómo te queda tu regalo.

Nerea se puso de pie y Ada sonrió. ¡Estaba espectacular! El *short* negro de lentejuelas se ajustaba a la parte superior de sus piernas realzándoselas por completo y los tacones de aguja negros se las hacían más largas. La camiseta del mismo color era *sexy* y le quedaba como un guante. Se ataba al cuello y dejaba la espalda completamente descubierta hasta la cadera, donde la tela caía plegándose en un escote ovalado que creaba un bonito efecto. Los ojos oscuros y los labios rojos junto al pelo recogido le daban un aire de mujer fatal, pero a la vez dulce e incluso inocente.

—¡Estás perfecta! Y como con esa camiseta no necesitas sujetador, te hace una espalda preciosa.

—¿No voy un poco provocativa? —dijo mirándose en el espejo la espalda desnuda.

—De eso se trata, de que consigas un polvo por tu cumple.

—Sabes que yo no nunca me tiro a un desconocido la primera noche que lo conozco.

—Eso decía yo… —dijo riendo Ada y volvió a meterse en el baño.

Ada terminó de maquillarse y decidió dejar sus rizos rojizos sueltos. Se puso un vestido negro ajustado con un tirante plateado que continuaba por debajo de su pecho a modo de cinturón y se calzó unas sandalias con tacón a juego con el adorno plateado del vestido.

Bajaron al *hall* donde ya les esperaban Elena y Laila y las cuatro se dirigieron a la puerta dejando con la boca abierta a más de un huésped.

—Creo que a partir de ahora tendremos que llevar baberos en los bolsos —se mofó Ada.

—A mí como alguien me vuelva a mirar las tetas, ¡le arranco los ojos! —exclamó Laila.

—Es que, Laila, ese vestido te realza las tetorras. Si ya tenías, ahora ni te cuento.

—¡Mierda! Me he dejado el móvil en la habitación —se quejó Nerea rebuscando en el bolso—. Voy a por él. Esperadme aquí.

Nerea corrió como pudo con los tacones que llevaba hasta llegar al ascensor, pero como siempre, estaba ocupado y tardaría en bajar. Se dirigió a las escaleras, pero antes de comenzar a subirlas se chocó contra alguien.

—¡Oh! Lo siento...

—No te preocu... ¿Princesita?

Hugo abrió la boca y la escaneó de arriba abajo. Estaba impresionantemente *sexy* y el maquillaje oscuro que llevaba le destacaba más sus impresionantes ojos. Se fijó en sus pechos y achinó los ojos. ¿Acaso no llevaba sujetador? Cuando Nerea le dio la espalda para empezar a subir y vio su espalda desnuda lo confirmó. ¡Esa mujer le iba a causar un infarto! Si no era en una de sus discusiones, sería provocándole así. Estuvo tentado de seguirla y acariciar su espalda para meter sus manos por la camisa y acariciar sus pechos. Besarle el cuello que dejaba expuesto y notar cómo se estremecía ante las caricias que sus labios proporcionaban a su piel. Nerea se había convertido en la tentación en persona y cada día que pasaba la deseaba más. Le encantaba verla desafiarle, enfadarse y defenderse de sus ataques y día a día la necesitaba más en su cama.

—¿A dónde vas así vestida? —dijo interrumpiéndola en su trayecto por las escaleras.

—¿Qué más te da?

—Me importa. Imagínate que son las seis de la mañana y que no sabes dónde está el hotel por el pedo que llevas. Tu padre preocupado intenta llamarte y no tienes batería. Moviliza los alrededores para encontrarte y yo no puedo calmarle diciéndole que sé dónde te encuentras y que voy a buscarte porque no me has dicho a dónde te ibas, tu padre se pone nervioso, sufre un ataque de ansiedad y...

—¡Calla! Vamos a la discoteca que hay cerca del hotel doblando la esquina yendo hacia la playa. ¿Contento?

Hugo mostró su sonrisa triunfadora y Nerea continuó su camino poniendo los ojos en blanco. Cogió el móvil y salió de la habitación para reunirse de nuevo con sus amigas. Lo guardó en el bolso y atravesando la recepción, se encaminaron a la discoteca.

—¡Dios, qué bueno está el camarero! —dijo Ada apretando el brazo de Nerea al llegar a la sala.

—Ada, ni se te ocurra hacer una de las tuyas para llevártelo a la cama.

—Mejor voy yo a por las bebidas —dijo Laila abriéndose paso entre la gente.

—Nosotras vamos a aquella mesa alta de allí.

Elena acompañó a Laila a por las bebidas, mientras Ada y Nerea ocupaban la mesa alta que había libre. El calor dentro era pegajoso y Ada se abanicaba el cuello apartando su cabello de él. Juan Magán comenzaba a sonar por los altavoces, una canción que inconscientemente te hacía mover el cuerpo. Nerea y Ada comenzaron a bailar muy cerca la una de la otra bajando al suelo haciendo movimientos circulares con las caderas para volver a subir. Cuando la canción acabó, comenzaron a reír.

—Pero que zorronas estamos hechas —se mofó Ada.

—Pues sí y eso que aún no hemos bebido.

Nerea vio a Elena y a Laila buscarlas con las bebidas en la mano, así que se puso de puntillas apoyando una mano en la mesa y la otra poniéndola en alto y moviéndola a modo de saludo para que la vieran. Laila hizo una seña a Elena para que supiera dónde estaban y caminaron hasta ellas dejando las bebidas en la mesa.

—Esto está a reventar, que al menos dos siempre se queden en la mesa mientras las otras bailotean en la pista o van a por bebidas.

Nerea asintió cogiendo su cubata de ginebra con limón y dando un buen trago tras el bailecito improvisado que había hecho con Ada. Los cubatas fueron sucediéndose uno tras otro, pero cada vez con menos alcohol para seguir conscientes de sus actos durante más tiempo.

Nerea y Laila fueron a bailar dentro de la pista, disfrutando de la música, la compañía y del día. Un chico rubio se acercó a Laila y enseguida ambos empezaron a bailar. Nerea comenzó a retirarse cuando vio que su amiga se olvidaba completamente de ella para bailar con el rubio, pero una mano atrapó su muñeca tirando de ella hasta que chocó con un torso perfecto.

—¡¿Qué coño haces aquí?! Para eso querías saber dónde venía, ¿no? Para, como siempre, joderme el plan.

—Para nada. Vengo a vigilar que la princesita Cascanueces no se meta en líos. Además, mañana no curro hasta la noche.

—¡No eres mi padre!

—Por suerte no —y acercándose para hablarle al oído dijo—: Si fuera tu padre sería delito pensar de la manera en la que pienso en ti.

A Nerea se le puso la carne de gallina al escuchar el tono de voz con que lo dijo. El corazón comenzó a latirle más deprisa y se mordió el labio inferior con lentitud. Ese gesto volvió loco a Hugo y colocando la mano en su espalda desnuda como deseaba hacer desde que la había visto, comenzó a bailar con ella la canción *Just one yesterday* que comenzaba a sonar por los altavoces.

Bajaron sus cuerpos levemente a la vez moviendo las caderas. Girando un poco hacia la izquierda, Nerea echó hacia atrás la espalda curvándola hasta quedar en el otro lado. Volvió a colocarse recta muy cerca de los labios de Hugo. Le dio media vuelta para abrazarla pegada a su pecho y que sintiera su aliento en su oído. Entrelazando sus dedos le levantó los brazos haciendo un círculo que iba de su cadera pasando por sus cabezas y acabando en el otro lado de la cadera. La colocó de nuevo frente a él y siguieron bailando hasta que la canción acabó pero antes de soltarla Hugo le volvió a susurrar:

—No sé qué me has hecho, princesita, pero tu carácter, tu cuerpo, tu mirada y tu forma de ser hacen que te desee y te aseguro que te tendré tal y como te quiero. Desnuda y en mis brazos.

—Nunca —dijo dándole un empujón—. No seré de esas tontas que te tiras y ¿sabes por qué? Porque no pienso consentir tus caprichos.

Hugo mostró una sonrisa burlona. Sus labios habían dicho «nunca» pero sus ojos mostraban la misma excitación que él sentía hacia ella. Lo había notado cuando bailaban, en su manera de tocarle y de mirarle. Estaba completamente hechizado por ella.

Cuando Nerea llegó a la mesa, todas sus amigas la miraban con un gesto picarón. Habían visto el baile con Hugo. Se notaba la tensión sexual que había entre los dos, pero Nerea era cabezota como ella sola y preferiría seguir siendo responsable a olvidar, por un momento, que le caía mal y hacer lo que verdaderamente deseaba.

—Ni una palabra que os conozco —dijo Nerea señalándolas.

—Por Dios, ¿por qué no te lo tiras de una vez? Esta buenísimo, te gusta y te darías una alegría para el cuerpo —intentó convencerla Ada.

—¿Quizá porque no me cae bien? Y no me gusta —dijo antes de llevarse la pajita a la boca.

—¡Si es que eres tonta! Una buena colleja para quitarte toda la tontería. Vamos a ver, si te cayese tan mal como dices, te habrías ido y no hubieras bailado con él. Por Dios, Nerea, que os comíais con los ojos y no veas la cara de «¡Oh Dios vamos al baño que tengo mojados hasta los zapatos!», tenías.

—En serio, deja a un lado la responsabilidad y haz lo que deseas —dijo Elena.

—Me parece increíble que me estéis dando un sermón para que me tire a alguien. Además yo no quiero ser ninguna de esas bobas.

—Anda, voy a por unos chupitos que hay que brindar por tus veintiséis —dijo Ada con una sonrisa cambiando de tema o ahí se iba a liar la marimorena. Sólo había que ver el gesto de Nerea—: Orujo para todas.

Tras haber dado el número de teléfono al camarero y él haberle dado el suyo, Ada regresó a la mesa con cuatro chupitos de orujo de hierbas. Cada una cogió uno de los pequeños vasos y los alzaron para brindar.

—¡Por Nerea! Porque es un año más vieja o más sabia, como queráis mirarlo, y por el meneo que le va a pegar Hugo, o ella a él.

Todas rieron y tras chocar sus chupitos al grito de «¡Viva Nerea!», se los bebieron de un trago.

A las cinco de la mañana, sus pies estaban más que resentidos así que salieron de la discoteca. Se sentaron en un banco y se quitaron los zapatos mientras Ada y Elena se fumaban un cigarro.

—Estoy muerta —dijo Ada con el cigarro en la mano y masajeándose los pies—. Los tacones son una preciosidad, pero joden los cabrones…

—Chicas, yo no voy a dormir hoy en el hotel —dijo Laila—. El rubio con el que he bailado casi toda la noche me ha invitado al suyo, así que, Elena hoy tienes la habitación para ti sola.

—¡Eso se dice antes! —se quejó Elena—. Un alemán, como ha podido, me ha dicho que quiere venir a mi habitación y yo mediante señas y hablando como si fuera idiota le he dicho que no porque estabas tú. Voy dentro a ver si lo pillo.

Elena se fue de nuevo a la discoteca en el momento que Laila se despedía de ellas para irse con el rubio. Ada y Nerea poniéndose de nuevo los zapatos, caminaron hacia el hotel hasta que alguien comenzó a gritar el nombre de Ada. Era el camarero.

—¿Te vas a al hotel a dormir?

—Depende —dijo Ada con coquetería.

—Si quieres, puedes venir a mi apartamento, está a cinco minutos de aquí andando y cuando quieras puedo acompañarte al hotel.

Ada se agarró al brazo del camarero y se fue con él a pasar, ella también, una noche de lujuria y desenfreno sin ni siquiera despedirse de Nerea.

La joven, al ver a su amiga marcharse, continuó su camino y al girar la esquina se sobresaltó al encontrarse con la sombra de un hombre detrás de ella. Comenzó a caminar más rápido pero el dolor de pies le impedía poder moverse más deprisa. Rápidamente y con la mano temblorosa comenzó a buscar en su bolso su *spray* de pimienta y cuando lo encontró se dio la vuelta apuntando a su perseguidor, pero antes de apretar, lo bajó al ver de quien se trataba.

—¡Joder que susto! —dijo llevándose la mano al pecho—. ¿Tú no trabajas o qué?

—¡Son más de las cinco de la mañana! Los niños del hotel hace bastantes horas que están soñando con los angelitos.

Nerea comenzó a caminar a paso rápido cuando a diez metros de llegar a la puerta del hotel, Hugo la aprisionó contra la pared.

—Deja de resistirte princesita, me deseas tanto como yo a ti y me muero por ver qué escondes debajo de tan mal carácter.

—Tú alucinas. Mira, estoy cansada y no tengo ganas de discutir. ¿Puedes dejarme proseguir mi camino para que pueda irme a la cama?

Pero Hugo no le hizo caso, sino que acercó más su cuerpo al de ella para que notara su deseo. Sus labios rozaron la mejilla de Nerea hasta colocarse en su oreja.

—He oído que hoy es tu cumpleaños –le susurró acariciándole desde las rodillas y subiendo hasta alcanzar sus muslos–. Felicidades ¿Por qué no lo celebramos tú y yo?

Siguió rozando su cara y su cuello con sus labios sin depositar ningún beso. Sólo rozando su piel. Nerea comenzó a acariciarle los brazos hasta depositar las manos en su pecho para apartarle unos pocos centímetros. La boca entreabierta de Nerea hizo que Hugo aproximara sus labios a los de ella, pero la chica levantó el talón y lo giró para acabar pisándole con el tacón en los dedos de los pies.

—Te lo vuelvo a repetir, yo no soy ninguna de esas huéspedes que se abren de piernas con guiñarles un ojo. No pienso ser ningún caprichito para ti, así que deja de tocarme los ovarios y limítate a hacer tu trabajo y a hacer tu vida, pero lejos de mí.

—¡¡Joder!! –se quejó aguantándose las lágrimas de dolor.

Con el pie dolorido y cojeando, Hugo intentó seguirla pero no logró alcanzarla. Nerea se encerró en la habitación y tras quitarse el moño y desmaquillarse, se dio una ducha de agua fría. Cerró los ojos y apoyó las manos en la mampara sintiendo cómo el agua recorría su cuerpo e intentando olvidarse de la sensación del cuerpo de Hugo pegado al suyo. ¿Qué le ocurría? ¿Puedes odiar y desear tanto a alguien? No caería en su juego. Lo mejor sería pasar de él, por mucho que la provocara. Si no le ignoraba, seguirían así hasta el fin de las vacaciones.

9

Cuando Nerea se despertó, era más de mediodía. Giró la cabeza hacia la cama de Ada, pero no estaba deshecha. ¿Dónde se habría metido? Normalmente echaba el polvo y volvía al hotel. Ya llegaría, pero si para la hora de comer no volvía, la llamaría al móvil.

Salió de la cama como pudo y se puso unos pantalones cortos blancos y una blusa azul cielo metida por dentro del pantalón. Se calzó las chanclas y salió de la habitación para bajar al bar a tomar un café, pero al abrir la puerta se encontró a sus pies con un paquete envuelto en un papel dorado con una tarjeta pegada con su nombre. Se agachó para cogerlo y leyó la nota:

> Sé que hemos empezado con mal pie y quiero pedirte disculpas por el comportamiento de ayer… bueno, de todos los días. Así que te propongo que acabemos lo que hay dentro de la caja y firmemos con ello la paz. ¿Empezamos de cero?
>
> Hugo

Nerea guardó la nota en el bolsillo trasero del pantalón y desenvolvió el paquete. Era una caja de uno de los mejores champanes que había con una botella y dos copas. ¿Pensaba emborracharla? Dejó el paquete encima de la cama y salió hacia el bar. Tenía que pasar de él, así que haría como que si ese regalo no lo hubiera visto.

Tras el café, subió a la habitación de Laila y Elena, y llamó a la puerta, pero no le abrió nadie. Supuso que estarían dormidas y decidió dejarlas descansar. Se puso el biquini y fue a la piscina a tomar un rato el sol antes de ir a comer, pero no estaba tranquila. El regalo de Hugo la había desconcertado y estaba preocupada por Ada. Se volvió a poner la ropa y sentándose en una de las mesas del bar que había en la piscina, llamó a Ada.

—Dime Nerea.

—¿Dónde estás? No has vuelto al hotel.

—Estoy en la playa con Sergio, el camarero de ayer. Es un cielo, se porta *superbién* conmigo y quiero disfrutar de esta sensación así que pasaremos el día juntos. Por lo que estaréis las tres solas todo el día.

—Si estas se levantan, sí. Creo que yo no voy a comer, me he comido dos sándwiches ahora en el bufé de la piscina y no me entra nada, así que me iré a echar un rato.

—Muy bien, pero despierta a esas ahora, o luego por la noche no podrán dormir.

—Lo haré. Diviértete.

Cuando colgó, Nerea fue al despacho de su padre para que le entregara la llave de la habitación de Elena y Laila. Tenían que levantarse ya o luego no dormirían. Alejandro fue a recepción y le entregó a su hija lo que le había pedido. Ella se lo agradeció con un beso y fue a la habitación de sus amigas. Abrió la puerta con sigilo y comprobó que sólo estaban ellas dormidas. Laila boca abajo y Elena mirando al techo. Sus ligues ya se habían ido. Una idea se le cruzó por la cabeza y abrió la nevera donde guardaban los hielos. Las camas estaban juntas, así que se colocó en medio de las dos y les introdujo el hielo por debajo de la camiseta del pijama.

—¡¡Arriba dormilonas!!

Laila y Elena pegaron un bote al sentir el frío y se pusieron en pie rápidamente comenzando a sacudir la camiseta para que los hielos salieran.

—¡Tú eres idiota! Ven aquí que te doy una colleja.

Nerea comenzó a correr por la habitación subiéndose a las camas e intentando esquivar a Laila.

—¡Elena ayúdame que también te lo ha hecho a ti!

Elena y Laila rodearon a Nerea que no paraba de reír y de gritar hasta que consiguieron atraparla y entre las dos la inmovilizaron de pies y manos.

—Ponte encima de ella —le dijo Laila a Elena—. Que voy a por los hielos.

Elena hizo lo que Laila le había mandado y aplastó a Nerea para tenerla inmovilizada. Laila cogió toda la bolsa de hielo y al verlo Nerea comenzó a gritar e intentar escapar.

—¡¡No!! ¡Qué yo sólo os he puesto dos cubitos a cada una!! Laila, no por favor —suplicaba Nerea.

Pero Laila con una sonrisa maliciosa le metió la mitad de la bolsa debajo de la camiseta y la otra mitad debajo de los pantalones. Ya comprarían más hielos. Nerea comenzó a gritar y a revolverse, pero Elena y Laila seguían sin soltarla.

—Está frío, ¿eh?

—¡Hijas de puta! ¡Está helado!

Nerea intentaba dar botes en la cama para que el hielo fuera abandonando su cuerpo pero se le resbalaba hacia los lados provocándole más frío mientras sus amigas no paraban de reír.

—Anda, que creo que ya has tenido bastante —dijo Laila soltándola.

Nerea se puso rápidamente en pie y saltando, comenzó a quitarse el hielo de debajo de su ropa mientras Elena y Laila no dejaban de reír.

—Nerea, creo que te tenemos que empezar a comprar pañales.

—¿Qué? —preguntó sin saber a qué se referían.

Laila sin dejar de reír le señaló su entrepierna que estaba calada. Si no supieran lo que había pasado, pensarían que se había meado encima. Nerea les tiró las almohadas y sacándoles la lengua salió de la habitación para dirigirse a la suya, donde estaba Hugo esperándola en la puerta. El chico abrió los ojos como platos al ver mojada la parte baja de sus pantalones. Nerea al ver lo que miraba, se lo tapó con las manos y gritó:

—¡¡No es lo que piensas!!

—Tranquila, princesita —dijo levantando las manos en señal de paz—. Si has leído lo que te he escrito sabrás que quiero empezar de cero contigo.

—Seguro. Mucho te estarás mordiendo ahora la lengua para no decir uno de tus estúpidos comentarios.

—En eso te doy la razón —rio Hugo al ver cómo seguía con las piernas juntas y escondiendo el pantalón con la mano.

—¡Lo sabía! Pero para tu información es hielo lo que me han puesto ahí, les he ido a despertar y lo he hecho metiéndoles hielo bajo la ropa y ellas se han vengado.

—¡Ajá!

—Y yo... ¿qué hago dándote explicaciones? ¡Si me da igual lo que pienses!

Nerea se puso delante de la puerta para abrirla mientras Hugo no dejaba de mirarla.

—Yo tampoco te he pedido explicaciones, sólo quería saber si te ha gustado mi regalo de cumpleaños, aunque haya llegado con retraso.

—Sólo te diré una cosa. Odio el champán.

Y cerró la puerta. Hugo se quedó unos minutos parado delante de ella sabiendo que su primer intento había fracasado, pero no se rendiría. Aún no sabía por qué, pero estaba demasiado interesado en esa malcriada. Cada vez que se reunía con Pedro y Alejandro simplemente para hablar o en las comidas, comenzaban a hablar de Nerea creando en Hugo más interés. Un interés que quería evitar y olvidar, pero no conseguía hacerlo.

Nerea pasó todo el día en la habitación descansando y leyendo los libros que le había regalado Pedro por su cumpleaños hasta que el reloj marcó las nueve. Sin molestarse en elegir la ropa, se puso el vestido blanco que solía llevar cuando iban a la playa o a la piscina con unas sandalias de plataforma del mismo color.

Llamó a la habitación de sus amigas que la abrieron vestidas con el pijama y con cara de cansancio.

—¿No vais a venir a cenar?

—Estamos agotadas. No tenemos ganas de nada más que de dormir y el estómago completamente cerrado. Lo siento, Nerea.

—¿Me vais a dejar sola?

Laila se encogió de hombros y asintió con la cabeza.

—Lo siento, Nerea, pero no podemos ni con nuestra alma.

—Está bien, iré a cenar y luego a ver los puestos que ponen donde la gente compra los recuerdos. Hasta mañana entonces.

Nerea bajó sin muchas ganas al comedor y como siempre, había fila. Ese día, los animadores infantiles habían organizado un día de magia y habían conseguido un espejo mágico que hablaba con la gente. Algunos niños se escondían detrás de las piernas de sus padres o se ponían a hablar con él riendo y disfrutando. Sara, la *maître*, saludaba a Nerea justo cuando el espejo la vio.

—Creo que me he enamorado —El espejo cambió sus ojos para sustituirlos por dos corazones y, finalmente, lanzarle un beso a Nerea.

—¡Qué poca vergüenza! —le dijo Sara al espejo— Ramhul, tienes que tener más educación con las señoritas.

—Perdona, Sara, pero Cupido acaba de atravesar con sus flechas mi corazón —dijo el espejo llamado Ramhul.

Nerea rio en el momento en el que Hugo vestido de mago con una gran capa y un largo bastón llegaba hasta donde estaba ella.

—¿Ligando Ramhul? ¿Qué te he dicho de ligar con las huéspedes guapas? Además esta de aquí tiene mucho carácter para ti.

—¡Oh! —se lamentó el espejo—. Entonces toda tuya, Hugo. —Y dirigiéndose a Nerea dijo en voz baja—. Cuando te libres de él, llámame.

—Ramhul ¡te he oído! —rio Hugo.

Nerea no dejó de sonreír en ningún momento hasta que Hugo comenzó a hablarle.

—¿Y tus amigas?

—Una está viviendo un día de ensueño y las otras dos agotadas en la cama. Se están haciendo viejas.

Hugo sonrió y le dijo que esperara un momento. Entró en el restaurante y vio que por fin una pareja dejaba la mesa vacía, volvió junto a Nerea y le tendió el brazo.

—¿Le permite la princesa a este apuesto mago acompañarla hasta la mesa real?

Sin saber por qué, Nerea le dedicó una sonrisa y pasó el brazo por el suyo hasta llegar a la mesa que había libre.

—Oye, ¿ese espejo es nuevo, no?

—Sí, es como una especie de robot. Como has podido comprobar te ve y escucha. A algunos niños les asusta, pero a otros les encanta.

—No puede gustar todo a todos, además también depende del carácter del niño, si es más tímido, suele asustarse, pero si es muy extrovertido, lo disfruta.

Hugo asintió mientras ella se sentaba estirándose la falda del vestido para que no se le viera nada y cruzando una pierna.

—Si quieres, te hago compañía. No es agradable cenar solo pero si quieres que me vaya lo haré –le propuso Hugo.

—Es increíble lo que voy a decir pero me gustaría que te quedaras. Odio cenar sola en lugares como estos. Todos se te quedan mirando con cara de «pobrecita, qué sola está» –dijo haciendo sonreír a Hugo.

Durante la cena, ambos estuvieron hablando en su mayoría del hotel. Nerea le contaba sus pequeñas aventuras cuando era niña y él le contó que llevaba cuatro años trabajando como animador infantil. A pesar de que tenía una carrera y le habían propuesto ocupar un puesto de mayor responsabilidad, él siempre se negaba. Le gustaba ser animador infantil y ver la sonrisa de los niños cuando hacían alguna de sus funciones, eso le llenaba. Por su parte, Nerea le contó que hacía cuatro años que se licenció en Psicopedagogía, pero aún no había ejercido como tal. Los puestos que podía ocupar escaseaban y buscaban a gente con más experiencia. Le narró su infancia y adolescencia en Logroño hasta que su madre falleció y decidió trasladarse a vivir a Oviedo donde conoció a sus amigas y al desgraciado de su ex, por el cual, se había convertido en una mujer insegura, con miedos, y desconfiada cuando se trataba de hombres.

Nerea disfrutó de su compañía y de su conversación. Había dejado a un lado al Hugo gilipollas, para mostrar su lado más dulce haciendo que Nerea sintiera un hormigueo en el estómago. Al acabar de cenar, se despidieron en recepción. Ella iba a dar una vuelta y Hugo tenía que trabajar, además los niños ya comenzaban a llamarle.

Contenta tras creer que cenaría sola o que hacerlo con Hugo significaría acabar clavándole un cuchillo en mitad de la frente, la verdad es que había sido muy divertido y en ningún momento se habían picado el uno al otro.

Entró en uno de los puestos que había cerca de la playa y comenzó a mirar un nuevo vestido para bajar a la playa cuando sonó su móvil. Era un mensaje de Íñigo, su ex. Pensó en borrar el mensaje inmediatamente, pero la curiosidad pudo con ella:

Hola ratoncita. Quiero que sepas que he dejado a esa mujer por ti. He vuelto con mis padres, pero confío en volver a vivir contigo. Te ayudaré a buscar trabajo y seremos felices. Te quiero.

Nerea leía y volvía a leer de nuevo el mensaje. ¿De qué cojones iba? La mujer con la que estaba se había quedado sin un duro y por eso quería volver con ella. Para seguir viviendo rascándose el ombligo y subsistiendo a costa del trabajo y dinero de su padre y del suyo, si encontraba trabajo. Las últimas palabras eran las más hipócritas de todo el mensaje y volvió a sentir la furia que sintió el día que se enteró de la verdadera razón por la que salía con ella. La había manipulado, engañado y se había aprovechado de ella.

Guardó de nuevo el móvil en el bolso y volvió al hotel. Se sentó en la cama, hasta que vio la botella de champán que Hugo le había regalado. La cogió y salió de nuevo a la calle.

Llegó a la playa cuando ya llevaba bebida casi la mitad de la botella. Estaba como una cuba y andaba dando tumbos hasta que tropezó con algo y cayó de culo, tirando la caña de pescar que estaba plantada en la arena y derramando parte del champán.

—Princesita, ¿qué estás haciendo?

—¿Y tú? —dijo con su voz ebria.

—Pescar, hasta que has derribado mi caña. No habrás visto el hilo y te habrás tropezado con él.

—¿Es que tú nunca trabajas? —dijo señalándole con el dedo.

—A las dos de la mañana, no. ¿Y tú qué? ¿No decías que odiabas el champán? ¡Te has ventilado tu solita media botella!

—Y lo odio, pero tenía dos opciones, o irme a Oviedo y matar al hijo de puta de mi exnovio o pillar un pedo y olvidarme de eso y divertirme sola.

Hugo la ayudó a levantarse y la sujetó por la cintura para que no se cayera, pero Nerea se soltó de un empujón.

—Anda princesita, deja la botella y regresemos al hotel. Necesitas descansar.

—¡No! No decís todos que me preocupo mucho y no vivo, pues es lo que estoy haciendo ahora. ¡Vivir!

Dicho esto, dejó la botella en la arena y se quitó el vestido quedándose sólo con unas braguitas de encaje. Miró la inmensidad del mar y con los brazos en alto gritó sintiéndose libre sin dejar de reír. Hugo rápidamente intentó ponerle de nuevo el vestido, sin querer contemplar sus desnudos pechos, pero Nerea se negaba. Cansado de ver cómo sus senos botaban cuando ella se movía, le pasó una mano por la espalda y la otra por debajo de las rodillas para cogerla y echarle el vestido por encima, cubriéndola por delante.

—Soy la princesa Vampiresa —dijo Nerea divertida por la tajada que llevaba mordiéndole el cuello a Hugo—. Qué bien hueles y qué bueno estás. Eres un capullo, pero estás muy bueno.

—Princesita, deja de hacer eso o me dará igual que estés borracha y mañana me lo reprocharás.

—¿No querías esto de mí?

—No te lo voy a negar, ¡pero no borracha!

Con Nerea aún en brazos, Hugo caminó hacia el hotel. Menos mal que no estaba muy lejos. Se asomó a la puerta, pero se escondió detrás de ella cuando vio a Alejandro subir en el ascensor. Probablemente se iría a dormir. Al entrar en el hotel, Hugo optó por subir por las escaleras hasta la habitación de ella, de donde salían unos sonoros gemidos. Nerea continuaba mordisqueándole el cuello y la barbilla cuando Hugo golpeó la puerta con el pie continuamente hasta que Ada con la ropa medio puesta abrió.

—¡¿Qué?! —exclamó furiosa.

—Princesas a domicilio.

—¿Por fin te la has tirado?

—No. La he encontrado borracha en la playa y se ha quitado el vestido. Yo sólo la he traído hasta aquí.

—Tu paquete me dice lo contrario —dijo Ada señalando la abultada entrepierna de Hugo.

—Uno no es de piedra y si de repente se te desnudan y luego comienzan a mordisquearte el cuello…

Sergio, el camarero, apareció detrás de Ada a la que abrazó por la cintura.

—Si quieres, me voy. Tu compañera necesita descansar.

—¡De eso ni hablar! —y dirigiéndose a Hugo dijo—: Oye, llévatela a tu habitación y que duerma allí.

—¿Cómo? ¿¡Tú sabes la que me va a montar cuando se despierte y se encuentre en mi habitación!? —protestó Hugo sorprendido por lo que la amiga loca de Nerea le decía.

—Aunque no lo parezca, Nerea es comprensiva. Se lo explicas y listo. ¡Buenas noches!

Ada le cerró la puerta y a Hugo sólo le quedaban dos opciones. O llevarla a su habitación o a la de su padre. Eligió la primera, porque a saber qué pensaría su padre si se la llevaba desnuda y borracha.

Como pudo, pulsó el botón del ascensor y subió hasta la octava planta. Aún con ella en brazos caminó por el largo pasillo hasta que se detuvo frente a la puerta de su habitación.

—Sujétate el vestido —le dijo dejándola en el suelo pero sujetándola aún por la cintura para abrir la puerta.

Nerea le hizo caso, pero el sueño comenzaba a vencerla y no se sostenía por sí misma. Hugo la llevó hasta la cama, tumbándola tal y como estaba y la tapó con la sábana después de quitarle los zapatos. Se quedó dormida al instante y él no pudo evitar acariciarle la cara y el pelo. Se la veía tan tranquila y sus labios entreabiertos invitaban a besarlos. Hugo fue agachando su cara a la de ella pero antes de alcanzar sus labios, giró la cabeza y depositó un dulce beso en su mejilla. Nerea era distinta y todo lo que ocurriera con ella quería que fuera real. Se tumbó en el otro extremo de la cama y finalmente se quedó dormido.

Pero su sueño no duró mucho. Como cada día, el dichoso despertador le sonaba a las seis. Ese día le tocaba preparar las actividades que se llevarían a cabo en la piscina y debían montar la red para la piscina e inflar los balones de plástico. Giró su cabeza a la derecha y comprobó que Nerea seguía durmiendo. Lo hacía boca abajo y se había destapado durante la noche, dejando su espalda totalmente desnuda al descubierto. Hugo volvió a colocarle la sábana y se fue a duchar.

Durante la ducha, pensó en dejarle una nota para que supiera dónde estaba y dónde le podía localizar y, así, explicarle lo ocurrido si no se acordaba, pero no hizo falta, cuando salió del baño con una toalla anudada a la cadera, Nerea se apretaba la frente con las manos y gemía por el dolor de cabeza.

—Buenos días, princesita. ¿Un ibuprofeno?

Nerea se despertó de golpe y al ver a Hugo mojado y desnudo a excepción de la toalla, se miró ella y vio que sólo llevaba las bragas puestas. ¡No se lo podía creer!

—¡Eres un cerdo! —le gritó tirándole la almohada y envolviéndose con la sábana para ponerse en pie y golpearle—. ¡Por esto me hiciste el estúpido regalito, por esto te comportaste bien en la cena anoche y comenzabas a ser amable, para que me cayeras bien y conseguir meterme en tu cama!

—¡Eh, eh! Para el carro —Nerea más enfadada que nunca, se retiró el pelo de la cara y puso los brazos en jarras—. Ayer te encontré en la playa borracha como una cuba. Te desnudaste y yo te llevé a tu habitación, pero tu compañera estaba con un tío y no tuve más remedio que traerte aquí. Te dejé en la cama, te quedaste dormida y se acabó. No pasó nada.

—¿Y cómo sé que no me mientes?

—Porque yo cuando follo, me molesto en quitar las bragas —dijo señalándolas.

Nerea bajó la mirada y vio cómo la sabana no le cubría su ropa interior, por lo que se la recolocó para que quedaran tapadas.

—No me acuerdo de nada —dijo Nerea dándose la vuelta y apretándose las sienes.

—Te traeré algo, princesa Vampiresa.

—¿A qué viene ahora ese mote?

Hugo inclinó la cabeza hacia la derecha para mostrarle las marcas que le había dejado ella la noche anterior.

—Te lo pusiste tú solita mientras me mordisqueabas el cuello.

Nerea se puso roja como un tomate y volviendo a la cama se tapó entera, pero Hugo sentándose en el filo del colchón, la destapó hasta el cuello.

—No pasó nada, Nerea. Pero me gustaría que me contaras por qué quisiste emborracharte —le dijo con una dulzura que a Nerea le estremeció.

—Por un mensaje de mi exnovio.

—¿Por eso?

—No sabes nada, Hugo. Así que no imagines cosas sin saber.

—¿Sabes? Creo que es la primera vez que nos llamamos por nuestros nombres —sonrió.

Nerea le imitó. Tenía razón, antes nunca se habían llamado por sus nombres. Nerea normalmente lo insultaba y él la llamaba princesita a secas o acompañado de alguno de sus motes.

—No mereces sufrir por un imbécil. Tu padre y yo estamos muy unidos y me contaba todo con respecto a ti. Y sé que a ese exnovio tuyo sólo le interesaba una cosa y no eras tú.

—Mi padre es un bocazas.

—No, te quiere y se preocupa por ti. Quizá por eso no te veo como una huésped más. Porque desde que estreché mi relación con tu padre, conozco muchas cosas tuyas y no me sale comportarme como con las otras. Ellas como yo buscan una cosa, pero tú eres diferente, Nerea, y te aseguro que mi nota de ayer en la que te pedía empezar de cero contigo fue sincera. No sólo porque quiero conservar mis cascabeles —dijo haciéndola reír— sino porque las conversaciones con Alejandro sobre ti me hacen querer conocerte, aunque al principio me comportara contigo como un idiota, pero tu carácter me hacía comportarme así y ahora quiero cambiarlo. No quiero que cuando te vayas, te lleves esa imagen de mí.

—No sé. Me han engañado muchas veces y no puedo confiar en ti. Durante el tiempo que llevo, me has hecho enfadarme contigo, me has buscado las cosquillas hasta encontrarlas. Es como si te gustase picar y que te piquen. Lo mejor es que nos ignoremos, créeme.

Nerea se levantó y de espaldas a Hugo se puso el vestido y cogió los zapatos con la mano. Sin decir una palabra más, abrió la puerta y se fue.

10

❦

Los días siguieron pasando, pero Nerea y Hugo no volvieron a hablarse. Ella le esquivaba y cuando él se acercaba para hablar con ella, Nerea, se iba hacia el otro extremo para no hablar con él. Tenía que ignorarle y pasar de él para poder relajarse y disfrutar, pero no podía. Estaba pendiente de él, de lo que hacía, de si la miraba, de si se acercaba a ella. Ada, cuando se metían en la habitación, le preguntaba que qué estaba haciendo a lo que ella respondía que nada, pero su amiga no era tonta y sabía perfectamente que algo había pasado entre esos dos y que probablemente fue la noche que durmieron juntos.

Hartas de que Nerea estuviera más concentrada en su alrededor que en disfrutar, sus amigas la arrastraron a la piscina y cuando se tumbaron en las hamacas, comenzaron a interrogarla:

—Desembucha, Nerea. ¿Qué pasa? —comenzó Ada.

—Qué pasa de qué. No pasa nada —dijo rascándose la nuca intentando disimular.

—No mientas, llevas bastantes días vigilando tu alrededor como si buscases a alguien.

—No, es sólo que me gusta fijarme en las cosas.

—Sabemos que es por Hugo, Nerea —dijo Elena quitándose las gafas de sol—. Le esquivas. El otro día, cuando estábamos tomando aquí el sol, él te llamó y se acercó con una sonrisa que derretiría el mismísimo infierno, y tú rápidamente te levantaste y te tiraste a la piscina. Qué cara se le quedó al chico.

—Ese día estaba asada —mintió.

—Sí, por los cojones. Nerea, que no somos idiotas. ¿Qué te pasa ahora con él?

Nerea en un principio calló, pero tarde o temprano sus amigas se lo sonsacarían y le vendría bien compartirlo con alguien, así que sentándose en la hamaca, se quitó las gafas para mirarlas.

—El día después de mi cumpleaños, cuando Ada estaba viviendo su día romántico y vosotras no os teníais en pie, fui a cenar sola. Y no sé cómo pasó que mientras esperaba mesa —suspiró—, él apareció y se comportó como un caballero. Me acompañó durante la cena, hablamos y me sentí muy a gusto con él. Al acabar de cenar nos despedimos y yo me fui a mirar por los puestos, entonces Íñigo me mandó un mensaje diciéndome que quería volver conmigo y volví a recordar su engaño. Me emborraché y me desperté desnuda y en su habitación.

—¡Te lo has follado! —gritó Ada llamando la atención de los demás bañistas.

—Joder Ada, más alto no lo has podido decir —se quejó Nerea—. Según él, no pasó nada y no sé por qué, pero le creo y después me dijo que mi padre le hablaba mucho de mí y que por eso quiere conocerme, que soy diferente. ¿Pero de qué va? ¿De la noche a la mañana me suelta eso? No cuela...

—¿Y por qué no le das una oportunidad? —le preguntó Laila.

Nerea desvió la vista hacia Hugo que en ese momento estaba realizando actividades con los niños y cuando él la miró, ella apartó la mirada rápidamente dándoles la razón a sus amigas.

—Porque pienso que la manera en que se muestra ahora es sólo una fachada, que me engañará para poder conseguir lo que quiere y luego volverá a ser el mismo gilipollas de antes.

—A ver, Nerea, no todos son como Íñigo y joder hija, vive un poco. Si él te da la patada en el culo, tú se la das en los huevos —dijo Laila haciendo reír a Nerea—. Pero disfruta, Nerea. Haz por una vez lo que el cuerpo te pide. Sé feliz.

—Lo siento, chicas. Pero no quiero volver a pasar por lo que ya pasé.

Nerea recogió sus cosas y se puso el vestido con el que bajaba a la piscina y a la playa. Pasó a todo correr cerca de Hugo e incluso no vio a su padre sentado en una mesa del bar de la piscina.

Alejandro se levantó para mirar a su hija que se marchaba con la cabeza baja y a paso ligero y le hizo una señal a Hugo para que se acercara. El animador llamó a su compañero para que lo sustituyera durante unos minutos y fue donde Alejandro.

—Dime.

—¿Tú sabes qué le pasa a mi hija?

—Ni idea —mintió Hugo. Él sabía perfectamente que Nerea estaba cumpliendo lo que le dijo la última vez que hablaron. Le estaba ignorando y eso le dolía.

Alejandro y Hugo clavaron la vista en Nerea que se había quedado parada frente a la puerta del hotel con cara de sorpresa. ¿Qué estaba mirando? Pero pronto lo averiguaron. Un joven de unos treinta años rubio y alto se paró frente a ella y le intentó coger la mano, pero ella lo esquivó dando un paso hacia atrás.

—Mierda… —maldijo Alejandro.

—¿Qué ocurre? ¿Quién es? —preguntó Hugo viendo a Nerea discutir con ese tío.

—Es Íñigo, el exnovio de Nerea. La manipuló.

—Lo sé, me hablaste de él.

—Voy a llamar a seguridad, porque si lo echo yo, lo hace con la cara partida.

—Tranquilo, Alejandro, si me lo permites, me ocupo yo.

—Todo tuyo.

Hugo se acercó hasta donde estaba Nerea sin esta verle y cuando llegó a su altura le rodeó la cintura con el brazo para arrimarla a él antes de darle un suave beso en la mejilla muy cerca de la comisura de los labios.

—¿Todo bien, cielo? —preguntó sin apartar la vista de ella.

Nerea le miró con los ojos muy abiertos ante ese apelativo cariñoso y quiso que la soltara, pero la tenía agarrada con fuerza.

—¿Y tú quién cojones eres? —dijo Íñigo señalando a Hugo.

—La pregunta exacta es quién eres tú.

—El novio de Nerea.

—¡Y una mierda! —saltó ella—. Vete de aquí Íñigo, eres un cabronazo que lo único que hizo fue jugar conmigo para pasarse la vida tocándose los huevos.

—Ya has oído a la señorita. Lárgate o te echaré yo mismo.

—Qué bajo has caído Nerea. ¿Te has liado con un simple empleado? Por Dios, si no cobrará más que el sueldo mínimo.

Nerea consiguió desprenderse de los brazos de Hugo y comenzó a empujar a Íñigo hasta golpearlo contra la pared y poniéndose de puntillas siseó enfadada cerca de su cara.

—¿Y tú, qué? ¡Que ni siquiera te molestas en buscar trabajo! Al menos él tiene una carrera, se esfuerza cada día con su trabajo por mantener este hotel en pie y gana un sueldo dignamente. No como tú. ¡Maldito mentiroso!

—Nena, yo sólo quería que fuéramos felices.

—¡A mi costa y a costa de mi padre! ¡El único que querías ser feliz eras tú! Piensas primero en ti, luego en ti y finalmente en ti.

—Pues igual que ese —dijo Íñigo señalando a Hugo—. Que se ha follado a la hija del director por la misma razón que yo. No eres irresistible, Nerea. Eres como todas, una zorra que se abre fácilmente de piernas ante unas bonitas palabras.

Nerea iba a abofetearle, pero Hugo se adelantó acercándose a él y le plantó un puñetazo en la barbilla que le hizo caer al suelo. ¿Cómo podía haber gente tan cruel que seguía haciendo daño a personas que no se lo merecen?

—Eres un auténtico desgraciado, que no has sabido apreciarla ni quererla. No te la mereces y te aseguro que como no salgas de aquí antes de que cuente diez, me encargaré personalmente, y no te gustará la manera en la que te sacaré —bramó Hugo echando humo.

Íñigo con la mano en su dolorida barbilla, se levantó y se fue. Nada podía hacer con Nerea. Tendría que buscar a otra que le concediera caprichos y, por supuesto, que tuviera dinero.

Nerea se había quedado paralizada. Cuando vio en la puerta a Íñigo y le dijo que había ido hasta allí para que volviera con él, quiso matarle. Nerea juró que estrellaría el móvil contra el suelo cuando su ex se fuese. Los contactos de Íñigo le habían ayudado a localizarla a través del móvil y el muy desgraciado se había presentado allí para llevársela a rastras si hacía falta.

—¿Estás bien? –preguntó Hugo sacándola de sus pensamientos.

—No. No estoy bien. ¡Se acabó! No puedo estar tranquila en ningún lado. Tú ahora comportándote como el perfecto chico para conseguir lo que quieres y luego cuando lo consigas, volverás a comportarte como lo que eres. ¡El gilipollas del hotel! Pero se acabó, vuelvo a Oviedo mañana mismo.

—Mira, ¡niñata malcriada! –comenzó a gritar Hugo enfadado por lo que había dicho sobre él–. ¡En ningún momento me he mostrado hipócrita contigo! Ni cuando nos picábamos, ni ahora. Lo que te dije esa noche era verdad. ¡Quería conocerte! Y digo quería porque ya no estoy tan seguro, porque eres incapaz de abrirte, de confiar y de dar oportunidades por culpa de ese hijo de puta. Sigue así, princesita, y no serás feliz en la vida. ¡Vive, joder! ¡Respira un poco! Porque luego, recordarás los años que estás viviendo ahora y te arrepentirás.

Hugo la dejó plantada, sola y enfadada, pero el enfado de él era mayor. En ningún momento la estaba engañando con su comportamiento, pero si ella lo creía así, allá ella. Era su problema, aunque a una parte de él le doliera.

—¿Todo bien, muchacho? –le preguntó Alejandro a un Hugo muy cabreado.

—Nerea quiere irse mañana del hotel.

—¿Por qué?

—Con la llegada de su ex y mi cambio de comportamiento hacia ella, piensa que todos la engañamos, la manipulamos y siempre está a la defensiva. Lo siento, Alejandro.

—Hablaré con ella.

Con la mirada triste y fija en el suelo, Alejandro se despidió de Hugo y se encaminó hasta su despacho. Al ver su expresión, Hugo supo que tenía que hacer algo.

A la hora de comer, Nerea les contó a sus amigas su plan para irse al día siguiente de vuelta a Oviedo, pero ellas le quitaron esa idea de la cabeza. Tenía un mal día y no por eso tenía que tomar decisiones precipitadas. Nerea dijo que se lo pensaría, que no se iría pero no sabía si iba a quedarse mucho tiempo más.

Por la tarde, volvieron a la piscina, pero su padre la llamó y la hizo pasar al despacho. Estuvieron discutiendo sobre la decisión de Nerea de irse, sobre Hugo y sobre Íñigo. Finalmente, Nerea se derrumbó y le confesó a su padre su miedo de volver a confiar en alguien y que le volviera a suceder lo mismo.

—Cariño, olvida ese miedo o no podrás ser feliz. Sigue lo que te dicte el corazón. En la vida te caerás muchas veces, pero siempre te levantarás. Disfruta del hotel, de tus amigas y del verano. ¿Y quién sabe si de algo más? Pero deja a un lado tus preocupaciones, cielo.

—Lo intentaré, papá —dijo Nerea secándose las lágrimas con el dorso de la mano.

—Vete al *spa*. Allí te relajarás un rato.

Nerea asintió y cogiendo sus cosas, caminó hacia el ascensor y pulsó el botón -1. El *spa* y el gimnasio del hotel se encontraban en la planta más baja y sólo tenían acceso los mayores de edad, por lo que no había niños que interrumpieran el descanso. Además, el hotel contaba también con servicio de guardería, para que los padres disfrutaran de ese pequeño espacio antes del día en el que tuvieran que abandonar el hotel.

Nerea estuvo quince minutos en cada una de las piscinas del *spa*, excepto en la del agua fría, en la que solo duró unos pocos segundos dentro. Antes de irse, optó por darse un masaje relajante. La chica encargada la pasó a una sala con una camilla y música relajante de fondo. Nerea se desabrochó la parte de arriba del húmedo biquini y se tumbó bocabajo con la cabeza girada a la derecha y los brazos estirados a ambos lados. La chica comenzó a masajearle los hombros y el cuello mientras Nerea permanecía con los ojos cerrados y notaba cómo empezaba a quedarse dormida. Durante el masaje, otra chica entró en la sala para llamar a la masajista. Tenía que ir a atender una llamada importante. Se disculpó de Nerea y le dijo que enseguida volvía.

Nerea continuó con los ojos cerrados hasta que la chica regresara, pero no tardó demasiado en volver a sentir el masaje esta vez por sus omóplatos, volviendo a subir por su cuello. Le colocó las manos en la línea de su espalda donde solía estar el sujetador abrochado, con los dedos muy cerca de sus pechos para masajear esa zona con los pulgares, pero cada vez iba sintiendo menos presión en su espalda y más caricias. Nerea, abrió un ojo y sin verle la cara supo de quién se trataba.

—¿Qué haces? —dijo Nerea con voz cansada y sin cambiar de posición.

—Veo que ya me has pillado. Sólo quería decirte una cosa y ya me iba.

Nerea se ató de nuevo la parte de arriba del biquini y se sentó en la camilla esperando a que Hugo hablara.

—Para empezar, quería pedirte disculpas por haberte gritado esta mañana cuando se ha ido tu ex. Tú estabas mal y lo que menos necesitabas era que yo te gritara. Lo segundo es decirte que mi comportamiento contigo siempre ha sido sincero y que era verdad lo que te conté de que tu padre, al hablarme tanto de ti, ha conseguido que quisiera conocerte. Y por último quiero pedirte y si es necesario suplicarte que te quedes en el hotel. Veo a tu padre casi cada día y puedo ver lo que te echa de menos, así que prometo no volver a molestarte. Puedes estar tranquila, pero no te vayas. Tu padre no se merece pagar por los platos rotos.

Hugo le dio dos palmaditas en la mano y se fue. Nerea no había hablado durante esa corta conversación, pero se quedaría los tres meses que le había dicho a su padre. Le gustase o no, Hugo tenía razón.

Sin finalizar el masaje, salió del *spa* y volvió a la piscina para buscar a sus amigas, pero no estaban. Les mandó un mensaje y Laila le contestó que estaban en la playa y le preguntó que si se unía. Pero Nerea rechazó la invitación. La playa no era lo suyo. De pequeña le encantaba, pero a medida que fue creciendo, fue odiando la arena, aunque las olas le seguían gustando. Se tumbó en la hamaca y sacó de su bolsa su libro electrónico para continuar con el libro que estaba leyendo, pero el llanto de una niña atrajo su atención. Era una niña rubita muy guapa y no tendría más de cuatro años.

—Mami, acompáñame *porfi* —sollozaba la pequeña.

—Cariño vete tú, desde aquí te veo.

—Pero es que no quiero ir solita, me da vergüenza.

—Candela, cariño, pero si estuviste ayer jugando con el chico y no te dio vergüenza.

—Porfi, mamiiiiiii.

Nerea, con una sonrisa, se acercó a donde estaban la niña y su madre, y se agachó para estar cara a cara con la pequeña y así transmitirle confianza.

—Hola, me llamo Nerea. ¿Cómo te llamas, preciosa?

—Candela —respondió la pequeña agarrándose a las piernas de su madre.

—Qué bonito nombre. ¿Cuántos añitos tienes?

—Cuatro —dijo mostrándole cuatro dedos de la mano derecha.

—Si a tu mami no le molesta ¿quieres que te acompañe yo a donde están jugando los otros niños con el chico?

La niña miró a su madre que le sonrió y dio un paso hacia delante para acercarse a Nerea.

—No me molesta. ¿Quieres que ella te acompañe, cielo?

Candela asintió y le dio la mano a Nerea para caminar juntas hasta el lado de la zona de la piscina, donde estaba Hugo con los demás niños. Jugaban a meter pelotas por agujeros de distintos tamaños y repartían una piruleta con forma de corazón cada vez que acertaban en un agujero.

—Hola —saludó Nerea a Hugo cuando llegó.

—Hola —dijo Hugo asombrado.

—Te traigo a una niña muy guapa que quiere jugar para ver si consigue una rica piruleta.

—Por supuesto —dijo Hugo agachándose para que la niña saliera de detrás de las piernas de Nerea—. ¿Pero no te acuerdas de mí, pequeñaja?

La niña con un dedo en la boca asintió y Hugo la cogió en volandas como la última noche en la que jugaron con los niños a pillarse, haciendo que la niña se carcajease.

—Así jugamos al pillapilla tú y yo contra Samuel y le ganamos ¿eh?

Hugo, con la niña aún en brazos, levantó la palma de la mano y la niña contenta chocó los cinco con él. La dejó en el suelo y le explicó en qué consistía el juego. Candela, a su corta edad, apenas tenía fuerza, así que Nerea se agachó detrás de ella y la ayudó con los balones consiguiéndole las piruletas que la niña quería. Candela saltaba feliz y emocionada y a las ocho de la tarde, cuando la piscina se cerró, su madre fue a recogerla y le dio las gracias a Nerea.

—Bueno, pues... —comenzó a decir Nerea mordiéndose el labio inferior y rascándose detrás de la oreja cuando se quedó a solas con Hugo que la miraba embobado—. Yo también me retiro, tendrás que recoger.

—Sí, luego vendrá Samuel para ayudarme a preparar lo de esta noche. Hoy toca fiesta de pijamas. Haremos guerra de almohadas con los niños y probablemente algún padre se apunte.

—La verdad es que tu trabajo es bastante divertido.

—Me encantan los niños y más comportarme como ellos.

—No, si eso ya lo vi...

—Eh, princesita, que tú eres peor que yo. Tú me metiste mano —bromeó recordando el día que le dañó donde más duele.

Nerea abrió la boca y le golpeó en el brazo.

—¡Y tú también!

—¿Yo? No seas mentirosa o te crecerá la nariz como a Pinocho.

Nerea sin ser consciente, comenzó a ayudarle a recoger, guardando los balones y desmontando la pared con los tres agujeros por donde los niños debían de meter el balón.

—Sí, el día que me sacaste a traición y me pusiste perdida con las tartas. La que me estampaste en el culo. Dejaste la mano ahí un rato... y tengo pruebas —le señaló con un dedo sin dejar de sonreír.

Hugo rio recordando ese día. Sin duda fue una de las mejores actuaciones que había hecho y el público disfrutó como nunca. Guardaron los materiales en el almacén y Hugo cerró la puerta de la piscina para que ya nadie entrara.

—Nerea —la llamó Hugo—. Sólo quería decirte que... que...

Nerea torció un poco la cabeza y levantó las cejas esperando a que consiguiera acabar la frase.

—Sólo quería decirte que me ha gustado verte jugar con Candela. Es una niña muy tímida y poco a poco se le va quitando la vergüenza para participar en las actividades que hacemos. —«Idiota», pensó nada más decir esas palabras que habían sonado ridículas.

—A mí también me ha gustado.

La vio desaparecer por las escaleras y se pasó las manos por la cabeza. ¿Qué le sucedía? Había sido incapaz de pedirle que esperara a que acabara de trabajar esa noche para poder tomarse algo juntos. Sólo quería eso. Tomarse algo con ella y seguir hablando, pero no era como las demás y eso comenzaba a ser su perdición. Sin poder evitarlo, había caído rendido a los pies de aquella princesita.

11

❧❀❧

—¿Qué os parece si vamos a la fiesta de pijamas que organizan en el bar-salón?

Nerea, junto con sus amigas, salían de cenar y comenzaron a ver gente que con sus pijamas, entraban en el salón para coger sitio. Nunca habían asistido a una fiesta de pijamas y esa podría ser una buena oportunidad, además esa noche no iban a salir. Desde que llegaron a Gandía sólo habían salido de fiesta cuatro días. Disfrutaban más viendo los espectáculos nocturnos del hotel, que yendo de discoteca en discoteca.

Ante la proposición de Nerea, todas aceptaron y subieron a sus habitaciones para ponerse los pijamas y bajar. Por suerte, encontraron una mesa en la zona del salón y como siempre, pidieron sus cubatas antes de que comenzara lo que esa noche tenían planeado los animadores.

Durante la noche, hicieron varios juegos, tanto para los niños como para los mayores. Uno de ellos consistía en poner el principio de una canción y quien se la supiera debía correr al centro del salón y sentarse en un círculo verde que había en el suelo. Podían participar tanto niños como adultos en equipos de dos personas. Ada y Nerea se levantaron para participar y como era de esperar Elena y Laila sacaron sus móviles para inmortalizar el momento.

—Madre mía, y yo que creía que en la vida saldría de voluntaria para algo de esto –dijo Nerea riendo.

—Si lo estás haciendo es porque por fin has conseguido empezar a dejar de preocuparte y disfrutar. Ahora atenta.

La primera melodía empezó a sonar y Nerea y Ada rápidamente corrieron al círculo verde tirándose con el trasero para alcanzarlo y poder responder. Nerea consiguió llegar la primera y Hugo sin dejar de reír se acercó a ella para arrimarle el micrófono y que contestara.

—Pues, señoras y señores, cuando nuestra participante deje de reír y pueda hablar, nos dirá qué canción cree que es.

Ada y Nerea seguían en el suelo muertas de la risa tras ir hacia el círculo corriendo para después tirarse. Nerea se secó las lágrimas y cuando creía que podía hablar, la risa volvía. Hugo, al ver que su risa no paraba, se tumbó en el suelo y comenzó a hacerse el dormido.

—Vale, vale. Ya estoy –dijo Nerea tomando aire.

Hugo se reincorporó y le acercó el micrófono a la boca.

—La *Macarena*.

—¡Correcto!

Ada ayudó a Nerea a levantarse y volvieron a colocarse en su sitio. Canción tras canción, los participantes corrían a la vez para decir la respuesta correcta y Nerea junto a Ada disfrutaron como unas niñas juego tras juego.

A las once de la noche, aparecieron por la puerta Alejandro y Pedro con sus pijamas y Hugo les nombró y señaló para que el público les aplaudiera.

—Creo que es la primera vez desde que trabajo aquí que os veo sin el traje –se mofó Hugo.

Pedro y Alejandro fueron hasta donde él y ofrecieron al público un desfile para lucir sus pijamas. Nerea se tapó la boca al ver a su padre y Pedro imitando a los modelos de las pasarelas. Todos los espectadores les vitorearon y se pusieron en pie para aplaudirles.

En el siguiente juego, las cuatro amigas se levantaron para participar. Dos de ellas se sentaban en unas sillas con el micrófono en la mano y las otras dos encima de cada una. Las que tenían el micrófono tenían que ingeniárselas para crear un poema y conquistarlas. Nerea, con Ada encima y música romántica de fondo, comenzó a recitar su poema.

Verdes son tus ojos,
verde es tu mirada,
verdes son tus dientes porque nunca te los lavas.

Ada, muerta de risa, se levantó de las rodillas de Nerea y le dio una suave colleja.

—Pero vamos a ver —dijo Hugo acercándose a ella—. Que la tienes que enamorar.

—Es que el problema es que ella es una tía y a mí no me van. Ada, te quiero mucho, pero lo siento, no te quiero conquistar.

—Pues en ese caso... —comenzó Hugo sentándose con cuidado encima de ella—. A mí sí me puedes conquistar, ¿no?

Nerea con un empujón y sin perder la sonrisa hizo que se levantara para poder ponerse ella de pie.

—Pero es que a las mujeres nos gusta que nos conquisten —se defendió Nerea guiñándole un ojo.

Laila, Ada y Elena no daban crédito a lo que veían sus ojos. ¡Nerea estaba flirteando con Hugo! Volvieron a sentarse en la mesa en la que estaban y en la cual se habían acoplado Alejandro y Pedro, y disfrutaron observando los demás juegos.

—Bueno, se acerca la hora de dormir y esta fiesta no sería una fiesta de pijamas sin una guerra de almohadas, ¿verdad? Así que, repartiremos estas a todos los que estáis aquí —dijo Hugo señalando todas las almohadas que había en el pequeño escenario donde se solía poner el DJ— para que disfrutéis, aunque sea sentados.

Casi todo el mundo se levantó incluidas Nerea, Ada, Laila y Elena y cogiendo las almohadas caseras formadas por una sábana que habían rellenado con plumas y atado por los extremos, esperaron a que dieran la orden para comenzar la batalla. Los animadores tocaron el silbato y todo el mundo, mayores y pequeños, comenzaron a golpearse. Las almohadas empezaron a expulsar las plumas haciendo que el salón quedara totalmente blanco.

Hugo, sin pensarlo, se acercó hasta Nerea atrayéndola hacia sí. Sus rostros quedaron muy próximos con la almohada apoyada en su trasero apretando sus nalgas por encima y aprisionándola con sus fuertes brazos. Que Nerea bajara la guardia hizo que Hugo quitase la almohada y le propinara un suave azote en el culo a Nerea.

—Ahora sí puedes decir que te he metido mano. –Y salió corriendo hacia el otro lado del salón tras sacarle la lengua.

—¡Te vas a enterar! –gritó sorprendida por lo que acababa de pasar pero sin dejar de reír.

Nerea, divertida, corrió detrás de Hugo y saltó encima de él quedándose a caballito en su espalda y, como pudo, comenzó a golpearle con la almohada, pero él consiguió quitársela de encima e inmovilizarla abrazándola por detrás. Nerea reía y giró la cabeza para verle la cara. Ambos se sonreían e instintivamente, Nerea bajó la mirada a sus labios para después posarla en sus azules ojos. Comenzaron a acercar sus rostros, pero los grititos de la pequeña Candela que corría hacia ellos con la almohada en alto, hizo que se separaran. Hugo cogió a la pequeña y corrió con ella detrás de Nerea para que pudiera golpearla.

La guerra finalizó con las almohadas deshechas y el salón lleno de plumas. Nerea se sacudió la cabeza para quitarse las plumas que tenía en el pelo y fue donde estaba Hugo para devolverle lo que, en un principio, había sido una almohada.

—Habéis hecho un buen trabajo esta noche. Hacía tiempo que no me comportaba así y he disfrutado mucho.

—Me alegro.

Pedro, que también había participado en la batalla junto con Alejandro, se acercó a ellos y le pidió a Hugo:

—Sube a la planta de la limpieza y baja varias escobas. Recogeremos un poco esto entre todos.

Hugo asintió y tras echar una última mirada a Nerea, subió a por lo que le habían mandado. Se detuvo en recepción para preguntar si había alguien disponible para que los ayudara. La recepcionista le contestó que igual alguno de los camareros ya había terminado y procedió a hacer algunas llamadas para averiguarlo. Hugo le dio las gracias y continuó su camino hacia las escaleras.

—¡Hugo! —le llamó la dulce voz de Nerea—. Quería decirte que no voy a aceptar tus disculpas.

—¿Mis disculpas?

—Sí, las que me has pedido en el spa. No acepto tus disculpas porque no tengo nada que perdonarte —dio un paso hacia él—. Tenías razón y la que se tiene que disculpar contigo soy yo por haberte acusado sin saber y darte las gracias por ayudarme con Íñigo. Y tampoco quiero que me… ignores —dijo tragando saliva.

—Yo tampoco tengo que disculparte nada —dijo acercándose a ella hasta que sus pies chocaron—: Comprendo tus reacciones tras lo que has pasado, pero estoy seguro de que podrás con ellas.

Nerea se puso de puntillas poco a poco mientras Hugo bajaba la cabeza para alcanzar sus labios pasando una mano por su cintura. Sus bocas estaban a escasos milímetros y sus alientos chocaban al compás de sus respiraciones entrecortadas.

—Hugo, baja también los…

Nerea rápidamente se separó de Hugo y comenzó a subir por las escaleras. ¡Pedro les había pillado! Se puso roja de pies a cabeza y sus pies se movieron solos para desaparecer de la escena.

—Lo siento —se disculpó Pedro en un susurro.

—¿Qué quieres que baje?

Hugo maldijo el momento en el que Pedro apareció por la recepción. Había estado tan cerca de saborear esos apetitosos labios que comenzaban a obsesionarle… pero aún le costaría más tiempo poder hacerlos suyos.

—Los recogedores y bolsas de basura —dijo Pedro con una sonrisa tras lo que había estado a punto de presenciar.

—Ahora voy —contestó Hugo.

Pedro, con una sonrisa, volvió al salón junto a Alejandro y los demás empleados que esperaban los materiales necesarios para limpiar las plumas del suelo.

—¿A qué no sabes que acabo de ver? —le dijo Pedro a Alejandro al oído.

—Sorpréndeme.

—A tu hija en actitud muy cariñosa con Hugo.

—¿En serio?

—Y tan en serio. Y si no es por mí aún estarían más cariñosos. Creo que les he interrumpido su primer beso —dijo con una sonrisa.

Alejandro también sonrió contento y le puso a Pedro una mano sobre la espalda.

—Te lo dije, Pedro. Poco a poco y dándoles empujoncitos, esos dos acaban juntos. Desde que les vi juntos por primera vez, aunque no se llevasen bien, supe que estaban hechos el uno para el otro. Nerea necesita a alguien que esté a su lado y con el que pueda ser ella misma sin encerrar su carácter como lo hacía con Íñigo para gustarle y Hugo necesita a una mujer que le haga centrarse con respecto a las mujeres y aprender a enamorarse.

—Su madre tuvo la culpa de que Hugo tenga un corazón de hierro. Esperemos que alguien pueda fundirlo y entrar en él.

—Y si es mi niña, yo encantado.

Hugo apareció en el salón con varias escobas, recogedores y bolsas de basura y comenzaron entre todos a recoger el salón para poder irse a la cama.

—¿Crees que es mejor decirle a Nerea la verdad? Ella no lo sabe —dijo Alejandro.

—De momento dejemos que las cosas vayan fluyendo entre esos dos y si va bien, se lo contamos. No es ningún secreto, Alejandro. Pero prefiero que se lo diga Hugo. Ya he decidido bastante por él —suspiró.

—Sabes que nos matará cuando se entere, ¿verdad?

—Sí, pero lo que más me gusta de Nerea es que no es rencorosa.

Ambos amigos rieron y continuaron ayudando a recoger el estropicio sin dejar de observar a Hugo. El chico parecía estar en otro mundo mientras barría las cientos de plumas blancas que estaban esparcidas por todo el suelo del salón.

*

Nerea no paraba de dar vueltas en la cama. Hacía dos horas que intentaba dormirse pero no lo conseguía.

—Nerea o paras quieta o te ato —se quejó Ada medio dormida.

—Voy a dar una vuelta.

—¿Ahora?

—Sí.

Nerea se levantó y se vistió con una falda blanca con adornos florales, una camiseta básica marrón metida por dentro y una chaqueta del mismo color con manga tres cuartos y se calzó unas sandalias planas. Sus pies le llevaron hasta el *hall* y se quedó parada. «¿Qué hacía ahí?», se preguntó extrañada y vaciló sobre si darse la vuelta, pero una tenue luz en el bar-salón hizo que caminara hasta allí.

—¿Qué haces aquí? —dijo Nerea entrando por la puerta sorprendida por encontrar ahí a Hugo a altas horas de la noche.

—No puedo dormir y me he puesto a revisar el equipo de música y los focos.

Hugo había reconocido a Nerea por su dulce voz. El salón sólo estaba iluminado por un foco de luz blanca y apenas alumbraba un cuarto del espacio. Ella, a paso lento, fue caminando hacia él hasta que el foco la alumbró también a ella.

—¿Eres consciente de que mañana madrugas? —le dijo rascándose la nuca como hacía siempre que estaba nerviosa—. Sé que tu despertador suena a las seis. Te quedan cuatro horas para dormir.

—¿Cómo sabes que mi despertador suena a las seis?

—Porque el día que me emborraché y tuve que dormir en tu habitación ese estruendoso aparato me despertó y lo primero que hago al despertarme es mirar la hora.

Nerea se sentó en una silla mientras él seguía comprobando que todo funcionara bien. El silencio inundó la sala y ella levantándose, se colocó al lado de él para pulsar el *play* en el reproductor. Comenzó a alejarse hasta acabar colocándose en el centro del foco, donde la luz era más intensa. *Impossible* de James Arthur comenzó a sonar.

Nerea se abrazó a sí misma y cerró los ojos mientras se balanceaba suavemente. Hugo se acercó hasta detenerse frente a ella y acariciarle el pómulo con los nudillos. Ante este contacto, Nerea detuvo su movimiento y abrió los ojos. Él le acarició los brazos hasta conseguir que los bajara y deshiciera ese abrazo. Cogiéndole la mano derecha, la levantó por encima de su cabeza para darle media vuelta y abrazarla por detrás. Al ritmo pausado de la canción siguieron balanceándose mientras Hugo mantenía su cara hundida en su cuello. Nerea se dio la vuelta para mirarle a los ojos y poniéndose de puntillas le echó los brazos al cuello para abrazarle y comenzar a bailar.

Hugo, atrapando de nuevo su mano temblorosa, inclinó a Nerea posando una de sus manos en su espalda para que no cayera al suelo. Esta, en ese movimiento, echó la cabeza hacia atrás dejando que las puntas de su cabello acariciasen el suelo. Él la volvió a levantar y la boca de ella chocó contra su cuello donde depositó de manera inconsciente un suave beso que le hizo estremecer. Colocando las manos sobre su cintura, ella le abrazó y con los ojos cerrados siguieron bailando hasta que Nerea sacó la cara de su cuello y le rozó la nariz con la suya. Su corazón comenzaba a latir con fuerza y su respiración a ser irregular, al igual que la de Hugo.

En el apogeo de la canción, cuando la voz del cantante se hacía más fuerte y la música subía de intensidad, chocaron sus frentes y Hugo pegó sus labios a los de ella. Nerea abrió la boca para darle acceso a su interior y cuando sus lenguas chocaron, un cosquilleo les recorrió todo el cuerpo. La boca de Nerea era como ella, dulce e inesperada. La apretó más contra su cuerpo para poder profundizar en el beso mientras ella enredaba las manos en su pelo, presionando más su boca contra la de él. Cuando se oyó en la canción el último *impossible*, se dieron un suave y último beso.

—Duerme conmigo —susurró Hugo aún con sus frentes juntas—. Sólo eso, Nerea. Duerme conmigo.

—Siempre y cuando me despiertes con un beso.

Nerea sonrió y Hugo volvió a entrelazar su boca con sus labios. Tras apagar el foco que había sido testigo de lo ocurrido esos minutos, subieron a la habitación de él, donde abrazados y tras darse un último y largo beso, se quedaron dormidos.

12

❦

Unas suaves caricias en su brazo izquierdo comenzaron a despertar a Nerea, pero antes de que abriera los ojos, notó unos suaves labios presionando los suyos y sonrió. Como ella deseaba, la había despertado con un beso.

—Buenos días, princesita.

—Buenos días ¿Qué hora es? —dijo Nerea somnolienta estirándose.

—Poco más de las seis.

—No he oído el despertador.

—Porque lo he apagado. ¿No tenía que despertarte con un beso?

Nerea sonrió y Hugo volvió a atrapar su sonrisa con sus labios. Poco a poco fue colocando su cuerpo sobre el de ella mientras los besos subían de intensidad. Le acarició las costillas por encima de la camiseta que llevaba descendiendo hasta sus piernas. Comenzó a dejar en ellas suaves caricias subiendo hasta sus muslos hasta que notó que no llevaba nada más que las bragas puestas.

—¿Has dormido en bragas y no me he enterado? —le preguntó sorprendido deteniendo el beso.

—No iba a dormir con la falda. Además que yo sepa, me has visto más ligerita —sonrió coqueta.

—Sí, y espero verte aún más.

Reanudaron los besos y Hugo continuó con sus caricias por debajo de la fina camiseta que ella llevaba. Su piel era suave y cálida y su cuerpo parecía estar creado para que encajara perfectamente con sus manos. Instintivamente, Nerea abrió las piernas y Hugo se posicionó entre ellas para que supiera el deseo que sentía por ella.

—Para, princesita. Tengo que irme a trabajar —dijo entre beso y beso.

—Di que te encuentras mal y que bajarás más tarde —propuso Nerea excitada besándole el cuello.

A Hugo no le pareció tan mala idea, pero era responsable con sus obligaciones, así que le dio un último y largo beso y se levantó de la cama para vestirse y bajar a desayunar.

—Duerme un poco más si quieres, ¿vale? Yo...

—¡Hugo! —Llamaron a la puerta—: ¿Se te han pegado hoy las sabanas?

Nerea se tapó con la sábana cubriéndose entera al escuchar la voz de su padre. Si se enteraba de que estaba ahí, a saber qué pensaría, pero enseguida se destapó y tapándose la boca comenzó a reír mientras Hugo se llevaba un dedo a los labios pidiéndole silencio.

—Ya voy, Alejandro. Es que he tenido una distracción mañanera —dijo mirando a Nerea— y se me ha pasado la hora.

Nerea abrió la boca y le tiró la almohada mientras Alejandro le decía a Hugo que no tardara y que le esperaba abajo. Cuando los pasos de Alejandro dejaron de oírse, Hugo se tiró de nuevo en la cama y comenzó a hacerle cosquillas provocando en Nerea enormes carcajadas.

—¡Para, para, por favor! —seguía riendo.

Pero Hugo continuó hasta que ella le empujó y cayó al suelo. Nerea se llevó la mano a la boca y comenzó a reír antes de gatear por la cama y asomarse para ver si seguía vivo. Desde el suelo, él la miraba serio y Nerea bajándose de la cama, se tumbó encima de él para besarle de nuevo y suplicarle su perdón poniéndole morritos. Disculpas que él, por supuesto, aceptó.

Muy a su pesar, ambos se vistieron y salieron de la habitación. Hugo tenía que desayunar y ella volver a su habitación antes de que Ada se despertara y no la viera. Cuando llegaron a la segunda planta, Hugo la acompañó hasta la puerta y se despidió de ella tras un dulce y corto beso que a Nerea le supo a gloria. Entró sigilosamente en su habitación y cuando estaba cerrando la puerta con mucho cuidado, la voz de su amiga hizo que se sobresaltara y se diera rápidamente la vuelta.

—¿Se puede saber de dónde vienes tú? —preguntó Ada enfadada con los brazos cruzados al ver a su amiga por fin aparecer.

—¿Qué haces despierta a estas horas?

—Me va a bajar la regla y estoy con las putas migrañas, pero no me has contestado, ¿de dónde vienes?

Nerea, con una sonrisa de felicidad, agarró a Ada del brazo y la hizo sentarse en la cama. Comenzó a contarle todo lo ocurrido hacía apenas cinco horas. Le contó el baile con Hugo, el beso y que habían pasado la noche juntos, pero nada más. Todavía no habían pasado de los besos y las caricias.

—Joder, pues si ahora tienes una cara de recién follada y no has hecho nada... el día que lo hagas, madre mía, cómo estarás.

Nerea no contestó, sino que se mordió el labio y amplió su sonrisa. Se sentía libre, pletórica y que por fin en su vida, estaba viviendo sin preocupaciones. Sólo quería pasar el tiempo que estuviera en el hotel con él.

Ada dio un pequeño salto como si se hubiera acordado de algo y sonriendo, salió de la habitación con una Nerea extrañada detrás. ¿A dónde iba? Pero no tardó en averiguarlo. Su querida amiga se puso a aporrear la puerta de la habitación de Laila y Elena que seguían dormidas y, como no, roncando.

—¡Chicas! —gritaba Ada golpeando cada vez más fuerte la puerta—. ¡Me debéis veinte euros cada una! Os dije que Nerea a principios de julio se liaba con Hugo y acerté.

Nerea se quedó sorprendida. ¡Habían hecho una apuesta sobre ella y Hugo! Una enfadada Elena abrió la puerta con los pelos cada uno en un lado y los ojos medio cerrados y legañosos.

—¡¿Y no puedes esperar a que nos levantemos?!

—¡Espera que voy yo! —dijo Laila más enfadada que Elena dispuesta a darle a Ada una colleja.

—Paz, chicas. A ver si os he despertado ahora es porque le tenéis que ver la cara a Nerea. Está que no caga.

Nerea puso los ojos en blanco pero no perdió la sonrisa en ningún momento. Se sentía tan bien tras lo que había pasado, que le daba igual lo que pensaran.

—A ver, ¿alguna de vosotras puede explicarme la apuesta?

—Nerea, no estamos ciegas y veíamos cómo Hugo y tú os mirabais. Era cuestión de tiempo que os liarais. Ellas dijeron que hasta finales de julio no habría nada porque eres muy responsable y a veces te cuesta relajarte y yo dije que no, que nada más empezar julio ya estaríais liados ¡y mira! Dos de julio y la cara que tienes.

—Sois incorregibles.

—Pues sí —dijo Elena bostezando—. Y ahora, ¿podemos volver a la cama?

Todas se metieron en sus habitaciones a descansar un poco más, pero Nerea no podía conciliar el sueño, así que volvió a levantarse y bajó al *hall*. Saludó a su padre con un gran beso y un efusivo buenos días. Alejandro, sorprendido por la energía que tenía su hija esa mañana, la vio caminar hasta desaparecer por la puerta del bar y encogiéndose de hombros, se dirigió a su despacho.

Nerea se tomó un café con una napolitana de chocolate, ya que el restaurante aún no estaba abierto y se mordió el labio al ver a Hugo ir a la piscina con un cable en la mano. Se despidió del camarero y entrando en la piscina, sigilosamente, se fue acercando a Hugo hasta taparle los ojos.

—¿Quién soy? —susurró Nerea divertida en su oído.

Hugo sonrió al oír su voz y echó las manos hacia atrás hasta alcanzar sus costados y comenzar a hacerle cosquillas. Nerea se retorció y rápidamente se apartó de Hugo para que las cosquillas remitieran.

—Me encanta que tengas cosquillas.

Nerea se hizo la enfadada poniendo los brazos en jarra, pero cuando Hugo le cogió el rostro con las manos y la besó la sonrisa volvió a ella. Tras un último beso en la punta de la nariz, Hugo continuó inspeccionando lo que parecía ser una máquina de espuma.

—¿Ese cañón es lo que creo que es?

—Esta tarde haremos un juego con la espuma. Pondremos toda esta zona de la piscina llena de espuma y mientras los niños se dan la vuelta tiraremos aros pequeños de colores para que los encuentren. Así que ahora antes de que se abra la piscina, pues toca probarla.

Nerea asintió y se apartó mientras Hugo ponía el área de la piscina llena de espuma, pero antes de apagar la máquina, giró el cañón hacia Nerea poniéndola blanca de arriba abajo. Como era de esperar, ella contraatacó cogiendo con sus manos toda la espuma que pudo y poniéndosela a él por el pelo y la ropa. Hugo riendo, se la cargó al hombro y con cuidado la tumbó en el suelo para dejarla completamente embadurnada en espuma, pero Nerea no se dio por vencida y agarrándole del cuello, le hizo caer a él también. Ella se sentó encima de él a horcajadas y comenzó a ponerle perdido de espuma. Se divirtieron y rieron como dos niños durante unos minutos hasta que la sustancia blanca y espesa comenzó a transformarse en agua. Calados y aún en el suelo con Nerea sentada en su regazo, seguían disfrutando de su cercanía.

—¿Habrá un día en el que esté en la piscina trabajando a primera hora de la mañana y no acabe calado por tu culpa? —dijo Hugo divertido retirándole el pelo mojado que se le había pegado a la cara.

—Será porque yo estoy más seca que tú —fingió estar ofendida.

Hugo juntó su frente con la de ella y tras darle un beso en la punta de la nariz, bajó sus labios hasta los de ella para entrelazarlos y saborearlos. El beso comenzó suave, pero fue aumentando de intensidad a medida que sus lenguas se buscaban desesperadamente. Hugo apretó a Nerea contra él y soltó un pequeño gemido al notar su erección chocar contra su cuerpo.

—Debemos parar —susurró Nerea mientras él la besaba el cuello—. Van a empezar a llegar los empleados.

—Te deseo tanto, princesita.

Hugo se levantó con ella en brazos y sin dejar de besarla fueron hasta el almacén donde guardaban los objetos para la piscina. Tras cerrar la puerta, la aprisionó contra la pared y continuó besándola mientras metía las manos por debajo de su falda para acariciarle las nalgas. Nerea echó la cabeza hacia atrás para darle mejor acceso a su cuello y le quitó la camiseta dejando al desnudo su perfecto torso. Pasó la mirada por aquel escultural cuerpo y sus manos acariciaron sus pectorales hasta llegar a sus hombros. Nerea clavó la vista en sus ojos azules y volvió a lanzarse sobre sus labios. Hugo hizo lo mismo con la camiseta de ella y cuando la dejó con un sujetador de encaje ante él, la abrazó sin dejar de besarla apretando sus senos contra su torso. Sin ningún esfuerzo, la levantó y Nerea le rodeó la cintura con las piernas. Su espalda chocó contra la fría pared y Hugo comenzó a mordisquearle los pechos por encima de la tela del sujetador.

—Joder... ¡Mierda! —exclamó furioso Hugo cuando oyó su móvil sonar.

Dejándola en el suelo, expulsó el aire retenido en sus pulmones y descolgó. Nerea lo vio maldecir, gritar a su interlocutor e incluso apretar el móvil con tanta fuerza que pensó que lo iba a romper. Al colgar, se pasó las manos por la cara ascendiendo hasta su pelo. Recogió su camisa del suelo y le tendió a Nerea la suya.

—Lo siento, Samuel necesita que le ayude a bajar unas colchonetas finas que vamos a poner por si los niños se resbalan con la espuma no se hagan demasiado daño.

Nerea asintió y se colocó ella también la camiseta con una mueca de decepción, aunque lo comprendía. Era su trabajo y estaba en horario laboral. Hugo, al verla, se acercó hasta ella y posó un dedo en su barbilla para que lo mirara a los ojos.

—Prometo compensarte. Esta noche cuando acabe de trabajar te espero en recepción. Te prepararé algo especial.

—No tienes que compensarme nada, es tu trabajo y tienes unas obligaciones —dijo Nerea mostrándose comprensiva y acariciándole los brazos.

—Pero quiero hacerlo, quiero hacer algo especial para ti.

Nerea curvó los labios en una sonrisa y Hugo le dio un último y tierno beso antes de irse. Ella salió poco después preguntándose qué harían esa noche. Se sentía como una adolescente y dando cómicos saltitos salió de la piscina para ir a buscar a sus amigas e ir a desayunar.

13

Con los nervios a flor de piel, Nerea esperaba a Hugo enfrente de la recepción. No sabía qué le tenía preparado y ella y sus amigas habían sacado toda la ropa que tenían para ver qué se ponía. Ada le dejó un vestido sencillo por encima de la rodilla de un azul verdoso complementado con un fino cinturón blanco y Elena le prestó sus cuñas del mismo color que el cinturón, que le estilizaban más las piernas. Con ayuda de Laila, Nerea se recogió el pelo en una coleta alta y se la cardó para darle volumen y un aspecto más informal.

Volvió a mirar el reloj que marcaba más de las once y media. Supuestamente hacía treinta minutos que Hugo había acabado de trabajar, pero no le había visto tan siquiera salir del salón. ¿La habría dejado plantada? ¿La habrían vuelto a engañar y ahora estaría riéndose de ella? Dando al suelo un fuerte golpe con la cuña, se dio media vuelta y se dispuso a dar un largo paseo por la playa hasta que se le pasase la decepción.

—¡¡Nerea!!

Un cosquilleo se instaló en su estómago cuando oyó la voz de Hugo. ¡Había ido! Pero su sonrisa desapareció al verle la cara y que aún vestía con el uniforme del hotel. Cuando llegó hasta ella, le cogió las manos y tras besárselas dijo:

—Lo siento, lo siento. Te juro que no me acordaba de que hoy tenía reunión con el personal del hotel. Te prometo Nerea que no me acordaba. Cuando he acabado el turno, he salido pitando del salón para cambiarme e irnos, pero Samuel me ha detenido y me ha recordado lo de la reunión. He intentado venir a avisarte antes, pero Alejandro me ha entretenido.

—Por un momento pensé que me habías dejado plantada sólo para reírte de mí y disfrutar humillándome —dijo Nerea entre aliviada y enfadada bajando la cabeza por haber vuelto a ver cosas donde no las había.

—¿Qué? Yo jamás he hecho ni haría eso —la tranquilizó abrazándola—. Escucha, este sábado lo tengo libre a partir de las ocho de la tarde. Tendremos toda la noche para nosotros y en vez de llevarte a dar un paseo por la playa con un helado en la mano que es lo que tenía pensado hacer hoy, te prepararé algo mejor. No se me dan bien estas cosas —le explicó rascándose la nunca.

—Está bien —dijo ella chocando sus frentes—. Esperaremos estos días para tener nuestra primera cita y espero que te comportes como un perfecto caballero. No quiero tener que volver a exprimir lo que tú ya sabes.

Hugo soltó una carcajada y tras besarla se despidió de ella o llegaría tarde a la reunión. Aunque siendo sinceros, si seguía besándola, no iría a la reunión. Se la llevaría a otro lugar para poder acabar lo que habían comenzado esa mañana en el almacén de la piscina.

Nerea, un tanto apenada por tener que aplazar su cita, subió a la habitación y tiró el bolso encima de la mesita que había en la entrada. Se deshizo de los zapatos y se extrañó al no ver a Ada. Que ella supiera, hoy iba a quedarse tirada en la cama viendo una película. Le había bajado la regla y los dos primeros días, los dolores no la dejaban moverse. Nerea se asomó a la terraza pero tampoco estaba allí. Extrañada porque hubiera salido, se puso el pijama cuando oyó el ruido de la ducha. Se dirigió hacia el baño, pero al abrir la puerta no vio una figura tras la mampara, ¡sino dos! y demasiado acarameladas.

—¡Ada!

Su amiga pegó un grito por el susto y separándose de su acompañante, cerró el grifo y abrió un poco la puerta de la ducha para asomar la cabeza.

—¿¡Pero tú no estabas con Hugo!?

—¿¡Y tú no estabas con la regla!?

—Por eso estoy echando el polvo en la ducha.

El acompañante de Ada, sin perder la sonrisa se asomó también por el espacio que había abierto Ada y saludó a Nerea.

—Hola, preciosa. Si sé que vas a estar no vengo. Lo siento.

—No… no te preocupes –tartamudeó Nerea sin dar crédito a lo que veía. El chico era Sergio, el camarero de la discoteca a la que fueron el día de su cumpleaños–. Mejor os dejo solos y yo me voy a… dar una vuelta o ya que estoy en pijama a ver si Laila o Elena están en la habitación o… Adiós.

Bajando la mirada, cerró la puerta del baño y cogiendo la llave rezó porque alguna de las dos estuviera en su habitación. Apoyó la oreja y soltó un suspiro de alivio cuando oyó el ruido de la televisión al otro lado. Llamó suavemente con los nudillos y oyó a Laila decir «ya voy». Laila se quedó asombrada al ver a Nerea al abrir la puerta.

—Nerea –susurró su nombre sin saber qué hacía ahí–. ¿Ha pasado algo? ¿Tengo que ir a exprimirle yo los huevos a Hugo o mejor le doy una de mis collejas?

—Guarda esa mano –rio Nerea–. No ha pasado nada. Hugo tenía una reunión y hemos quedado para vernos el sábado.

—Pero, ¿estás bien? Te lo digo porque has venido aquí y no has ido a tu habitación. Desembucha, ¿qué ha pasado?

—Nada, he venido aquí porque Ada está en la ducha dándole que te pego con el camarero que conoció en la discoteca el día de mi cumpleaños.

—Joder, Nerea, qué fina eres a veces. Llámalo por su nombre. Ada está follando. Mírala que rápido se le han quitado a esa los dolores de la regla.

Se tumbaron en las camas y Laila le pasó un bol de palomitas a Nerea. Comenzaron a ver una película que a ambas les encantaba porque salía su actor favorito. Un morenazo de ojos azules que con una sola mirada hacía que se derritieran y su cuerpo que perdieran el conocimiento.

—Por cierto, ¿dónde está Elena?

—Pues me imagino que estará haciendo lo mismo que Ada. Tenía una cita con un alemán o un inglés. No sé, con un guiri.

—¡Calla, calla! —pidió Nerea emocionada—. Que llega la escena de sexo. Vamos a poder verle en todo su esplendor.

Subieron el volumen y se apretaron más para ver la escena que les mantenía con la boca abierta e inmóviles.

—Qué pena que los actores calculen tanto los movimientos y la cámara no pille lo más interesante. No es justo, muchas actrices sí muestran los atributos que más le gustan a los hombres, pero los actores... lo máximo que les vemos es el culo. Aunque hay cada uno que tiene un culo...

—No te quito la razón, pero lo siento yo de Chris Pine me quedo con sus ojos y su tabletita.

—Porque no le hemos visto aún con el culo al aire, cielo... ¡ni lo otro!

Ambas rieron y siguieron devorando las palomitas mientras comentaban cualquier cosa del actor o la película. Una vez acabó, limpiaron las migas de la cama y tiraron el maíz que no se había hecho a la basura. Lo hicieron en silencio y a Nerea comenzaron a venirle a la cabeza los pensamientos que quería reprimir. Empezaba a sentirse mal consigo misma de nuevo y lo mejor que podía hacer era contárselo a Laila antes de que empeorara.

—Laila, necesito terapia.

—Porqué me da que sé por dónde van los tiros... A ver, habla.

Cogiendo el paquete de cigarrillos, salieron a la terraza donde contemplando el mar, Nerea comenzó a hablar mientras Laila fumaba un cigarrillo sentada en una de las sillas de plástico.

—Pues básicamente que hay veces que pienso que he superado lo de Íñigo pero luego me doy cuenta de que en realidad no es así.

—No te equivoques —dijo Laila comenzando a enfadarse—. Que Íñigo y tú rompierais nunca te afectó. Lo que sí lo hizo fue lo que te trajo esa ruptura: el miedo, la inseguridad, la desconfianza...

—A eso me refiero. Hay veces que pienso que esos sentimientos los he superado, pero luego veo que no es así.

Nerea se dio media vuelta apoyándose en la barandilla y se cruzó de brazos mientras Laila apoyaba los pies en la mesa que había en la terraza, contando hasta diez para no empezar su tanda de collejas.

—A ver, Nerea, ¿a qué viene esto ahora?

—Cuando estaba esperando en recepción a que Hugo llegara, su retraso me ha hecho pensar que me habían vuelto a engañar y sólo me había citado ahí para reírse de mí, humillarme y divertirse a mi costa. No he pensado que igual estaba haciendo algo importante y por eso se retrasaba. Iba a irme cuando ha aparecido pidiéndome disculpas por llegar tarde. Mi padre le había entretenido y venía a decirme lo de la reunión. ¿Siempre va a ser así? —dijo harta de todo—. ¿Jamás voy a volver a confiar en un hombre o, lo que es peor, en mí misma?

—¡Joder, Nerea! Deja de ver fantasmas donde no los hay —la riñó dando un golpe en la mesa—. Olvídate de todo y disfruta. Sabes que lo tuyo con Hugo no es nada serio, como mucho un rollo de verano.

A Nerea no le gustó lo que le acababa de decir Laila y se mordió el labio inferior lentamente mirando a Laila con cara de preocupación. Aún no les había dicho a sus amigas que existía la posibilidad de que no volviese a Oviedo. Y la verdad la idea de que Hugo y ella sólo fueran un rollito cada vez le hacía menos gracia.

—Mi padre me está ayudando a buscar trabajo aquí y me prestaría su piso para vivir, ya que no lo usa.

—¿Me estás diciendo que igual no vuelves a Oviedo?

—¡No sé qué hacer, Laila! —dijo una frustrada Nerea con los ojos humedecidos—. Sabes lo que echo de menos a mi padre, pero a vosotras también os quiero. Estoy muy confundida…

Laila se levantó de la silla y apagando el cigarrillo, se acercó a Nerea y la estrechó contra sus brazos.

—Tomes la decisión que tomes, te apoyaremos. Te mereces ser feliz, Nerea. Y si es aquí pues aquí, y si es en Oviedo pues en Oviedo. A nosotras siempre nos tendrás. ¿Qué son las amigas si cuando las circunstancias de la vida las separa y por eso dejan de serlo? Nos pueden separar kilómetros, pero la amistad verdadera es un hilo infinito que no se puede romper. Cielo, tienes que hacer lo que te dicte el corazón. Piensa en ti por una vez, Nerea. Sé egoísta y haz lo que el corazón te diga.

Nerea se tapó la cara con las manos y suspiró. A veces la vida era demasiado complicada y podías tomar una decisión que te podría llevar por dos caminos. La felicidad o el arrepentimiento.

—Necesito una tarrina enorme de helado de chocolate.

—Venga, vamos a por dos y nos hacemos unos *selfies* haciendo el idiota.

Compraron tarrinas de dos tipos de chocolate y comenzaron a hacerse fotos con los morros manchados, enseñando los dientes negros o metiéndose la cuchara en la boca. Pequeñas tonterías que conseguían volver a hacerlas sonreír.

14

✖❀✖

—Ponte lo de la otra vez, Nerea. El vestido verdoso con
las cuñas de Elena —dijo Ada cansada de que Nerea se probara
modelitos y a todos dijera que no.

Había llegado el sábado y los días anteriores Hugo y Nerea
apenas habían coincidido. Hugo tenía el domingo libre, así
que había estado trabajando sin descanso para dejar todo listo
en su ausencia. Ella siempre se quedaba en la piscina hasta que
se acababa el turno del socorrista y los huéspedes abandona-
ban esa zona. Nerea sabía que Hugo saldría el último, así que
siempre se entretenía recogiendo sus cosas para cuando se fuera Samuel, el compañero de Hugo, poder acercarse a él y sentir
sus labios sobre los suyos y el calor que desprendía su cuerpo
cuando la abrazaba. Pero sus encuentros no duraban mucho,
Hugo tenía que seguir con su trabajo.

—Es que el otro día tenía pensado ir a la playa a pasear y
el atuendo creo que era algo elegante para dar un paseo por la
playa y más con las cuñas.

—Pero tendrás que ponerte decente. No vas a ir con tu ves-
tidito de playa y las chanclas —le advirtió Elena.

—¡Me estáis poniendo de los nervios! —dijo Nerea enfadada
agarrándose el pelo—. Os vais a ir todas de aquí y me vestiré
como quiera y como más cómoda me sienta.

—¿Sólo con ropa interior? —bromeó Ada—. Creo que triunfarías con Hugo si fueras así.

Nerea negó con la cabeza y le sacó la lengua a Ada. Finalmente optó por ponerse una camiseta de tirantes sencilla y una falda de flores con un gran cinturón marrón a la altura de la cadera. Se calzó unas sandalias planas y dejó su largo cabello suelto.

—¿Os parece bien esto? —dijo Nerea dando una vuelta sobre sí misma.

—Bueno... no hace falta que te quites la falda para follar, así que perfecto —dijo totalmente en serio Ada.

—Eres de lo que no hay.

Ada sonrió y se encogió de hombros. Ella también tenía una cita con su camarero y esta vez la iba a disfrutar a tope. Su amiga, la roja, ya había desaparecido y con ella los dolores.

Nerea, en el trayecto del ascensor, no paró de mover la pierna derecha en ningún momento. Estaba tan nerviosa que le era imposible estarse quieta. Las puertas del ascensor se abrieron y salió del hotel. Hugo le había dicho que la esperaba fuera, pero no le veía por ninguna parte. ¿Y sí...? «¡No, Nerea!», se regañó al ver que volvían los mismos pensamientos de miedo y desconfianza.

El sonido fuerte y bronco de una moto negra hizo que su cabeza girara a la izquierda para ver a un tipo sobrepasando los límites de velocidad en esa zona hasta detenerse en la puerta del hotel. Nerea sonrió al ver quién se ocultaba detrás del casco. Hugo desmontó con rapidez de la moto y le tendió la mano a Nerea, que esta aceptó, para acercarla a él y besarla.

—Creo que es la primera vez que te veo vestido sin el uniforme —dijo Nerea sin perder la sonrisa al verle con unos vaqueros y un polo blanco que le marcaba cada uno de sus músculos.

—Y tú, como siempre, estás preciosa y perfecta.

Nerea notó cómo los colores subían a sus mejillas y Hugo al verlo le dio un nuevo y suave beso. La ayudó a subirse a la moto pero la falda que llevaba era demasiado corta y con el aire que produciría el movimiento al conducir, se la subiría entera dejando al descubierto el tanga de encaje que llevaba.

No dispuesta a que eso pasara, con cuidado de que no se le viera nada, bajó de la moto.

—¿Qué ocurre? —preguntó Hugo extrañado al verla bajar.

—Que con la falda voy a enseñar todo con el movimiento de la moto, así que si esperas cinco minutos, me pongo los pantalones cortos y nos vamos.

—A mí no me importaría que se te viera todo —dijo coqueto guiñándole un ojo, pero enseguida se puso serio—, aunque pensándolo mejor, yo no sería el único que te vería, así que sí, mejor cámbiate. No quiero partirle la cara a nadie.

Nerea asombrada le miró y levantó las cejas. ¿Acaso estaba celoso? Tras soltar una pequeña carcajada, corrió hacia el interior del hotel para poder cambiarse.

Hugo se quedó embobado viéndola desaparecer. Era tan diferente a las mujeres con las que solía estar, que mataría a cualquier tipo que la mirara. Hasta ese momento, no conocía qué eran los celos. Era la primera vez que los sentía, e incluso a decir verdad, era la primera vez que tenía una cita. ¿Qué le pasaba con ella? Tarde o temprano lo suyo acabaría. Era consciente de que Nerea volvería a la ciudad donde vivía, pero también cabía la posibilidad de que se quedara tras aceptar lo que su padre le estaba ofreciendo. No quería pensar, sólo disfrutar de la noche a su lado.

Tal como se había ido, Nerea regresó corriendo y con un pantalón corto que se ajustaba perfectamente a sus piernas. Tras ponerse los cascos, ambos se montaron en la moto y cuando Hugo notó como sus delicados brazos abrazaban fuerte su cintura, metió primera para salir de allí.

Nerea no le había preguntado a dónde iban ni él le había dicho nada. Quería que fuera una sorpresa. Veinte minutos después, Hugo estacionaba la moto encima de la acera entre dos árboles. Ella le entregó el casco y se fijó en su alrededor. Era una zona residencial de pequeños chalés con la inmensidad del mar a unos pocos pasos de cada casa.

—Esto es precioso —dijo Nerea—. Pero, ¿dónde estamos?

—Son unas viviendas que hay a las afueras de la ciudad. Es como un pequeño pueblo. ¿Ves ese edificio de allí? —le preguntó Hugo señalando el final de la hilera de casas. Nerea asintió—.

Es un colegio donde van los niños que viven por aquí. Además para cuando crecen y comienzan la secundaria hay un autobús que viene a recogerlos para que puedan seguir con su enseñanza obligatoria.

—Tiene que ser una pasada vivir aquí. El mar, la tranquilidad de vivir entre poca gente teniendo todo lo necesario a tu alcance y poder hacer todo con comodidad.

Hugo la abrazó por detrás y dándole un beso en la coronilla se separó para entrelazar sus dedos con los de ella.

—Ven. A donde vamos vas a tener las mejores vistas de toda esta zona.

Antes de comenzar a subir por una cuesta, Hugo sacó del maletero de la moto una cesta y se la enseñó a Nerea.

—¿Nos vamos de *picnic*? –dijo divertida.

—Algo así.

Comenzaron a subir por una rampa hasta llegar a lo más alto de una especie de colina. Hugo sacó una pequeña manta y la extendió bajo un árbol. Él se sentó primero apoyando la espalda en el tronco e hizo que Nerea se sentara entre sus piernas y apoyara la espalda en su torso. Ella le cogió las manos y dejó reposar las de ambos entrelazadas en su vientre.

—¿Cómo conocías este lugar?

—¿Ves esa casa blanca rectangular?

Nerea asintió y él prosiguió:

—Cuando era pequeño vivía ahí.

—Tuviste que ser muy feliz aquí.

—En realidad no. Cuando nací mi madre cayó en una depresión posparto de la que nunca salió y comenzó a beber hasta convertirse en una alcohólica. Ella nunca me quiso. Mi padre era quien me cuidaba y me protegía de ella cuando se ponía violenta. Él quiso separarse enseguida de mi madre, pero no quería dejarme solo ya que si le pedía el divorcio, la mayoría de los días la custodia la tendría mi madre hasta que pudiera demostrar lo que hacía esa mujer –la apretó más contra él–. Cuando cumplí los ocho años, mi madre presentó una demanda de divorcio contra él. Mi padre se fue de casa y me quedé solo con mi madre. Tuve que aprender a cuidarme solo, a cocinar y a hacer cosas que no eran normales para un niño de tan corta edad. Mi madre podía estar días sin aparecer por casa.

»Cuando fui creciendo, la vida empezó a parecerme una mierda y me daba igual lo que me pasara. Mi padre no volvió a aparecer por casa. Al principio lo odié por eso, hasta que supe que no volvía porque estaba luchando por mí. Me olvidé de los estudios y me pasaba el día básicamente fumando maría, bebiendo cerveza y tocándome los huevos. Hasta que mi padre consiguió mi completa custodia a los dieciséis años. Como te he dicho, en ese momento despreciaba a mi padre por abandonarme hasta que entendí que no lo hizo. Se alejó de mí para protegerme y poder luchar sin que mi madre se enterara pues hubiera sido capaz de desaparecer conmigo lejos de aquí. Mi madre sólo me utilizaba para putear a mi padre, para ella era como un objeto. —La besó en el nacimiento del pelo y Nerea bajó la mirada. Ambos habían sido utilizados y manipulados. Aunque ella sabía que lo suyo no era nada en comparación, los dos tenían en común haber estado tantos años siendo manipulados por alguien cercano y que se supone que te quiere—. Me fui con mi padre y conocí a Alejandro. Él me enseñó que la vida está llena de oportunidades y que gracias a mi padre podría comenzar una nueva vida. Me habló de su trabajo, de cómo empezó y me picó el gusanillo por hacer Turismo. —Nerea notó cómo sonreía—. Y gracias a él y a mi padre estoy contento conmigo mismo, aunque por culpa de mi madre me siento incapaz de saber querer a alguien.

Ante eso último, Nerea se tensó. No debía pensar de esa forma sobre ellos dos. Como le dijo Laila, su relación no sería nada serio. Lo mejor que podía hacer era disfrutar de él el tiempo que estuvieran juntos.

—Lo siento mucho. No debió de ser nada fácil para ti, pero tuviste suerte de no desarrollar ningún tipo de conducta más conflictiva. A pesar de que cometiste errores, te mantuviste firme para no ir más allá de ellos.

—Desde que mi padre me llevó con él no he vuelto a pisar esto, pero sentía la necesidad de enseñártelo y contarte mi historia en este lugar.

Nerea se echó hacia adelante para poder darse la vuelta y atrapar sus labios. Sus lenguas bailaron juntas durante unos minutos para acabar con un corto beso.

—Gracias.

—¿Por qué? —preguntó Hugo extrañado.

—Por confiar en mí y contarme tu historia.

Hugo sonrió y tras acariciarle con los nudillos la mejilla, acercó la cesta y comenzó a sacar varios táperes con diferentes tipos de comida.

—¿Lo has cocinado tú o el servicio de la cocina del hotel te ha ayudado?

—Nada de trampas. Es la primera vez que organizo algo así y quería que fuera lo mejor posible.

Hugo fue destapando cada uno de los táperes que contenían: croquetas, calamares con el limón aparte, patatas bravas y dos *cupcakes* de chocolate.

—Madre mía… ¿no había nada que engordara más? —dijo riendo con ironía—. Te perdono porque soy adicta a las *cupcakes*, aunque no tengo ni idea de hacerlos. La verdad es que la repostería no es lo mío.

—Pues cuando quieras te enseño.

Sin dejar de hablar y reír, comenzaron a comer. Estaba todo delicioso y aunque Nerea decía que ya era lo último que cogía siempre caía algo más. Quedó la última croqueta en el táper y fueron a cogerla los dos a la vez. Nerea le puso morritos y finalmente, Hugo, riendo, se la concedió. Como una niña con zapatos nuevos, comenzó a degustarla cuando mordió algo duro. Se lo sacó de la boca y entre sus dedos atrapó un alfiler. Sorprendida, le miró.

—¿Pero qué ingredientes has utilizado para hacer la besamel de las croquetas? —dijo enseñándole el alfiler.

—¡Joder! Menos mal que no te lo has tragado —dijo cogiéndolo para inspeccionarlo—. Creo que es uno de los alfileres que usaron para arreglarme un disfraz para esta semana.

—Sí, menos mal, pero la próxima vez ten cuidado con los ingredientes —advirtió Nerea acabándose lo que quedaba de croqueta tras inspeccionar que no había más instrumentos punzantes.

—Y ahora, lo más interesante —dijo Hugo sacando los *cupcakes*.

Nerea aplaudió y cogiendo uno lo mordió saboreándolo y emitiendo un pequeño sonido de satisfacción.

—¡Está buenísimo! Ya sabes, me tienes que enseñar.

—Yo te enseño lo que quieras, princesita.

Con una pícara sonrisa, Hugo devoró sus labios con sabor a chocolate y poco a poco fue recostándose encima de ella. Nerea le rodeó el cuello con los brazos para poder profundizar más el beso y las manos de Hugo se deslizaron por sus perfectas piernas hasta colocarlas debajo de sus nalgas. La boca de él abandonó sus labios para comenzar a besarle el cuello hasta llegar a sus pechos para mimarlos por encima de la ropa.

—Me vuelves loco, princesita.

Nerea enredó sus manos en el pelo de él y tiro de su cabeza para volver a atrapar su boca y comenzar de nuevo a jugar con su lengua.

—¡Joder! —dijo de pronto Hugo girando hacia un lado dejando a Nerea encima suyo—. ¡Puto perro!

Extrañada, la joven giró la cabeza y vio a un pequeño perro de raza Beagle moviendo la cola. Con una sonrisa, Nerea se quitó de encima de Hugo y comenzó a acariciarle.

—Hola bonito, ¿dónde está tu dueño?

—¡En su dueño también me cago! —blasfemó reincorporándose.

—Ainss, no seas así. Si esta cucada no ha hecho nada.

—Ya… mira la esquina superior de la manta en la que estaba tu cabeza hace un momento.

Haciendo lo que le decía, Nerea clavó la vista en la esquina y vio que estaba completamente mojada.

—El perrito bonito nos ha marcado la manta —dijo irónico Hugo.

Nerea se tapó la boca y soltó una carcajada, pero a Hugo no le hacía ninguna gracia la situación. Tendría que lavar bien la manta o directamente tirarla.

—Quizá este árbol es suyo y ha venido para que nos vayamos —se mofó.

—Sí, hombre, un perro me va a echar.

Ella volvió a reír en el momento que llegó el dueño y se disculpó por lo que había hecho su perro. Se ofreció a pagarle la manta pero Hugo se negó. Se le veía buen hombre y la culpa había sido del perro. Un par de veces a la lavadora y como nueva. Doblaron la manta hacia abajo para no tocar el regalito del perro y Hugo volvió a recostarse en el árbol con Nerea apoyada en su pecho. La tranquilidad del lugar y el calor que el cuerpo del chico desprendía hicieron que ella se relajara y poco a poco cerrara los ojos.

—Ey —susurró Hugo—. No te duermas, princesita, que ahora viene lo mejor.

—¿El qué?

—Ya lo verás.

No tuvo que esperar mucho. Un ruido hizo que clavara su mirada en el cielo y los fuegos artificiales comenzaron a invadir con sus vivos colores la oscura noche. Nerea sonrió y se giró un poco para verle la cara.

—¿Esto no lo has preparado tú, verdad?

—No —dijo Hugo divertido—. Ha sido casualidad que hoy hubiera fuegos, así que he decidido aprovecharla contigo.

Hugo le dio un beso en la punta de la nariz y, con una sonrisa, Nerea se giró para seguir contemplando el espectáculo que la noche les ofrecía. Acabados los fuegos y viendo Hugo cómo Nerea no paraba de bostezar, decidió recoger y regresar al hotel. El viaje de vuelta fue más lento y tranquilo donde Nerea disfrutó de la cercanía del chico. Tras aparcar la moto detrás del hotel, entrelazaron sus manos para recorrer el pequeño camino hasta sus habitaciones, pero Nerea se detuvo de repente.

—¿Ada?

Sentada en el suelo de la calle, cerca de la puerta del Hotel Villa Magic, una lacrimosa Ada sollozaba con las manos tapándose la cara. Nerea se soltó de la mano de Hugo y corrió hacia ella. Se colocó a su altura e intentó que la mirara.

—Ada, cariño, ¿qué te ocurre? —le preguntó preocupada.

Al oír la voz de Nerea, Ada levantó la cabeza y sin dejar de llorar la abrazó. Poco a poco consiguieron ponerse de pie, pero su amiga apenas conseguía mantenerse. El aliento le apestaba a alcohol y su aspecto le indicó que estaba más ebria que sobria.

Hugo, que había permanecido en un segundo plano, ayudó a Nerea a llevar a Ada hasta la habitación, donde nada más llegar, corrió al baño y comenzó a echar todo el alcohol que llevaba en el cuerpo. Con una mueca de asco, Nerea cerró la puerta del baño y salió de la habitación, donde Hugo la esperaba en el pequeño pasillo.

—Lo siento —se disculpó Nerea mordiéndose el labio inferior.

—No te preocupes. Son cosas que pasan.

Nerea bajó la cabeza pero rápidamente Hugo le cogió el rostro para que le mirara a los ojos. Chocó su nariz con la de ella y bajó sus labios hasta capturar los suyos. Fue un beso tierno y dulce, que hizo que Nerea notara un millón de mariposas revoloteándole por el estómago, pero la voz de Ada hizo que se separaran.

—¡¡¡Mi vida es una mierda!!! —gritó sin dejar de llorar.

Suspirando, Nerea apoyó la frente en el pecho de él y Hugo la abrazó antes de depositar un dulce beso en la coronilla.

—Será mejor que averigüe qué le pasa.

—Estoy de acuerdo. ¿Nos vemos mañana? Si me dices que no ya sabes que soy capaz de secuestrarte.

Tras sonreírse, volvieron a juntar sus bocas para saborearse por última vez en ese día, a pesar de las ganas que ambos tenían de pasar la noche juntos.

—¡Ey! Tortolitos, dejad vuestras lenguas quietas que por lo que he oído algo le ha pasado a la otra —dijo Elena saliendo junto a Laila de su habitación con el pijama puesto y los pelos revueltos. Habían oído el grito de Ada y asustadas, salieron a ver qué ocurría—. Primero lo de la pedorra que está llorando y mañana los detalles de lo que habéis estado haciendo a estas horas, aparte del tamaño de cierto pajarito. —Señaló con la cabeza el paquete a Hugo.

Hugo abrió los ojos como platos y sin dejar de sonreír a Nerea se despidió de ella hasta el día siguiente. Tenía el día libre y quería disfrutarlo con ella.

—Anda, vamos a ver qué le pasa a esa —dijo Nerea decepcionada tras la marcha de Hugo.

Las tres entraron y se encontraron a Ada con la cabeza aún en el retrete, el maquillaje corrido y los ojos rojos e hinchados de tanto llorar. Entre todas la ayudaron a levantarse y con ropa y todo la metieron en la ducha abriendo el agua fría. Como era de esperar, Ada gritó e intentó salir pero no la dejaron. Una vez se fue relajando, cerraron el grifo y tras desnudarla, la taparon con un albornoz. La sentaron en la cama y terminaron de limpiarle el maquillaje que tenía por la cara mientras Elena le quitaba la humedad del pelo con una toalla.

—¿Qué ha pasado, Ada? —le preguntó Laila tras prepararle una tila mientras Nerea se ponía el pijama. Ella también se había mojado ayudando a Ada a ducharse.

—El idiota de Sergio, ¡eso me ha pasado!

—¿El camarero? Pero, ¿qué ha hecho? Liarse con otra, dejarte… desembucha —le exigió Elena.

—Ha dicho que se está enamorando de mí. ¡Pero cómo se puede estar enamorando de mí si nos conocemos desde hace dos semanas! —Sus amigas la miraron sorprendidas sin saber qué decir—. Y yo me he bebido de golpe el chupito y le he dejado plantado. ¡He salido corriendo asustada! —Al notar el silencio de sus amigas las miró y dijo—: Podéis decir algo, ¿eh?

—A ver, Ada —comenzó Nerea tras ponerse el pijama sentándose a su lado—. Desde que le conociste sabías que él no era de los de rollo de una noche. Fíjate cómo se comporta contigo. Y no veo nada de malo en lo que te ha dicho para que estés así.

—¡Aún soy joven para enamorarme! —volvió a sollozar Ada—. Yo quiero vivir, quiero disfrutar al máximo de la vida, antes de que se me caigan las tetas.

Sin poder evitarlo, todas sonrieron. Hasta en esos momentos Ada sacaba su humor.

—Cielo —dijo Laila con ternura acercándose a ella—, enamorarse también es vivir. ¿Qué sería vivir si no sientes por alguien esa sensación de estar colada hasta las trancas?

Notar cómo te tiemblan las piernas cuando esa persona especial te sonríe o sentir un cosquilleo cuando te besa. Así que no seas tonta Ada y si tu corazón se enamora de Sergio, ¡hazle caso!

Nerea se quedó petrificada al oír esas palabras y tras analizarlas, se calzó con las chanclas y corrió hacia la puerta.

—Os veo mañana. He recordado que tenía que hacer algo.

—¿A estas horas? —preguntaron todas al unísono.

Pero Nerea no contestó, sino que salió de la habitación dejando a sus amigas extrañadas ¿A dónde iba?

Nerea comenzó a pulsar continuamente el botón del ascensor, pero este no llegaba, así que empezó a subir lo más rápido que pudo las escaleras hasta llegar a la última planta del hotel, donde se encontraban las habitaciones de algunos de los empleados. Con la respiración entrecortada por la carrera que se había dado por las escaleras, caminó por el largo pasillo hasta detenerse en una de las puertas. Se mordió el labio inferior y con los nudillos llamó suavemente, hasta que la puerta comenzó a abrirse.

—¿Nerea? —preguntó extrañado Hugo vestido sólo con unos boxers. Ella se encontraba ante él con un sugerente pijama, la respiración agitada y el pelo algo despeinado—: ¿Qué haces aquí?

—Vivir.

Dicho esto, Nerea le empujó dentro de la habitación y saltando le rodeó la cintura con las piernas. Hugo, sin perder tiempo, le cogió por las nalgas y sus bocas se encontraron en un abrasador y pasional beso. Con el talón, él cerró la puerta y la apoyó contra la pared. Abandonó su boca y comenzó a dejar húmedos besos por su cuello, pero agarrándole del pelo, Nerea volvió a atrapar sus labios.

—Llévame a la cama —pidió Nerea excitada contra su boca.

Sin poder hablar, hizo lo que le pedía y apoyando una rodilla en el colchón, cayeron en la cama. Hugo apoyó los antebrazos al lado de su cuerpo para no aplastarla y Nerea comenzó a acariciarle los brazos y su fuerte y morena espalda. Las manos de él comenzaron a deslizarse por debajo de la fina camiseta que llevaba, acariciando con los pulgares sus duros pezones. Ante este contacto, Nerea respondió con un suave jadeo que encendió más a Hugo.

—¡Joder! No llevas sujetador –gruñó.

—Es más cómodo para dormir –le dijo mordiéndole el lóbulo de la oreja.

—Aún recuerdo cómo me pusiste el día de tu cumpleaños con esa camiseta. Estabas muy *sexy*.

—¡Deja de hablar! –dijo ella exigente.

Nerea volvió a introducir la lengua en su boca y Hugo le quitó la camiseta dejando sus perfectos y tersos pechos ante él. Comenzó un reguero de besos por su barbilla y su cuello, hasta llegar a sus senos. Sus labios atraparon el pezón izquierdo, mientras su mano acariciaba el derecho. Nerea arqueó la espalda para darle mejor acceso y se mordió el labio inferior sintiendo un escalofrío recorrer su cuerpo antes de soltar un pequeño gemido que endureció más a Hugo.

—Eres perfecta, cariño.

Tras torturar sus pechos, siguió bajando hasta rodear su ombligo y metiendo los dedos por la gomilla del pantalón, los deslizó por sus largas piernas para dejar a la vista el tanga negro de encaje que llevaba.

—Me toca –dijo Nerea introduciendo una mano bajo su *boxer* para comenzar a acariciar su palpitante miembro de arriba abajo excitando más a Hugo.

—¡Dios! Me vas a matar...

—Mientras sea de placer...

Nerea sonrió provocativa y se deshizo de sus calzoncillos con los pies para, posteriormente, ella misma deslizar el tanga por sus piernas. Se lo enseñó, levantó las cejas y alargando el brazo a un lado lo dejó caer. Desnudos por primera vez y con la pasión encendida en sus miradas, Hugo alargó la mano para sacar un condón de la mesilla. Rompió el envoltorio con los dientes, y comenzó a ponérselo cuando vio un agujero en él.

—¡Me cago en la puta, joder! –maldijo.

—¿Qué ocurre? –dijo Nerea apoyándose en sus codos para mirarle.

—Era el último puto preservativo que tenía y ¡¡¡está roto!!!

Nerea con una sonrisa pícara, le quitó el condón de su erección y colocándose encima de su regazo le susurró al oído acariciando suavemente de arriba abajo su miembro.

—Tomo la píldora y si ambos estamos sanos, no tenemos por qué preocuparnos.

No necesitó más. Hugo la tomó en brazos y volvió a tumbarla separándole las piernas con las rodillas para penetrarla de una embestida fuerte y profunda. Nerea gimió y levantó las caderas pidiendo más. Sus talones se clavaron en las nalgas de Hugo y devorando su boca de nuevo, succionó su lengua. Muerta de placer, comenzó a mordisquearle el cuello lo que hizo que Hugo soltara un gruñido de satisfacción.

—Joder, princesita, me vuelves loco.

—Y más que quiero volverte —pronunció Nerea provocativa y excitada.

Empujándole, lo colocó bajo su cuerpo sin que saliera de ella y tras pasarle la lengua por los labios, Nerea comenzó a hacer movimientos circulares sobre su duro y caliente miembro. Hugo, hipnotizado por el bamboleo de sus pechos mientras Nerea entraba y salía de él, llevó sus manos a los costados de ella para guiarla en los movimientos. Echando la cabeza hacia atrás, Nerea gemía ante cada embestida sintiendo cómo el orgasmo se acercaba. Levantando la espalda de la cama para quedar sentado, Hugo la abrazó mientras seguía hundiéndose en ella y posó su boca en su cuello cuando notó cómo por fin Nerea había alcanzado el clímax y tras unas embestidas más, él se dejo ir en su interior.

Sudorosos y abrazados con el único sonido de sus respiraciones agitadas y sus corazones acelerados, Nerea sonrió feliz depositando un beso en su hombro. Hugo le retiró el pelo que se le había quedado pegado en la cara y le dio un suave y corto beso en los labios.

—¿Te quedas conmigo esta noche? —le dijo con un tono suplicante.

Nerea sonrió y antes de besarle contestó:

—Ya sabes, sólo si me despiertas con un beso.

—Cada mañana que despiertes junto a mí, lo haré así.

Volvieron a besarse y recostándose en el pecho de Hugo, Nerea fue cerrando los ojos hasta quedarse dormida con una sonrisa.

15

Después de aquella mágica noche, Nerea no volvió a dormir en su habitación. En las horas nocturnas apenas pisaba su cuarto y aunque Ada se alegraba de que por fin su amiga disfrutara, temía que los sentimientos afloraran en ella y sufriera de nuevo. Esa relación tenía fecha de caducidad y no podía enamorarse de un hombre que se quedaría allí cuando ella se tuviera que ir. No quería que cometiera el error que había cometido ella con Sergio y por el cual estaba sufriendo.

Nerea sólo tenía ojos para Hugo. Arrastraba a sus amigas al lugar dónde él estuviera cerca para poder verle y robarle un beso siempre que pudiera. Se sentía como una adolescente con su primer novio y la sensación le gustaba, pero sentía una opresión en el pecho ante las palabras de sus amigas. Tenían razón. Quizá esa relación acabaría en apenas mes y medio y aunque existía la posibilidad de que se quedase trabajando en Gandía, ella sabía que Hugo no era de relaciones serias. En varias ocasiones había pensado en acabar cuanto antes con ello, pero le era imposible. Cuando Hugo la sonreía se olvidaba de todo y se centraba en él. En besarle, en acariciarle y en sentirle.

Las mañanas que Nerea bajaba sola a las ocho a la piscina para poder nadar con tranquilidad, Hugo siempre la seguía para verla mientras preparaba el material necesario para las actividades que se realizaban a partir de las diez y media. En todos esos días, él la arrastraba hasta el almacén sin importarle la sonrisa burlona de Samuel cuando los veía irse y le hacía apasionadamente el amor antes de empezar su jornada laboral. Con desgana se despedía de ella hasta la noche. La falta de empleados en el ámbito de animación hacía que Samuel y él tuvieran unos horarios muy irregulares, pero se apañaban bien.

—¿Quieres dejar el móvil? —se quejó Ada quitándoselo a Nerea—. Aterriza Nerea.

Había vuelto a llegar la noche, el momento más esperado por Nerea. Entonces, ella y sus amigas se encaminaban hacia el restaurante mientras la joven le mandaba un mensaje a Hugo para reunirse después.

—Lo siento, es que... es que... no sé qué me pasa —dijo Nerea coqueta y con una increíble sonrisa.

—Espero que eso no sea una sonrisa de enamorada, sino de bien follada —advirtió Ada—. Enamorarte es una mierda, sólo tienes que mirarme.

—Pero tú estás así porque quieres. Creo que Sergio tampoco lo está pasando bien —le reprochó.

En ese momento, Ada recordó lo que les había contado Nerea sobre su posibilidad de quedarse en Gandía y dijo:

—Nerea, yo sí me voy a ir. Tú igual no, pero yo no puedo enamorarme de nadie que viva aquí y siento decírtelo pero aunque te quedes aquí dudo que sigas con Hugo. Mírale, es un *pichabrava* y quién sabe si mientras está contigo no se está tirando también a otra.

A Nerea le desapareció la sonrisa al pensar que otra también estuviera disfrutando de los besos y caricias de Hugo mientras estaba con ella. Tragándose el nudo que tenía en la garganta comenzó a caminar a paso lento hacia la salida. Ada intentó frenarla cogiéndola del brazo con delicadeza pero ella rechazó el contacto. Elena y Laila la miraron reprochándole su actuación al ver cómo Nerea abandonaba el hotel y tomaba el camino de la playa. Ada se estaba pasando con su comportamiento.

Con los zapatos en la mano y el pelo cubriéndole la cara por el viento, Nerea caminó por la orilla en silencio. Ada se había quedado su móvil, así que no podía llamar a su padre y contarle lo que pasaba entre Hugo y ella y tampoco quería ir al hotel. La espuma de las olas le acariciaba los dedos de los pies y el agua los refrescaba mientras caminaba. Al llegar a unas barcas, se sentó en la arena apoyando la espalda en una de las pequeñas embarcaciones y se abrazó las rodillas apoyando la barbilla en ellas. ¿Por qué no podía fijarse en un hombre normal que no le diera quebraderos de cabeza? Aunque no le gustase admitirlo, Ada tenía razón y lo mejor sería acabar cuanto antes o le volvería a pasar lo mismo que con Íñigo.

—Ey, ¿estás bien? —dijo una voz sentándose a su lado.

Nerea se limpió las lágrimas que sin darse cuenta se le habían escapado. Nada en su vida salía como ella quería. Debería bajar de las nubes y ver la realidad o acabaría por destruirse.

Hugo se encontraba en el *hall* dispuesto a darle un beso a Nerea antes de que entrara a cenar cuando se detuvo y se ocultó tras una columna al escuchar lo que decía la pelirroja. Estuvo a punto de salir y decirle cuatro cositas tras oír lo que dijo de él, pero se contuvo. Al ver a Nerea salir a paso lento del hotel, esperó un poco y la siguió.

—Vete, por favor —dijo Nerea con voz suplicante.

Hugo intentó abrazarla pero ella se movió hacia la derecha para que no la tocara. No quería su contacto ni nada que procediera de él.

—¿Qué pasa?

—Quiero que nos dejemos de ver —mintió en un hilo de voz.

—¿Cómo? —susurró Hugo cuando el corazón le volvió a latir—. ¿He hecho algo malo? ¿Algo que te haya molestado? Si es así, te pido perdón y…

—No, pero esto tarde o temprano se acabará y no quiero volver a sufrir por ningún tío.

—Eso no lo sabes Nerea…

Hugo expulsó el aire retenido en sus pulmones sintiendo todo su cuerpo tenso. No quería dejar de verla, quería estar con ella y si por culpa de la pelirroja la perdía, tomaría cartas en el asunto.

—Hugo, yo no sé qué haré. No sé si me iré o me quedaré con mi padre. Si me voy tú y yo nos separaremos y si me quedo…

—Si te quedas y seguimos bien, yo seguiré a tu lado —dijo Hugo al ver que ella se detenía haciendo lo posible para que entrara en razón– y si te vas haré lo posible y hasta lo imposible para que no nos afecte la distancia.

—Hugo tú no eres de relaciones serias, yo sólo soy un rollo más para ti —explicó Nerea dolida ante la verdad.

Hugo calló. En lo último que había dicho había parte de verdad. Nunca había tenido una relación seria, pero tampoco veía a Nerea como un rollo. Estaba muy confundido porque estaba sintiendo cosas nuevas a su lado y eso le tenía aterrorizado, pero no quería dejar de sentirlas.

—¿Así que ya está? Ha vuelto la Nerea sensata, la que vive amargada, piensa en negativo y que todos los tíos son iguales que su ex. Muy bien —dijo levantándose—. Pues cuando vuelva la Nerea que me gusta, la que vive, la que me provoca, la que me reta e incluso la que, en ocasiones, me enfada, si quiere, que me busque.

Molesto, comenzó a caminar a grandes zancadas por la arena pero el grito de Nerea lo detuvo.

—¡Eres un gilipollas! —soltó furiosa levantándose de un salto y tirándole una de las manoletinas que le dio en la nuca—. Sólo piensas en ti, en ti y en ti ¡Como todos! Eres un insensible, un ser incapaz de sentir, que cuando me vaya, no tardará ni una hora en follarse a otra, porque Ada tiene razón. ¡Eres un *pichabrava!* Y lo único que quieres es tenerme a mí como tu puta particular para pasar el verano, ¡pues me niego! Así que no te vuelvas a acercar a mí.

Furioso, se dio la vuelta y a grandes zancadas se colocó frente a ella. No iba a permitir que creyera eso de él.

—¿Eso crees? —rugió Hugo enfadado ante las sandeces que había dicho Nerea—: ¿Así me ves tú? ¿O tu amiguita ya te ha comido el coco para que me veas como ella cree que soy? —Le cogió de las muñecas apresándola—. En las dos semanas que llevamos juntos creo que te he demostrado que eres especial, no he tonteado con nadie y cuando alguna huésped viene a hablar conmigo me alejo de ella rápidamente porque sé a lo que va. ¿Y sabes por qué lo hago? ¡¿Sabes por qué?! —gritó asustándola—. Porque no deseo a otra mujer ni puedo mirar a otra que no seas tú. Pero siempre es mejor ver lo que uno quiere.

—Me haces daño —gimió Nerea notando cómo se le cortaba la circulación de la sangre de sus muñecas.

Preocupado rápidamente se las soltó y las examinó. Estaban algo amoratadas por la falta de riego sanguíneo. Nerea sorbió con la nariz y dio un paso hacia atrás alejándose de él. Hugo la miró dándose cuenta de que se había pasado e intentó acercarse a ella.

—No... no te acerques a mí —gimió asustada.

—Nerea... —dio un paso hacia ella, pero la joven retrocedió.

—No quiero volver a verte, Hugo. Y no es por lo que me ha dicho Ada, es por mí. Me conozco y conozco mis sentimientos. Sufriré y tú también y no quiero.

Hugo asintió.

—Está bien Nerea... sé una cobarde y no te arriesgues a sentir como lo estoy haciendo yo contigo. Porque sabes muy bien que por culpa de mi madre me veía incapaz de enam... de que alguien que no fuera de mi entorno me importara. Sigue pensando que has sido una más para mí y ya verás cómo esta noche duermes feliz.

La mano de Nerea impactó en la cara de Hugo y comenzó a empujarle enredando sus piernas para intentar que se cayera. El joven intentó frenarla pero la furia que Nerea sentía en ese instante hacía que le fuera imposible controlarla. Por fin, colgándose de su cuello su peso le hizo caer de espaldas en la arena húmeda con ella a horcajadas encima en el momento que una ola llegaba calando la espalda de Hugo y las rodillas desnudas de Nerea.

—¡Mierda! —maldijo al notar la tibia agua.

—Te jodes por capullo.

Nerea se levantó y elevando la barbilla fue alejándose hasta que notó una fuerte mano en su tobillo que la hizo caer sobre la arena para luego ser arrastrada hacia el mar.

—¡Suéltame! —gritaba Nerea dando patadas para zafarse de la mano de Hugo y clavando las uñas en la arena como si así consiguiera quedarse quieta.

—Enseguida —la vaciló.

Cuando la tuvo cerca, la apresó por la cintura y se la puso al hombro como si fuera un saco adentrándose con ella en el mar.

Ignorando sus puñetazos y pataleos, en el momento que el agua cubría las rodillas desnudas de Hugo la soltó.

—¡Imbécil! —le insultó Nerea cuando sacó la cabeza del agua.

Con el pantalón corto vaquero pegado a su piel, se retiró el pelo empapado de la cara y poniéndole la zancadilla a Hugo hizo que él también se hundiera en la salada agua. Al emerger, movió la cabeza de un lado a otro para quitarse la humedad del pelo y se acercó hasta Nerea que le esperaba con gesto enfadado y los brazos en jarras. Le cogió de la mano y tiró de ella para que ambos cayeran al agua de nuevo.

—¿Quieres dejar de tirarme o prefieres que vuelva a estrujarte los cascabeles? —gruñó la joven escupiendo agua antes de lanzarse de nuevo a él para hundirle.

—Esta es mi chica —sonrió Hugo cogiéndola del rostro para besarla.

En un principio Nerea mantuvo los labios apretados pero enseguida se rindió y abrió la boca para que sus lenguas bailaran notando los labios salados del otro por el agua del mar.

—No vuelvas a insinuar algo que no crees —le dijo Hugo chocando sus frentes—. Tú me conoces más que tu amiga la pelirroja, Nerea. Sabes cómo soy y sí, puede que fuera un *pichabrava*, pero estoy contigo y no con ninguna otra como ha insinuado.

—¿Lo has oído? —preguntó asombrada.

—Sí. Estaba buscando unos papeles en recepción cuando os he oído bajar y me he acercado para saludaros, pero al escucharos me he ocultado para que no me vierais. He estado a punto de cortarle la lengua por bocazas.

—Ada no está pasándolo bien y bueno… enseguida se enfada.

—Pues que no lo pague con los demás, porque he estado a punto de perderte por algo que no era cierto. Nerea, analiza tú misma lo que ves, no permitas que otras personas te metan en la cabeza ideas con las que no estés de acuerdo. Háblalo si quieres, pero no cambies de opinión hasta que tengas evidencias de lo que te dicen.

Nerea enredó los dedos en su pelo y lo atrajo hacia ella para volver a besarle susurrándole mil veces perdón, en especial por el bofetón que le había dado. Hugo sonrió al notar sus labios en la zona dañada y notó cómo las manos de Nerea descendían por su pecho hasta llegar al filo de su mojada camiseta. Al ver las intenciones que tenía, Hugo la detuvo.

—Para, princesita, tengo que trabajar y aún queda caminar hasta el hotel, secarme y cambiarme para el espectáculo de esta noche.

Nerea hizo un teatrero puchero a lo que Hugo correspondió con una carcajada. Le dio un beso en la punta de la nariz y dijo para hacerla sonreír.

—Ven esta noche a mi habitación, quiero hacer algo contigo.

—¿Algo bueno o malo? —le preguntó con gesto pícaro.

—Ahora que lo dices, un poco malo sí que es.

Nerea abrió la boca antes de soltar una enorme carcajada que murió en los labios de Hugo. Calados hasta los huesos, salieron del mar y tras recoger sus manoletinas, cogidos de la mano regresaron al hotel.

—¡Joder, Hugo, te estaba buscando y...! ¿Os habéis intentado ahogar parejita? —dijo Samuel sonriendo al verles calados.

—Algo así —le contestó un alegre Hugo.

—Cámbiate que te necesito a la de ¡ya! No funciona el efecto del micrófono con el que se agudiza la voz.

—Dame diez minutos.

Hugo acompañó a Nerea hasta su planta y sin entrar en el pequeño pasillo donde se encontraban las dos habitaciones de sus amigas, la aplastó contra la pared y comenzó a besarla apasionadamente. Al cabo de unos minutos lograron separarse y Nerea entró en su habitación. La televisión estaba encendida y pudo ver los pies de Ada estirados en la cama. Estaba enfadada con ella, por lo que sin decir una palabra se metió en el baño y abrió el grifo de la ducha. Despojándose de su ropa calada, la dejó en el bidé para que la lavaran y se metió bajo el chorro de agua caliente. Se limpió toda la arena que tenía pegada y se dio dos jabonadas para eliminar cualquier tipo de suciedad en el pelo. Se puso el albornoz y una toalla en el cabello para salir del baño en busca del pijama. Ignorando a Ada se lo colocó y comenzó a frotarse el pelo con la toalla que tenía en la cabeza quitándose la humedad.

—¿No me piensas hablar? —dijo Ada molesta por su silencio—. Joder, Nerea, sólo quería evitarte un mal trago.

Llena de furia, Nerea tiró de mala manera la toalla al suelo y se volvió hacia Ada:

—A ver, Ada, soy mayorcita para cometer mis propios errores y ni tú ni nadie debe decirme lo que tengo que hacer o dejar de hacer. No puedes hablar de todos los tíos así, no puedes guiarte por los estereotipos. Nadie sabe cómo es una persona hasta que la conoce, y tú a Hugo precisamente le juzgas por lo que creíamos que era, pero no es así.

—Es como se muestra ante ti, Nerea, para que abras las piernas.

—¡Cállate! –le gritó cada vez más enfadada–. No tienes ni idea, Ada. Deja de creer que lo sabes todo porque no. Fíjate en la gente que te tachaba de ser una zorra y las personas que te conocemos sabemos que no lo eres.

—Muy bien. Sólo espero no tener que decirte te lo dije.

Ada cerró la revista que estaba mirando y cogiendo su pitillera y el mechero salió a la terraza a fumar. Era lo que le relajaba.

Nerea sin querer seguir ahí, se secó el pelo un poco con el secador y vistiéndose salió por la puerta dando un portazo que tuvo que oír medio hotel. Odiaba estar enfadada con cualquiera de sus amigas y aunque siempre lo solucionaban, temía que esa vez fuera diferente. Necesitaba espacio y reflexionar.

Ada se fumó tres cigarrillos y volvió dentro de la habitación. Estaba pasándolo tan mal con el tema de Sergio que en cierto modo tenía celos de Nerea, pero también quería evitarle la desilusión que probablemente sufriría en el futuro si seguía esa relación. Su amiga tenía razón, no conocía a Hugo pero tampoco se fiaba de él, además no hacía falta ver su historial en cuanto a conquistas, sólo su cara y lo poco que había visto de él el primer mes que estuvieron en el hotel lo demostraban.

Unos golpes en la puerta hicieron que saliera de su letargo y a paso lento llegó hasta la entrada para girar el pomo. Laila y Elena se encontraban al otro lado con los brazos en jarras y gesto enfadado. Ada puso los ojos en blanco al saber por dónde iban los tiros y quitándose la goma de pelo que llevaba en la muñeca se recogió su rojo cabello en un moño mal hecho formando una fuente de rizos de fuego por su cuello.

—No estoy de humor —las advirtió bebiendo de su botella de agua.

—Ya os hemos oído y probablemente todo el hotel —dijo Elena sentándose en los pies de la cama—. Ada, vale ya. Te estás pasando. Deja a Nerea disfrutar y dale una oportunidad al chico. ¿No te das cuenta de cómo la mira, de cómo la busca? A mí eso me dice mucho de una persona.

Ada se mordió el labio y bajando la mirada negó con la cabeza. Decidió contarles lo que le preocupaba desde hacía un par de días.

—Creo que esconde algo.

—Ya empezamos…

—No, Elena, te lo digo en serio. Hay algo raro, algo que no me huele bien sobre él.

—¿Quieres dejar de decir gilipolleces? —bufó Laila.

Laila se sentó también en la cama y Ada la imitó poniéndose a lo indio y formando las tres un pequeño círculo en el centro de la cama.

—El otro día, cuando me olvidé el móvil en la habitación y subí a por él, vi como Pedro abrazaba a Hugo y… vi mucha complicidad entre ellos. ¿Desde cuándo un empleado se abraza con su jefe con tanto cariño? Sé que tampoco es para tanto, pero creo que hay algo que no nos han contado y si es así y Nerea no lo sabe… va a arder Troya.

Todas se quedaron mudas. Ese instinto que Ada tenía nunca había fallado y aunque al principio no hacían caso de lo que decía, poco a poco, con el paso del tiempo, comprobaron que todo sobre lo que advertía se cumplía. Elena y Laila no sabían qué decir. Un extraño nerviosismo se instaló en ellas. Deberían averiguar si era verdad lo que decía su amiga, aunque todas deseaban que esta vez su instinto fallara.

*

Hugo y Samuel acabaron su función de esa noche y tras quedar el salón vacío comenzaron a recoger todo lo que habían utilizado. Esa noche se habían disfrazado de pitufos y pintado la cara de azul. Tras quitarse el maquillaje por el picor que les producía, comenzaron a desmontar las setas con las cuales los niños habían tenido que dejar volar su imaginación para divertirse con ellas, además de disfrutar del teatrillo que los dos pitufos, algo creciditos, realizaban. Guardaron los materiales detrás del escenario y Hugo se bebió de golpe toda la botella de agua. Estaba seco. Al ver cómo Samuel lo miraba, frunció el ceño.

—¿Qué? —preguntó extrañado.

—Nada. Sólo que tienes a los Ángeles de Charlie desnudándote con la mirada —dijo Samuel señalando con la cabeza a una chica rubia, otra morena y una última pelirroja que se encontraban sentadas cerca de ellos con sus cubatas, lanzándole proposiciones indecentes con los ojos— ¿Cuál toca hoy? ¿Morena, rubia o pelirroja? Puedes elegir, ¿o te vas a llevar a las tres?

Hugo desvió la mirada a la lejana puerta por donde aparecía su princesita Cascanueces. Sonrió al recordar ese nombre y antes de encaminarse hacia ella, le dio una palmada en la espalda a Samuel.

—Hoy toca la preciosa chica del pelo de color indescifrable.

Con la boca abierta, Samuel vio cómo su compañero y amigo desaparecía con una sonrisa que nunca había visto. No era su sonrisa seductora de siempre, sino una sonrisa cercana. ¿Acaso Hugo se había enamorado de la hija del director? Sabía que entre ellos había pasado algo, pero nunca creyó que el muchacho tuviera ojos para una sola mujer.

Las mujeres que anteriormente reclamaban las atenciones del animador miraron enfadadas a la chica con la que en ese momento se besaba. Ofuscadas tras no lograr su objetivo, recogieron sus bolsos y abandonaron el salón, no sin antes lanzar una mirada asesina a aquellos dos, pero que ambos ignoraron.

Hugo, al llegar hasta Nerea, le dio un dulce y delicado beso, pero la notó preocupada. Entrelazaron sus dedos y la guio hasta uno de los taburetes de la barra donde los camareros comenzaban a limpiar para cerrar el salón. Se sentó en el taburete y alzándola por la cintura, la ayudó a sentarse en el taburete que estaba frente a él.

—¿Qué ha pasado, cariño? —preguntó retirándole un mechón de la cara.

—He discutido con Ada y me siento mal. No dejo de darle vueltas a la cabeza. Creo que me he pasado. ¿Y si ya no quiere saber nada más de mí? ¿Y si no quiere hablar conmigo? ¿Y si no me perdona? —miró a Hugo con ojos angustiados.

—Lo hará, cielo —le susurró besándola en la frente cerca del nacimiento del pelo—. Ya verás como lo hará.

Hugo se acercó a ella para abrazarla y tranquilizarla. Estuvieron así unos minutos hasta que comenzó a notar como Nerea por fin se relajaba y dejaba de sollozar. La hizo levantarse y comenzaron a irse, pero al llegar a recepción Hugo se paró.

—¿Qué ocurre? —le preguntó Nerea extrañada.

—Tenía pensado llevarte hoy a la piscina y nadar tú y yo solos.

—Sí, sobre todo nadar —ironizó Nerea soltando una pequeña carcajada.

—Ya lo dejaremos para otro día.

Hugo cogió la mano de Nerea y reanudó la marcha, pero un tirón le paró al ver que ella permanecía quieta. Extrañado la miró frunciendo el ceño y se quedó de piedra cuando ella se acercó lentamente hacia él y enlazando las manos en su nuca lo atrajo hacia ella y le dio un ardiente beso sin importar quién los mirara. Nerea le sedujo con la lengua y apretó su cuerpo contra el suyo notando la excitación en los pantalones de Hugo. ¡Lo había conseguido! Separó su boca de la de él pero sin apartar sus cuerpos, sonrió cerca de sus labios.

—¿Qué decías que tenías planeado? —le provocó Nerea.

Excitado tras el apasionado beso que había hecho que la recepcionista abriera los ojos como platos, sacó unas llaves de su bolsillo y tirando de ella corrió hasta la puerta por donde se accedía a la piscina. Una vez entraron, siguieron corriendo por el pequeño pasillo externo, pero Nerea lo detuvo al darse cuenta de algo.

—Espera, no llevo bañador.

Hugo sonrió de medio lado y pegándola a su cuerpo, le susurró al oído poniéndole la piel de gallina.

—Princesita, como tú has dicho, nadar es lo que menos haremos. Quiero verte desnuda y pasear mis ojos, mis manos y mi boca por todo tu cuerpo, y disfrutarte, sentirte y desearte como ningún otro lo ha hecho jamás.

Le mordió el lóbulo de la oreja y Nerea, provocativa, le empujó con delicadeza dando cada uno un paso hacia atrás. Sin dejar de mirarle a los ojos, llevó sus manos hasta la cremallera lateral de la falda y tras desabrocharla, la dejó caer hasta sus pies que se encontraban juntos. Separó las piernas apoyando el peso en la pierna derecha y haciendo que su cadera se elevara levemente. A Hugo se le secó la boca al ver cómo se deshacía lentamente de su camiseta quedando en ropa interior ante él. Nerea dio media vuelta para mostrarle la parte trasera de su cuerpo y él clavó la vista en las nalgas que dejaban a la vista su tanga. La joven sonrió al oír un gruñido de excitación y sin volverse, se deshizo del sujetador antes de extender la mano hacia un lado para soltarlo. A paso lento, pasó por su lado mirándole excitada esperando a que él la acompañara. Le gustaba la sensación de sentirse deseada y comprobar que había dejado a Hugo sin palabras. Caminó hasta el borde de la piscina, donde giró la cabeza para observar cómo Hugo se había dado media vuelta para seguir mirándola, pero no había dado ningún paso. Con una perversa sonrisa, Nerea se deshizo de las cuñas y metiendo el pulgar por el lateral de su tanga, lo rompió. Tras guiñarle un ojo, se tiró desnuda y de cabeza a la piscina. Buceó hasta el borde y apoyó los antebrazos cruzados para llamarle.

—¿Vienes o tengo que llamar a alguien para que te traiga hasta mí? –preguntó coqueta.

Hugo comenzó a caminar hasta ella mientras se iba desnudando. Nerea comenzó a reír ante su gesto que mostraba seriedad y excitación pero antes de que se tirara, comenzó a bucear para alejarse de él.

—No me provoques más princesita, porque te cogeré.

Muerta de risa, Nerea comenzó a nadar con cuidado de no chocarse con nada. La piscina estaba demasiado oscura a pesar de las luces que llegaban de las calles y de la blanquecina luz de la luna llena. Hugo, cansado de no pillarla, se metió bajo el agua para que no le viera venir. Cuando Nerea se dio la vuelta y no le vio, comenzó a mirar a su alrededor. ¿Dónde se había metido? No le veía emerger del agua y tampoco fuera de la piscina. Comenzó a agobiarse, pero de repente notó una mano por detrás apresándole la cintura lo que hizo que soltara un grito. Hugo rio y la acercó a su pecho.

—¡Eres un idiota! Me has dado un susto de muerte —gritó Nerea enfadada golpeándole el brazo con el codo.

—Venga hombre, princesita. No te enfades.

Hugo comenzó a besar su cuello lamiendo las gotas de agua que lo recorrían. Nerea echó la cabeza hacia un lado para que tuviera mejor acceso y llevó la mano hasta su nuca para acariciársela. La mano de Hugo acarició con suavidad sus pechos y siguió bajando por su vientre plano hasta llegar donde él quería. Nerea gimió al sentir la mano de Hugo en su sexo y al notar cómo él introducía dos dedos en su interior, dio un respingo por la sorpresa de la invasión, pero enseguida comenzó a mover las caderas buscando su contacto. Se mordió el labio inferior notando cómo su erección chocaba con sus nalgas e intentó darse la vuelta, pero Hugo no se lo permitió.

—Para —susurró Nerea—. Te quiero a ti dentro... yo también quiero sentirte y disfrutarte como nadie lo ha hecho,

—Nadie, cariño, nadie me ha hecho sentirme así —confesó Hugo pasando los labios por su cuello.

Nerea hizo que los dedos de Hugo salieran de ella y cogiendo su duro y caliente pene comenzó a acariciarlo haciendo que se endureciera más ante su contacto. Él cerró los ojos y apretó la mandíbula sintiendo un increíble placer que nunca jamás había sentido con unas simples caricias. Nerea acercó más sus cuerpos y enredando las piernas en torno a su cintura, guio su palpitante miembro hasta su entrada, donde se clavó lentamente soltando un nuevo gemido. Agarrándose a sus hombros, comenzó a moverse notando cómo su miembro rozaba cada centímetro de sus paredes.

Hugo se introdujo uno de sus rosados pezones en la boca mientras mantenía las manos apretando las nalgas de Nerea, mientras entraba y salía de ella.

—Me vuelves loco... Siénteme, Nerea.

—Lo... hago, como espero que me sientas a mí.

—Siempre... ¿qué me has hecho, princesa?

Sus palabras y su voz ronca hicieron que Nerea abriera los ojos y clavara su mirada en sus ojos azules que apenas distinguía con la oscuridad de la noche. Pero no necesitaba luz para ver la sinceridad que había en ellos.

—Pues, muchas cosas, entre ellas estrujarte los cascabeles —dijo jadeante.

Ambos sonrieron y se besaron apasionadamente en el momento en el que un devastador orgasmo recorría sus cuerpos produciéndoles escalofríos. Hugo se derramó en su interior y su cuerpo laxo se abrazó al de Nerea. Permanecieron abrazados hasta que el frío comenzó a golpearles en sus cuerpos; salieron de la piscina y sacando dos toallas que tenían en el almacén, comenzaron a secarse con ellas.

Salieron de la zona de la piscina con el pelo empapado y tras cerrar la puerta cogieron el ascensor. Sin preguntar, Hugo pulsó el botón del último piso y al llegar a la habitación, volvieron a hacer el amor. Nerea, tumbada a su lado, se acurrucó contra él metiendo el rostro en su cuello donde depositó un dulce beso antes de dejar otro en sus labios, pero antes de alcanzarlos, se apartó y le tocó la frente.

—¿Qué es esto? —dijo con el ceño fruncido y pasándole los dedos cerca del nacimiento del pelo.

Hugo cogió su móvil y utilizando la pantalla como espejo, vio una mancha azul que le tapaba el pelo.

—Pintura azul. Hoy me ha tocado vestirme de pitufo.

—¿Pitufo? ¿Y yo no te he visto? —se quejó Nerea haciéndose la enfadada.

—Tú me has visto mucho mejor, ¿no crees? —dijo Hugo pícaro antes de atrapar sus labios de nuevo—. Será mejor que durmamos o tu padre me echará la bronca por quedarme dormido. Si se entera quién es la culpable...

Nerea sonrió dándole un pequeño empujón. Volvió a acurrucarse contra su pecho y poco a poco se fue quedando dormida, pero antes de hacerlo del todo escuchó:

—En unas horas volveré a despertarte con un beso, princesita. Siempre con un beso.

16

❦

—¿Puedo pasar?

Alejandro levantó la vista de los papeles que tenía en la mesa y sonrió al ver a su princesa en la puerta. La hizo pasar y se levantó para darle un beso en la frente como hacía desde que era pequeña. Nerea se sentó en la silla que se encontraba frente al escritorio y su padre, cogiendo la suya, se colocó a su lado.

—¿Va todo bien, princesa? —le preguntó preocupado al verle el gesto de la cara.

—Sí, sí... —dijo rascándose la nuca, algo que hacía siempre que estaba nerviosa o algo le preocupaba.

Alejandro, que la conocía mejor que nadie, la cogió de la mano y le transmitió su confianza. Esas últimas semanas apenas había coincidido con ella. Veía mucho a sus amigas pero no tenía ni idea de dónde se metía su hija. Barajaba varias posibilidades y una de ellas era que estuviera con Hugo ya que a él tampoco le veía mucho el pelo y hacía días que no quedaba con él para tener una de sus charlas tomando un buen café con hielo.

Para Alejandro, Hugo era como un hijo. El día que lo vio por primera vez a los dieciséis años, no vio en él al niño maleducado del que todo el mundo hablaba. Los ojos de ese muchacho eran los ojos de un chaval infeliz, que no se sentía querido y reprochaba a su padre que lo hubiera abandonado dejándole desprotegido con la alcohólica de su madre.

Ante la desesperación del padre de Hugo, Alejandro le había ayudado a que comprendiera todas las decisiones que su padre había tomado para que él estuviera a salvo. Su madre amenazaba continuamente a su progenitor con llevárselo lejos si intentaba arrebatárselo y tuvo que actuar paulatinamente para conseguir que le retirasen la custodia e ingresaran en un centro de desintoxicación a esa mujer enferma. Poco a poco las conversaciones entre Hugo y Alejandro fueron diarias. El joven se desahogaba con él y Alejandro le hablaba mucho de Nerea y de la que fue su mujer. A medida que pasaban los meses, Hugo comenzó a interesarse por la carrera que Alejandro había estudiado. Encantado, él le ayudó con todo el proceso y los distintos idiomas que tenía que aprender hasta que consiguió licenciarse con buenas notas. La relación con su padre mejoró a lo largo de los años y comenzó a trabajar en el hotel como animador infantil y a pesar de los ascensos que le ofrecían se negaba a dejarlo. Él estaba feliz con lo que hacía y con eso le bastaba.

Alejandro conocía la fama de mujeriego que Hugo tenía y las distintas relaciones que mantenía con las clientas del hotel. Ni Pedro ni él estaban de acuerdo, pero no incumplía ninguna norma y sabían que se había cerrado al amor por el sufrimiento que su madre le hizo pasar siendo un crío, aunque ambos confiaban en que eso cambiara.

Cuando Nerea llegó al hotel y Pedro y Alejandro les vieron juntos por primera vez, sonrieron. Eso era precisamente lo que necesitaba Hugo, una mujer que no cayera a sus pies y sabían que poco a poco esos dos acabarían mirándose de otra forma, y no se confundieron. A medida que pasaban los días, los jóvenes iban aflojando su carácter el uno con el otro y aunque aún no sabían nada, intuían que los chicos estaban juntos. Así que, por eso, Alejandro sospechaba que el nerviosismo de su hija estaba relacionado con eso.

—Cariño, sabes que puedes confiar en mí, ¿verdad?

—Lo sé, papá. Pero, es todo tan complicado. Creía que a medida que pasaran los días tendría la respuesta más clara, pero no es así —resopló agobiada.

—¿La respuesta a qué, cielo?

—A quedarme o a marcharme.

Alejandro sonrió y acercándose más a ella le dijo:

—Mira, cariño, cuando estés entre dos opciones y no sepas qué elegir, lanza una moneda al aire.

—Papá, ¿un cara o cruz? Eso no me servirá de nada.

—Sirve, princesa, y te diré por qué. Lanzar una moneda es un truco que siempre funciona, no sólo porque por fuerza te saca de dudas, sino porque en ese breve momento en el que la moneda está en el aire, de repente sabes qué cara quieres que salga.

—Viéndolo así…

—No te fuerces, el tiempo lo dirá.

Nerea asintió y se levantó de la silla para abrazar a su padre. Era el mejor hombre del mundo y la persona a la que más quería. Sin él, probablemente Nerea no sería así porque fue él quien la ayudó con lo de su madre y lo de Íñigo y le transmitió su fuerza y le tendió su mano para que consiguiera volver a ponerse en pie y continuar en el largo camino de la vida.

Salió del despacho un poco más tranquila, pero sin ninguna solución. Su padre no podía elegir por ella, así que sólo podía dejar pasar el tiempo.

Pedro se chocó con Nerea y la saludó con un guiño mientras iba al despacho de Alejandro.

—Buenos días, Alejandro.

—Hola, Pedro.

—Oye, ¿dónde guardas las pastillas contra el atontamiento?

Alejandro soltó una carcajada y le miró curioso.

—¿Qué pasa? ¿Te atontas?

—Yo no. Sabes que me entero de todo. Es Hugo, no sé en qué mundo vive últimamente.

—Yo creo que sí. ¿Hace cuánto que no le vemos con ninguna huésped?

—Pues ahora que lo dices —dijo pensativo Pedro— hace casi un mes. ¿Crees que está sentando la cabeza?

—Sí y a mi hija cada vez le resulta más difícil tomar la decisión de quedarse o irse. ¿Crees que tendrá algo que ver? —sonrió pícaro.

—¡Pues a mí ninguno me ha dicho nada! —contestó molesto.

—El que se enteraba de todo... —se mofó Alejandro.

El director se recostó en su asiento soltando una nueva carcajada ante la indignación que mostraba Pedro por no enterarse. Se pellizcó el puente de la nariz y levantándose de la silla, ambos salieron del despacho para tomarse un café en el bufé de la piscina.

—A mí tampoco me ha dicho ninguno nada. Creo que tenemos un poco cara de ogro.

—Habla por ti, que los dos saben que no me interpondría. No son tontos, Alejandro, y saben que sospechamos de ellos dos. Además una vez casi los pillo besándose, pero mi don de la oportunidad hizo que no sucediera.

Alejandro le pasó un vaso a Pedro y se quedaron mirando a Hugo que en ese momento, junto a Samuel, vigilaba cómo los niños cogían las diferentes papeletas que había en el fondo de la piscina.

—¿Crees que Nerea lo sabe? —preguntó Pedro.

—No, o créeme que ya habría venido a echarnos una pequeña regañina por ocultárselo.

Pedro se aclaró la garganta y bebió de un trago lo que le quedaba del vaso. Ocultarle la verdad a Nerea sobre Hugo estaba comenzando a hacerle sentir mal.

—Pienso que es mejor que se lo diga yo cuanto antes.

—Mejor no, Pedro. Tiene que hacerlo Hugo.

—Yo también la estoy engañando y creo que ya es hora de que lo sepa.

Alejandro le colocó una mano en el hombro y, sin ser consciente de que una persona les escuchaba tras ellos, dijo:

—Tranquilo, amigo. No creo que mi pequeña tarde mucho más en saber que Hugo es tu hijo.

Pedro asintió sintiéndose mal porque Nerea no lo supiera. Se lo habían ocultado tras ver la relación con la que comenzaron el primer mes. Sabían que si se lo decían no lograrían lo que deseaban. Ambos amigos querían que sus hijos estuvieran juntos porque se necesitaban el uno al otro. Hugo una mujer con carácter y Nerea un hombre que la quisiera y la cuidara.

Poco a poco ellos dos habían organizado pequeños encuentros, como cuando Alejandro mandó a Hugo subir una bolsa de hielo a Nerea cuando se cayó en recepción. ¡Eran unos celestinos! No forzarían nada, pero si con pequeños empujoncitos estaban consiguiendo lo que querían, ellos encantados.

El reloj marcó las doce y media, por lo que finalizado su descanso, volvieron a sus respectivos puestos, mientras una estupefacta Ada intentaba analizar todo lo que había escuchado. ¿Hugo era el hijo de Pedro? ¿El dueño de este hotel? ¿El heredero? No daba crédito. ¡Sabía que ocultaba algo! Se bebió de golpe el zumo que le quedaba y cogiendo sus cosas salió como alma que lleva el diablo a buscar a sus amigas. Las encontró en el bar hablando con los camareros que las miraban de una manera sugerente. Corrió hasta ellas y las cogió del brazo para levantarlas del taburete y llevárselas lejos de los oídos de los empleados.

—¿Dónde está Nerea? —preguntó Ada nerviosa.

—En la habitación duchándose. ¿Qué ocurre?

Ada se pasó la mano por el pelo y les hizo sentarse en la mesa más lejana del bar-salón. A esas horas estaba prácticamente vacío.

—¿Os acordáis cuando os dije que Hugo ocultaba algo?

Ambas asintieron con la cabeza preparándose para lo que venía.

—¡¡Quieres soltarlo de una vez!! —gritó histérica Laila que se estaba poniendo de los nervios.

—Hugo es hijo de Pedro —dijo en un susurro para que sólo ellas lo oyeran—. Estaba en el bufé de la piscina con un zumo cuando Alejandro y Pedro han llegado y se han puesto a hablar sin darse cuenta de que yo estaba ahí y se lo he oído decir. ¡Me he quedado flipando!

Elena y Laila se miraron incrédulas tras lo que acababan de oír. No tenían palabras y se recostaron en sus respectivas sillas. Laila se levantó y fue a la barra donde pidió algo al camarero. Llegó con tres chupitos y los colocó todos frente a ella y ante la mirada sorprendida de Elena y Ada se los bebió.

—Vale —dijo Laila tras tragar el tercer chupito—. ¿Quién se lo dice?

—¿Decir qué? –preguntó extrañada Elena.

—A Nerea. ¡Qué palo se va a llevar! La han vuelto a engañar.

—No la han engañado. Se lo han ocultado –rectificó Elena–. Pero con todo lo que le ha pasado últimamente, creo que Nerea se lo va a tomar muy mal.

—¿Qué me voy a tomar muy mal?

Las tres dieron un salto en la silla al oír la voz de Nerea tras ellas. Su gesto mostraba rabia y enfado y tenía el pelo mojado tras la ducha. A paso lento pero decidido y sin cambiar su gesto, se sentó en la silla que quedaba libre cruzando una pierna y los brazos por debajo del pecho esperando que se lo contaran.

—¿Os habéis quedado mudas?

Ada se mordió el labio inferior y tomó aire para hablar pero no pudo. Elena y Laila se miraron y la primera se acercó a Nerea poniendo la silla al lado de la suya y comenzando a darle golpecitos en la mano.

—Verás… el otro día cuando discutisteis Ada y tú, fuimos a echarle la bronca y nos contó que pensaba que Hugo ocultaba algo y…

—¡Y una mierda! –la interrumpió Nerea poniéndose en pie bruscamente tirando la silla y haciendo que las cuatro personas que había la miraran–. ¿Vosotras también? Al principio erais precisamente vosotras las que insistíais para que le diera una oportunidad, ¿y ahora me decís que me aleje?

—No es eso Nerea… –intentó mediar Ada.

—¡Tú cállate! Lo que pasa es que tienes envidia porque estás amargada por lo cobarde que eres con respecto a Sergio.

Laila, cansada de verla así y harta de lo que estaba soltando por la boca, sabiendo que si seguía se arrepentiría de aquellas palabras, se levantó y la cogió por los brazos haciendo que la mirara. Nerea intentó zafarse pero Laila tenía mucha fuerza y cuanto más se resistía más presionaba sus brazos.

—Las primeras en decirle a Ada que confiara en Hugo porque veíamos cómo te miraba fuimos nosotras. Así que, Nerea, relájate porque te estás comportando como una niñata. –Nerea tragó saliva y Laila soltándola prosiguió–. Ada nos dijo que su instinto le decía que ocultaba algo y por lo visto no se equivocaba.

—¿Qué me quieres decir? —preguntó Nerea en un hilo de voz asustada por lo que venía.

—Que Hugo es hijo de Pedro.

Nerea abrió los ojos como platos y se llevó la mano a la boca ¿Cómo? No podía ser. Su cabeza comenzó a funcionar a toda velocidad. Madre alcohólica. La mujer de Pedro lo era. La custodia. Sabía que a Pedro le dieron la custodia de su hijo a los dieciséis años y Hugo a esa edad fue con su padre. Hugo conoció a Alejandro siendo un adolescente, cuando comenzó a vivir en el hotel y su padre le contaba por teléfono que había conocido a un muchacho de casi su misma edad al que estaba ayudando. Todo encajaba. La habían engañado. Y no sólo Hugo, sino también su padre y Pedro. ¿Por qué? Roja por la furia, dio un puñetazo a una de las paredes del bar-salón haciendo que sus nudillos acabaran magullados. Las chicas se asustaron al verla en ese estado e intentaron acercarse a ella, pero Nerea rechazó su contacto y tirando todo lo que encontraba a su paso, comenzó a buscar a Hugo. Se las pagaría. A paso ligero entró a la piscina pero sólo estaba Samuel cerrando el almacén. Miró en recepción y dio un patadón en el suelo al no encontrarle, pero cuando se dirigía al comedor, lo vio en la puerta del hotel apoyado en una columna y fumándose un cigarrillo. No la vio venir y ella aprovechó para darle una bofetada que hizo que el cigarro se le saliera de la boca. Hugo asombrado la miró.

—¿Qué haces? —preguntó patidifuso.

—¡Gilipollas! —le dio un puñetazo en el brazo.

—Pero ¿qué te pasa?

—¡Eres un imbécil y un maldito mentiroso! —gritaba Nerea.

Hugo cansado de que no dejara de insultarle y sin entender qué pasaba, le sujetó por las muñecas y dando media vuelta la inmovilizó contra la columna.

—¿Pero se puede saber qué te pasa?

—Que eres hijo de Pedro. ¡¡Eso me pasa!! Eres como todos, ¡un mentiroso! ¡Me has engañado!

—No te he engañado, Nerea. ¿Me estás diciendo que estás enfadada por eso? Tú tampoco me has preguntado nunca quién era mi padre.

Nerea se quedó callada. En eso tenía razón, pero no dispuesta a dársela siguió batallando.

—¡Pero tú tampoco me lo has dicho!

—Joder, Nerea. No salió. Vale, sí, te hablé de mi padre, pero yo a mi padre no le llamo por su nombre de pila como tú al tuyo no le llamas Alejandro. Le llamas «mi padre» para referirte a él cuando hablas con otra persona, ¿o no?

—Ahora entiendo todo −dijo llena de rabia apretando los dientes−. Por eso no te despedían cuando te liabas con las clientas y por eso trabajas aquí. ¡Porque eres el hijo del dueño!

—Mira, princesita −bramó enfadado− te estás pasando. El puesto que tengo aquí me lo he ganado con años estudiando y aprendiendo, no soy ningún enchufado porque mi padre me puso la misma prueba que al resto para entrar. Y a mí me cogió como animador, no para cualquier otro puesto porque es para el que estoy más capacitado. Pero me gusta, y por eso no quiero dejarlo. Así que si te piensas que estoy aquí por ser el hijo de papá, ¡estás muy equivocada! Y que sepas que el sueldo me lo gano honradamente como el resto de los empleados. Si piensas que las clientas venían a por mí por mi condición, vuelves a equivocarte, porque nunca he fardado de ser el hijo del dueño ni me he aprovechado de ello.

Le soltó de mala gana las muñecas y enfadado entró en el hotel dejando a Nerea peor de lo que estaba. Sus impulsos casi siempre le costaban caros. Era cierto que ella no le había preguntado, pero él se lo había ocultado y no sólo Hugo. Sino su padre y Pedro. ¿Con qué motivo? Apoyó la frente en la blanca columna y expulsando todo el aire retenido, aguardó unos minutos para calmarse y hablar con su padre.

Tras llamar a la puerta y oír un «adelante», Nerea entró y cerrándola tras de sí se apoyó en ella con los brazos en jarras mirando a su padre y a Pedro que se encontraban con la vista fija en la pantalla del ordenador. Los hombres al verla y en especial al ver su gesto, supieron que ya se había enterado de lo que hablaban esa mañana.

—¿Por qué? −dijo Nerea seria, pero serena.

—¿Por qué, qué, princesa?

—Porque me habéis ocultado que Hugo es tu hijo —dijo mirando a Pedro.

—Nerea, escucha —habló Pedro haciéndola sentarse—. Creo que sabes que mi relación con mi hijo, Hugo, al principio no fue fácil y fue gracias a tu padre que hoy en día sea el hombre que es —le cogió la mano—. El día que llegaste, estaba esperando el momento oportuno para presentaros, porque Hugo sabía de ti y tú de él cuando hablabas con tu padre por teléfono y te contaba muy por encima lo que hacía con él, aunque no supieras en realidad quién era. Pero cuando os vimos discutir por primera vez, tanto tu padre como yo vimos algo en vosotros y decidimos dejaros seguir vuestro propio camino —sonrió levemente—. Yo personalmente quise que Hugo te contase la verdad él, porque en su vida he tomado yo todas sus decisiones. Alejandro y yo lo único que hacíamos era producir algunos encuentros entre vosotros.

Nerea estuvo callada y con el mismo gesto durante toda la explicación. Quería entenderlo, pero se sentía dolida por ser ella la última persona en enterarse de todo. No podía enfadarse ni con Pedro ni con su padre. En parte, comprendía su forma de actuar.

Con Íñigo le pasaba lo mismo. Este la obligaba a buscar apresuradamente trabajo y le decía que lo comprendiera, pues sólo se preocupaba por los dos. Ella le creía porque estaba enamorada. Sus sentimientos le cegaron, pero por suerte la venda se cayó y no quería que le volviera a pasar. Por eso no quería darle la razón a Hugo. ¡La había engañado y punto!

—Así que ibais de casamenteros los dos —dijo haciendo que Alejandro y Pedro sonrieran.

—Sí, princesa, y dinos, ¿funcionó?

—¿Cómo que si funcionó?

—Si Hugo y tú estáis juntos.

Nerea se puso roja, pero rápidamente bajó la cabeza. ¿Qué contestar a eso? ¿Qué eran ellos dos? Y tras lo ocurrido. ¿Seguirían igual?

—No lo sé, papá. Sinceramente no lo sé.

—Para mí eso es un sí y me alegro mucho por los dos, princesa.

—Papá, no compliques las cosas. Además tras enterarme de esto, creo que lo mejor es que no estemos juntos.

—¿Tan malo soy como suegro? —se mofó Pedro.

Nerea sonrió y se levantó para abrazarlo.

—Serías el mejor. Pero me ha engañado y ya lo pasé mal una vez por eso. No quiero que se repita.

—Nerea escucha. No busques un Íñigo en Hugo —le aconsejó Alejandro—. Porque conozco a ese muchacho desde hace doce años y te puedo asegurar que cuando algo le importa, lucha por mantenerlo.

—Da igual, papá. Aunque estuviéramos juntos no duraría. El va de flor en flor.

—¿Y por qué no puedes ser tú su única flor?

—Eres un romántico —se burló Nerea—. Lo siento, pero no. No quiero sufrir por amor.

Abandonó el despacho y tras pedir en recepción que le llevaran la comida a la habitación, subió a descansar y a poner en orden su cabeza. Se recogió el pelo en una coleta alta y se cambió de ropa para estar más cómoda. La comida no tardó mucho en llegar y la disfrutó en soledad en la pequeña mesa de la terraza de su habitación observando el mar y pensando en todo lo que le había ocurrido en ese último mes en el que ella y Hugo habían comenzado a llevarse bien. Tiró los restos a la basura y pasó un paño húmedo por la mesa para limpiarla. Un bostezo se le escapó y se tumbó boca arriba mirando el techo.

—Ya lo estás haciendo, Nerea —se regañó en un susurro—. Ya estás sufriendo por amor.

17

Nerea se encerró por completo en sí misma. Apenas salía de la habitación, salvo para ir al restaurante. Ni siquiera sus amigas conseguían sacarla más de diez palabras seguidas. Se sentía engañada, enfadada y dolida. Una fuerte opresión se instaló en su pecho y por mucho que quería ver a Pedro como siempre, una barrera se lo impedía. ¿Cómo iba ella a imaginar que Hugo era su hijo? Entendía la historia que le había contado, pero eso no quitaba que se sintiera como el último mono de todo. ¡Si hasta sus amigas lo habían descubierto antes que ella!

Hugo comenzaba a perder la paciencia. No se concentraba en el trabajo y no hacía más que buscarla. Esa princesita le había vuelto a acusar sin hablar antes con él y sólo podía pensar en verla y pedirle disculpas. ¡Él no tenía que disculparse por nada! Pero llevaba tres días sin saber de ella y comenzaba a ser una tortura. Nerea le rehuía y no sólo a él, sabía por Alejandro que con él estaba distinta, a Pedro apenas le saludaba y sus amigas no conseguían que sacara lo que llevaba dentro.

Los enfados de Hugo y la pérdida de paciencia ante cualquier cosa del día a día se estaban convirtiendo en algo habitual y muchas veces Samuel tuvo que obligarle a irse a su cuarto a descansar. No estaba en condiciones de tratar con los niños.

—¿Hasta cuándo vas a seguir así? —le recriminó Pedro a su hijo—. Hugo, así no puedes trabajar.

—Vale ya, papá. Yo no he hecho nada malo, ¡joder! Pero es que ella siempre lo lleva al extremo, ¡le da más importancia de la que tiene! Agranda el problema y nos pone de malos a todos. Pues lo siento, papá, pero no me da la gana.

Hugo se encontraba recogiendo las cajas del almacén cuando su padre había llegado para hablar con él. Ni Nerea ni él podían seguir así, porque lo único que estaban consiguiendo era hacerse daño sin darse cuenta. Un par de días atrás, Hugo decidió sincerarse con Alejandro y su padre con respecto a él y Nerea. Les contó que llevaban tres semanas juntos y que en ningún momento lo habían ocultado, ya que no se escondían a la hora de mostrarse acaramelados el uno con el otro, simplemente no surgió una conversación entre los cuatro para decirlo, pero tampoco sabían muy bien qué eran ellos dos y no hubiesen sabido muy bien cómo explicárselo.

Pedro odiaba ver a su hijo pasarlo mal, pero sonrió sabiendo que la razón era una mujer que le había calado muy profundamente. Por fin comenzaba a dejar atrás los fantasmas del pasado para dar la oportunidad a que una mujer entrara en su vida y en su corazón. Al igual que Alejandro, Pedro era un romántico y haría todo lo que estuviera en su mano para que esos dos cabezones hablaran y solucionaran las cosas.

—Hugo, escucha. Sabes que ella no lo ha pasado bien con su anterior pareja y...

—¡Pero yo no soy él, papá! ¡Y me revienta que me vea como si yo fuera ese gilipollas! Porque no soy así.

—Lo sé, hijo, lo sé. Por eso mismo tienes que hablar con ella y hacérselo ver.

—No es la primera vez, papá. Y le he repetido cientos de veces que no todos somos iguales —bramó enfadado dejando una caja de mala gana encima de otra haciendo que la pila de cajas cayera. Hugo maldijo y ante la atenta mirada de su padre volvió a recogerlas—. Lo siento, papá. Ella ha decidido pasar de mí y yo no me pienso arrastrar más. Además ella se irá y... es lo mejor.

—Hijo —dijo Pedro dándole un ligero apretón en el hombro—, mujeres así pocas hay y creo que serías un idiota si la dejaras escapar. Es un consejo.

Le dio dos suaves golpes y se marchó dejándole solo pero comenzando a analizar sus palabras. ¿Debería intentar hablar con ella? La necesitaba como nunca había necesitado a nadie, pero comenzaba a cansarse de su carácter y de su manera de actuar cuando se enfadaba. Y aunque quisiera hablar con ella, lo veía difícil. Las pocas veces que la veía, se encontraba en el restaurante, comía a toda velocidad y volvía a su habitación. Ya no bajaba a la piscina, ni estaba con sus amigas tomándose una copa en el bar-salón. Simplemente se escondía.

En la habitación 202, tras comer, Ada y Nerea decidieron echarse un rato la siesta. Nerea seguía sin apenas hablar ni salir de la habitación. Ya no quería ir con ellas ni a la piscina, ni a la playa, ni al bar-salón, ¡ni siquiera a dar una vuelta lejos del hotel! Habían intentado hacerla reaccionar, pero todos sus intentos habían fracasado.

—¿Quieres ver algo en la tele? —le preguntó Ada a Nerea que se encontraba tumbada en la cama dándole la espalda.

—No.

Ada puso los ojos en blanco. Como esperaba, seguía fiel a los monosílabos.

—¿Vamos al *spa*? A estas horas no hay nadie.

—No me apetece.

—¡Muy bien! ¿Qué quieres hacer, Nerea? ¡¿Pudrirte aquí dentro?! Llevas tres días como un alma en pena. ¡Resucita, coño! Que creo que estás exagerando.

—Pues vale.

—Dios… ¡no puedo más!

La joven pelirroja se levantó de la cama y yendo a la de Nerea comenzó a saltar en ella con las rodillas y a balancearla, a hacerle cosquillas e intentar tirarla para ver si se enfadaba. Era lo que necesitaba, que sacara todo lo que tenía dentro.

—Vamos, Nerea, enfádate, grita, llora, ¡muévete! Lo necesitas. Deja de guardártelo y desahógate.

Nerea, harta de que no la dejaran en paz con el tema, cogió a Ada por los brazos y consiguió inmovilizarla bajo su cuerpo, colocándose encima a horcajadas y apretando fuertemente sus brazos para que no se moviera.

—Me tenéis todos hasta las narices, Ada. Soy siempre la última persona en enterarse de todo. Todas mis decisiones son las equivocadas y siempre soy yo la que peor lo acaba pasando. Mi vida no es normal. Cuando algo me sale bien y me siento llena algo lo tiene que estropear, pues para eso mejor que me esté quietecita. ¡¿Contenta?!

La soltó de mala gana y Ada sentándose se frotó los brazos. Nerea la había hecho daño y tenía sus dedos y sus uñas marcadas en su carne. Pero no le importó. Nerea tenía que sacar todo lo que llevaba tres días tragándose y la única manera de que lo hiciera era enfadándola. Ada la vio moverse furiosa en la habitación, coger una camiseta de tirantes básica blanca y el pantalón negro que usaba para ir al gimnasio. Se recogió su largo cabello en una coleta alta y calzándose las deportivas, sin decir palabra, salió de la habitación dando un portazo.

Nerea con cuidado de no encontrarse con nadie, en especial con Hugo, esperó el ascensor y pulsó la planta -1 para ir al gimnasio. Necesitaba desahogarse haciendo deporte y salir a correr a las cuatro de la tarde no era lo más recomendable, pues el sol pegaba fuerte a esas horas.

El gimnasio estaba completamente vacío y lo agradeció. Miró a su alrededor y vio bicicletas estáticas, una cinta de correr y otras tantas máquinas para entrenar el cuerpo, pero nada de eso le valía. Sus ojos se posaron en el saco de boxeo que se encontraba colgado en la esquina al lado de un cuadrilátero donde supuso Nerea que practicaban artes marciales. Divisó los guantes de boxeo y sin ponerse una venda en los nudillos de la mano derecha, que seguían magullados tras el puñetazo que le dio a la pared cuando se enteró de quién era Hugo, se los colocó. Se posicionó con las piernas separadas y paralelas frente al saco y comenzó a golpearlo con fuerza. Con agilidad, Nerea se movía alrededor del saco golpeando por todos lados sin ser consciente de que unos ojos claros la miraban con atención.

Hugo, tras la conversación con su padre, acabó de comer y subió a la habitación que ocupaba Nerea junto a su amiga. No iba a disculparse, pero quería mantener una conversación con ella y estando en la habitación, sabía que le escucharía y no huiría, pero cuando Ada le abrió la puerta y le dijo que Nerea se había ido, maldijo. La pelirroja le comentó que se había puesto ropa deportiva y cogiendo una toalla pequeña del baño había desaparecido. El chico le dio las gracias y bajó al gimnasio donde supuso que se encontraba Nerea. Y acertó.

—Vaya, princesita, no sabía que se te daba tan bien boxear.

Nerea al escuchar la voz de Hugo, maldijo y se dio la vuelta para mirarle. Estaba apoyado en el umbral de la puerta con la mirada fija en ella.

La coleta de Nerea se había deshecho con el movimiento y algunos mechones se le pegaban a la cara por el sudor. Hugo la vio preciosa. A paso lento, se acercó a ella hasta quedar detrás del saco para sujetárselo.

—Por mí no pares, princesita. Me encanta verte en acción.

Nerea levantó una ceja y volvió a golpear el saco, pero desvió la mano izquierda de la trayectoria golpeando a Hugo en el brazo.

—El próximo irá a tu cara. Así que lárgate y déjame en paz.

—¿Quieres pelear? Está bien, peleemos —dijo Hugo colocándose otros guantes ante la atenta mirada de Nerea—. ¿O no te atreves? —la miró desafiante.

Nerea sin decir palabra, se acercó a él con los brazos en jarras y deteniéndose a unos milímetros de su cara siseó:

—Voy a patearte tus preciados cascabeles, mentiroso. Así que cuando quieras.

Hugo ofendido por como le había llamado, se mostró indiferente y separando las cuerdas del cuadrilátero, le hizo un gesto con la cabeza para que subiera.

—Después de ti, princesita.

Ella le miró desafiante y se metió en el cuadrilátero para después hacerlo él y mirarla fijamente.

—Normas, princesita. Las reglas son sencillas, no valen golpes bajos, y tres golpes sobre el tapiz significan bandera blanca, lo demás todo vale. ¿Te ves capaz? Estás a tiempo de rendirte.

—Lo llevas claro —contestó vacilante.

—Pues empecemos.

Hugo lanzó un par de puñetazos rápidos haciendo que Nerea quedase encajada contra las cuerdas y con una pierna la hizo caer.

Nerea, furiosa por haberse caído tan pronto, le soltó una patada en la espinilla desde el suelo que hizo que Hugo comenzara a aullar de dolor.

—¡¡Joder!! Empezamos bien —dijo dolorido saltando a la pata coja mientras Nerea se ponía en pie de un salto—. Esto es boxeo, princesita, hay que usar los guantes, las piernas son para mantenernos erguidos.

—¡Ah! y la zancadilla que me has puesto, ¿sí ha valido? Te aguantas, tramposo.

Ambos se pusieron en posición de defensa con las manos cubriéndoles la cara y Nerea se adelantó comenzando a soltar puñetazos hasta que consiguió que uno le diera en el pómulo derecho haciéndole tambalearse y casi caer.

—Joder, princesita, qué derechazo tienes.

Hugo se tocó el pómulo dolorido en el momento que la chica aprovechó esa bajada de guardia para golpearle la zona abdominal. Hugo se dobló ante el golpe y Nerea aprovechó para colgarse a caballito y agarrarse a su cuello pasando el brazo izquierdo por él. Comenzó a darle puñetazos sin que él pudiera defenderse. Intentó quitársela de encima con ambas manos, pero los guantes se lo impedían:

—Maldita sea, princesita. ¡Eres como un mono saltarín! Así no vale —dijo Hugo, pero Nerea hacía caso omiso—. ¡Baja de ahí coño!

—¡¡No me da la gana, imbécil!!

Como pudo, Hugo echó las manos hacia atrás y sujetándola por los costados, consiguió que se desenganchara de su cuello y de un rápido movimiento la tiró sobre la lona haciendo que Nerea expulsase un gemido de dolor.

—¡¡Bruto!! —bramó enfadada.

Con la adrenalina recorriéndole las venas, Nerea se puso de pie mientras Hugo la miraba con una sonrisa maliciosa y se colocaba el también en posición de defensa.

—Separa las piernas, princesita.

En una décima de segundo, Hugo se lanzó contra ella y de otro barrido volvió a tirarla sobre la lona haciendo que la joven maldijera.

—¿Ves, princesita? Si separaras más las piernas cuando estás de pie, sería más difícil tirarte al suelo. Además ya he visto que puedes separarlas más –la provocó–. ¡Vamos, levanta!

Quitándose con el guante el sudor de la frente, Nerea volvió a ponerse de pie y se lanzó contra Hugo consiguiendo darle de nuevo en la zona abdominal, pero por desgracia para ella el golpe que le iba directo a la barbilla sólo lo rozó. Con las respiraciones de ambos entrecortadas por el cansancio, Nerea se lamió con sensualidad el labio inferior. Ese simple gesto hizo que Hugo posara los ojos en su seductora boca, momento que ella aprovechó para golpearle la barbilla.

—¡Ja! No bajes nunca la guardia, corazón –dijo irónica mostrando por primera vez en esos días una sonrisa.

Hugo se frotó la barbilla y sin darle tiempo a reaccionar inició un movimiento que consistía en bailar a su alrededor y soltar un puñetazo, retroceder dos pasos y así sucesivamente sin parar.

Nerea soltó un grito de frustración al no poder atacar y volvió a colgarse en su espalda. Soltó un largo suspiro y tras retirarse como pudo algunos mechones que se le pegaban a los labios comenzó a darle puñetazos en los hombros y en los pectorales.

—¡Para, princesita! Joder, ni en la cama eres tan fiera.

Eso enfureció más a Nerea que comenzó a golpear más fuerte. Hugo se la sacudió de malos modos hasta que oyó cómo caía fuertemente a la lona, dando un grito de dolor. Con gesto dolorido, se fue a llevar la mano detrás de la cabeza donde el dolor era mayor, pero él se lo impidió colocándose a horcajadas sobre ella e inmovilizándole las muñecas para que no le golpeara más.

—Se acabó, princesita. Sé que estás enfadada conmigo, con mi padre y con el tuyo, pero estás exagerando haciendo no sólo que tú lo pases mal sino los que estamos a tu alrededor y nos importas. Así que, ¡vale ya! –bramó con cara de enfado–. Porque el comportamiento que estás mostrando estos días no te está haciendo encontrarte mejor, ¿verdad? Así que para ya con esta estupidez.

Los dos tenían la respiración entrecortada y ya Nerea comenzaba a notar cómo se le resecaba la garganta al tenerlo tan cerca. Inconscientemente se mordió el labio inferior comenzando a excitarse por tener el fibroso cuerpo de Hugo encima y tragando saliva, cerró los ojos y asintió con la cabeza.

—Tienes razón. Lo siento –dijo en un susurro.

—¿Qué? No te he oído –la vaciló poniendo la oreja cerca de su boca.

—He dicho que lo siento –le contestó al oído antes de morderle el lóbulo de la oreja haciendo que Hugo se excitara en segundos.

Nerea sonrió al notar su deseo a través de los pantalones y rozando con los labios su mejilla, fue en busca de su boca, pero sólo la rozó pues Hugo se los apartó. Ella abrió los ojos sorprendida ante ese rechazo y suspiró poniendo los ojos en blanco. Se lo merecía por cabezota. Intentó quitarse a Hugo de encima, pero la tenía apresada de tal forma que no podía apenas moverse. Le miró esperando que la dejara libre, pero en vez de hacer eso, apretó más su cuerpo con el de ella presionando su erección cerca de su pubis haciendo que Nerea jadeara.

—Eres una fiera luchando, princesita. Quiero que repitamos el combate, en otro lugar con menos ropa y si es posible sin moratones.

Nerea chocó la nariz con la de él y sacó la lengua para acariciarle con ella los labios. Hugo se rindió y abrió su boca comenzando a devorarla apasionadamente. Se sedujeron con sus bocas y el joven dejó sus labios para comenzar a dejar calientes besos por su cuello. Hundió el rostro entre sus pechos y Nerea se arqueó para sentirle mejor. Las grandes manos del chico se introdujeron bajo la fina camiseta de tirantes que llevaba y comenzó a acariciarla por encima del sujetador.

—¡Pero no tenéis una cama para hacer eso! –bramó una voz que hizo que se separaran de golpe y rápidamente se pusieran de pie recolocándose la ropa.

Una mujer bajita, morena y con un sugerente biquini atravesaba el gimnasio camino del *spa*. Nerea se encogió de hombros mirándola cuando se detuvo frente a ellos. Hugo cogió en brazos a Nerea para ayudarla a salir del cuadrilátero y después hacerlo él.

—Ahora que lo dices, gracias por recordarme el lugar —sonrió Nerea dando un beso a Laila en la mejilla.

—Yo creo que a ti las collejas ya no te hacen efecto. Ahora lo que te hace recapacitar es un buen movimiento de caderas.

Hugo soltó una carcajada y cogiendo a Nerea por la cintura, le guiñó un ojo a Laila y se despidieron de ella. Tenían tres días que recuperar.

De la mano, corrieron hasta salir del gimnasio y Hugo la arrastró hasta uno de los vestuarios cercanos. Atrancando la puerta para que nadie les molestara, la cogió en brazos y sin dejar de besarla se colocó bajo una de las duchas. Pulsó el botón del agua y un chorro frío comenzó a calarles las ropas. Nerea dejó de besarle para soltar un grito ante el contacto frío del agua y Hugo soltando una carcajada, la dejó en el suelo y la aprisionó contra la pared para volver a besarla. La camiseta calada de Nerea desapareció, al igual que la de Hugo, pero este dejó de besarla al percatarse de algo. Le cogió la mano derecha y con el pulgar le tocó con cuidado los magullados nudillos. Preocupado, la miró.

—No es nada, el otro día cuando me enteré pues… ya viste que no reaccioné bien.

Se miraron a los ojos y sin querer darle más vueltas al tema, volvió a atrapar sus dulces labios mientras sus manos desabrochaban el sujetador. Deslizó los tirantes por sus brazos y lo dejó caer junto con la camiseta. Aupándola, saboreó con deleite sus tersos y perfectos pechos al mismo tiempo que Nerea intentaba desabrocharle el botón del pantalón que llevaba. Cuando lo consiguió se lo bajó con los pies dejándole ante ella desnudo a excepción de los *boxers*. Se deshicieron del resto de la ropa y sin dejar de mirarse a los ojos, comenzaron a hacer el amor con ternura hasta que un devastador orgasmo inundó sus cuerpos.

—No vuelvas a hacer lo que has hecho princesita —le advirtió Hugo con la respiración agitada y el rostro hundido en su cuello con el agua aún cayendo por sus cuerpos—: Estos tres días sin ti han sido una agonía.

—No lo volveré hacer. Lo siento, Hugo, lo siento mucho.

Cogiéndole del pelo, Nerea hizo que la mirara y juntando sus frentes volvieron a besarse.

—Esta tarde a partir de las siete, se encargará Samuel de las actividades. ¿Vendrás conmigo? Quiero mostrarte una cosa.

—Algo bueno, ¿no? –preguntó levantando una ceja.

—Sí, malpensada –rio dándole un suave azote–. Llévate ropa cómoda y el biquini pero no te pongas falda, que vamos en moto.

18

❦

Con una sonrisa de oreja a oreja, unos pantalones cortos y una sencilla camiseta de tirantes, Nerea esperaba a que Hugo se reuniera con ella. La joven le miraba desde la distancia y no podía dejar de sonreír al ver la cara de desesperación de su chico mientras Pedro hablaba con él y le daba algunas instrucciones para la semana siguiente. Hugo asentía a todo lo que le decía su padre sin dejar de mover nervioso la pierna y observar a Nerea reír.

Había estado toda la tarde trabajando sin descanso para que Samuel lo tuviera todo preparado y poder escaparse con ella, y ahora su padre le venía con varios folios para enseñarle las indicaciones y cambios que se habían aprobado en todo el hotel para que estuviera al tanto. ¿No podía esperar a mañana? Resoplando y viendo cómo su padre aguantaba la risa, le cogió los papeles y doblándolos varias veces se los guardó en el bolsillo trasero del pantalón diciendo que al día siguiente los leería. Se despidió rápidamente de él y cogiendo uno de los cascos que había dejado en recepción, salió del hotel donde Nerea le esperaba apoyada en una de las columnas cercanas a la puerta fingiendo arreglarse las uñas.

—Quita esa actitud ahora mismo, que ya has visto al culpable de mi retraso. Te estaba viendo descojonarte, princesita —la advirtió Hugo señalándola con el dedo.

—¡Ah! ¿Ya? Yo que ahora me iba a hacer la depilación brasileña… —le picó haciendo que pusiera mala cara.

Nerea se tapó la boca para no reír y cogiéndole por la camiseta, lo empujó hacia ella para que la aplastara contra la columna y poder degustar sus labios como le gustaba. Hugo se dejó vencer y respondió a ese dulce beso cogiéndole el rostro con las manos y profundizándolo más.

—Creo que es mejor que nos vayamos —dijo Nerea rompiendo el contacto—, los celestinos también son unos cotillas.

El joven giró la cabeza y se encontró las miradas divertidas de Alejandro y Pedro que con una sonrisa en la boca, alzaron las manos para saludarles. Hugo puso los ojos en blanco y cogiendo la mano de Nerea se la llevó lejos de las miradas de esos dos. El chico sacó de debajo del asiento otro casco y se lo tendió a Nerea y una vez montados, Hugo arrancó de forma brusca haciendo que ella soltara un pequeño grito y se abrazara más fuerte a él.

El recorrido a Nerea se le hizo muy corto. Le encantaba estar abrazada a él y sentir la libertad que la moto le daba, pero al ver dónde se encontraban, sonrió. Le pasó el casco a Hugo para que lo guardara y cerrando la moto, entrelazaron sus dedos y comenzaron a dar un paseo por la urbanización en la cual semanas atrás habían disfrutado de una cena casera en el césped con un incidente perruno.

Cogidos de la mano, Hugo le hizo de guía por esa pequeña urbanización y se pararon en la última de las grisáceas casas que se encontraba al lado del colegio y tenía un cartel de «Se vende». Era la más grande de todas, formada por dos pisos y con un garaje con capacidad para dos coches. Un enorme jardín con una piscina particular que el resto de las casas no tenían, y grandes ventanales desde donde se podía contemplar el mar. Nerea se soltó de la mano del joven y a paso lento se acercó a la valla que le impedía acceder al interior de la majestuosa vivienda.

—Cuando era pequeña siempre le decía a mi padre que quería una casa con jardín —sonrió al recordarlo—. Con una piscina y un comedor tan grandes como en el hotel. Siempre me decía que me la compraría y viviría en ella junto a un príncipe azul que me desp…

Nerea calló de golpe y Hugo pudo apreciar cómo las mejillas de la chica se sonrojaban. Se acercó a ella y abrazándola por la cintura desde atrás, comenzó a repartir dulces besos por su cuello.

—¿Que te qué, princesita? –le preguntó queriendo saber más.

—Que me... que me despertaría con un beso –contestó en apenas un susurro.

Hugo sonrió sobre la suave piel de su cuello. Ahora entendía lo del beso que le daba cada mañana antes de que despertara. Nerea se mordió el labio y se dio la vuelta para pasar los brazos alrededor de su cuello y abrazarle mientras se ponía de puntillas y así, alcanzar sus labios.

—Gracias por enseñarme esto. Sé que no es fácil para ti venir aquí por lo que pasaste de pequeño.

—Tienes razón. No es fácil, porque no tengo buenos recuerdos. Pero ahora ella no está y no tiene por qué afectarme este lugar. Sólo tuve malas experiencias en esa casa –dijo señalando a lo lejos una de las viviendas–: Por lo demás, no hay nada.

Volvieron a unir sus bocas y al ver cómo el sol comenzaba a caer, Hugo la llevó a una pequeña cala oculta que muy poca gente conocía. Estaba desierta y completamente limpia. Se encontraba rodeada de unas grandes piedras que la ocultaban por completo y sólo se veía si sabías donde se encontraba.

Hugo la descubrió a los nueve años un día que huyó de su casa asustado por los gritos y las amenazas de su madre. Desde entonces era su refugio y lo quería compartir con ella.

Ambos se desnudaron quedándose con el traje de baño y cogidos de la mano comenzaron a correr hasta el mar, pero Nerea se detuvo al pisar con los pies el agua tibia.

—¡Espera, espera!

—¿Qué ocurre? –le preguntó preocupado.

—No tenemos toallas.

Hugo levantó las cejas y echándosela al hombro comenzó a adentrarse en el mar.

—¡No! –gritaba Nerea muerta de risa–: ¡Hugo, para! Luego no vamos a tener nada con qué secarnos.

—Princesita, aún tenemos algo de sol, aprovecharemos los últimos rayos.

Con ella en brazos, Hugo se zambulló en el agua sin dejarla protestar más. Cuando ambos emergieron a la superficie se limpiaron algunas gotas de la cara y Nerea se acercó para ponerle la zancadilla y hundirle de nuevo. Divertida, comenzó a correr como pudo por el agua sin dejar de reír y gritando al ver cómo Hugo se acercaba a ella a un ritmo más rápido. Ella tropezó varias veces y sus ansias de huir hicieron que cayera otras tantas y él la pillase. Apresándola desde atrás e inmovilizándole los brazos, consiguió hacerle una aguadilla y tras soltarla fue él quien, sin dejar de reír, comenzó a nadar de espaldas para alejarse de ella. Nerea intentó pillarle y comenzó a nadar tras él, pero era más rápido que ella.

—¡Estate quieto! –gritaba–. Eso no vale, tramposo.

Hugo disminuyó el ritmo para que le alcanzara, pero cuando le pilló, la colocó de nuevo delante de él, pegando la espalda a su torso y comenzó a hacerle cosquillas en los costados.

—¡No, no! –reía Nerea comenzando a sentir dolor–. ¡Para, que hace daño!

—Quejica –dijo volviendo a hundirla en el agua salada.

Entre risas, gritos, aguadillas, besos y abrazos, disfrutaron de un baño ellos dos solos en esa pequeña y solitaria cala.

Al sentir el frío en su cuerpo al salir del agua, Nerea resopló y miró a Hugo con cierto reproche por no haber cogido ni una toalla. Con las manos en las caderas y dando pequeños saltitos, se puso al sol para secarse, pero este ya apenas calentaba. Hugo la miraba sentado en la arena.

—Ven aquí anda. –Le ofreció la mano–. Siéntate.

—No, no, estoy mojada y odio que la arena se me pegue –se negó sin dejar de andar.

—Ven, tontita.

Hugo se puso de pie y tirando de la mano de la chica, volvió a sentarse en la arena, esta vez con ella en su regazo para que no tocara la arena salvo con los pies. La abrazó para que entrara un poco en calor y le retiró el cabello mojado de la cara para repartir cientos de dulces besos por su cara y su cuello. Nerea echó la cabeza hacia un lado para darle mejor acceso, pero girando la cabeza ella alcanzó sus labios y comenzó a besarle con ardor. Se puso a horcajadas sobre él, y siguiendo su instinto la tumbó en la arena colocándose encima de ella.

Cogiéndole de las muñecas, la inmovilizó poniéndolas por encima de su cabeza y comenzó a besarle el cuello bajando hasta sus pechos los cuales mordisqueó por encima del húmedo biquini. Nerea levantó levemente las caderas pidiendo más y sin hacerse de rogar, Hugo le quitó el biquini y él mismo se deshizo de su bañador. Desnudos y mojados en la arena, Nerea comenzó a recorrerle el torso a besos y pasó la lengua por su cuello hasta alcanzar de nuevo sus labios. Al sentir cómo él le acariciaba con lentitud las piernas, emitió un pequeño jadeo y abriéndolas más, hizo que se hundiera en ella.

—¿Ya no te importa la arena, princesita?

—Cállate —contestó gimiendo al notar oleadas de placer recorriéndola por completo.

—A sus órdenes, princesita.

Continuaron con su baile erótico, chocando sus caderas y repartiendo miles de besos por sus cuerpos hasta que el clímax los alcanzó y Hugo hundió el rostro en el hueco de su cuello para ahogar en él un gruñido varonil. Sus cuerpos laxos y sudorosos se abrazaron mientras intentaban recuperar la regularidad de sus respiraciones y que sus pulsaciones disminuyeran.

Apartándole los cortos mechones de la frente, Nerea elevó la cabeza para volver a alcanzar sus labios en un tierno y dulce beso.

—Ahora sí que me importa la arena —dijo al notarse el pelo lleno de ella.

Soltando una carcajada, Hugo se levantó y ofreciéndole la mano, la ayudó. Volvieron a meterse en el mar para quitarse toda la arena posible del cuerpo y tras sacudir los bañadores se los pusieron. Esperaron a estar secos para vestirse. Empezaba a oscurecer y Hugo había reservado mesa en un sencillo restaurante al aire libre. Nerea se recogió en una coleta el mojado cabello para que no le calara la espalda y siguió a Hugo hasta el pequeño y precioso restaurante. El *maître* los guió hasta su mesa y les dejó la carta para que eligieran.

—¿Has pensado ya algo? —preguntó Hugo cuando el camarero tomó nota y les sirvió dos copas de vino.

Nerea lo miró sin saber a lo que se refería, pero sus ojos azules mostraban preocupación.

—¿A qué te refieres?

—No quiero presionarte ni nada —dijo alargando la mano para alcanzar la de ella y acariciarle los nudillos con el dedo pulgar—. Pero me gustaría saber si tienes pensado lo de quedarte o… marcharte.

Nerea bajó la mirada y resopló antes de volver a mirarle. A pesar de que su padre le decía que el tiempo le daría la respuesta y aún quedaba un mes para que finalizaran sus vacaciones, el día se acercaba y cada vez la decisión le resultaba más difícil.

—Yo… no lo sé… una parte de mí quiere quedarse pero la otra…

—¿Y cuál de las dos va ganando?

—Estoy en un punto medio ahora mismo.

—Sabes que a mí me gustaría que te quedaras, ¿verdad?

A Nerea le recorrió un cosquilleo por el estómago y le miró con intensidad. Lo suyo no tenía futuro. ¿O quizá sí? Estaba muy confusa. Su padre no la presionaba, pero sólo tenía que mirarle a los ojos para ver que quería que se quedara junto a él, al igual que los ojos de Hugo parecían mostrar lo mismo. Decidiera lo que decidiera, se separaría de las personas a las que quería.

Al ver que Nerea no contestaba, le besó los nudillos alargando el beso en ellos mientras buscaba las palabras adecuadas:

—Escúchame. Ante las decisiones importantes deja de pensar en las demás personas o si le harás daño a alguien. Piensa en ti, Nerea, en lo que te haga feliz, porque tomes la decisión que tomes, aunque te separes de personas que quieres, ellas seguirán a tu lado, ya sea a dos metros o a ochocientos kilómetros.

Ella asintió.

—¿Podemos dejar de hablar de esto, por favor? —suplicó con un hilo de voz.

Hugo afirmó con la cabeza y levantándose de la silla, se acercó a ella para robarle un suave beso. Juntaron sus frentes y Hugo le acarició con delicadeza la mejilla limpiando una lágrima que en ese momento se deslizaba por su rostro.

Durante la cena, él consiguió hacerla sonreír y la disfrutaron contando anécdotas del hotel, y aunque él conocía casi todas las de ella ya que Alejandro se las había contado, volvía a reírse ante la expresión y el ingenio que ponía Nerea al relatarlas.

El restaurante tenía que cerrar, pero ellos aún no querían acabar la noche, así que dieron un paseo por la playa cogidos de la mano, pero todo lo bueno llega a su fin y volviendo a montarse en la moto, regresaron al hotel.

—¡Chicos! —les llamó una voz antes de entrar en el ascensor—. Venid un momento.

Alejandro hizo que le siguieran hasta el despacho donde Pedro les esperaba sentado frente al ordenador muy concentrado en la pantalla.

—Pedro, ¿quieres dejar de una vez el jueguecito? —le dijo Alejandro poniendo los ojos en blanco al ver a su amigo continuar con el Candy Crush Saga—. Todo el santo día igual.

—Espera que me quedan dos vidas y este nivel me lo paso como que me llamo Pedro Ortiz. ¡Una semana en el mismo!

Hugo y Nerea rieron ante esa escena: Alejandro mirándole serio y Pedro concentrado en el mundo de los dulces y caramelos del famoso juego.

—¡Mierda! Bombas de los huevos. ¡Anda! Espera, que la recepcionista me ha regalado una vida. No tardo.

Alejandro se acercó hasta él y desenchufó el ordenador para que dejara el juego de una vez. Pedro le miró enfadado. ¡Le había hecho perder una valiosísima vida! Los jóvenes sin dejar de reír se les quedaron mirando hasta que por fin Alejandro habló.

—Ahora que por fin nos habéis contado lo vuestro, queremos que mañana cenéis con nosotros y hablar. Vamos, lo que hacen los suegros para ver si la pareja de su hijo o hija es de fiar.

Nerea levantó las cejas. Su padre quería hablar con los dos, pero esa excusa no era para nada creíble.

—Papá si quieres hablar con nosotros, no te inventes excusas. Sólo dilo.

—Está bien, ya sabes que miento fatal. Claro que los dos nos fiamos de vosotros.

—Vale, entonces mañana cenamos todos —afirmó Nerea.

—Pero yo curro mañana por la noche —dijo Hugo.

—Hijo, pero también cenas —sonrió Pedro enchufando los cables del ordenador—. Cenamos a las ocho, princesa. Los empleados que se pongan en una mesa y nosotros en otra y Hugo —miró a su hijo— hasta las diez y media no trabajas. Así que tenemos tiempo.

—Vale —asintió Hugo—. Y ahora nosotros nos vamos, que yo no soy como vosotros y me cuesta levantarme de la cama.

Pedro y Alejandro soltaron una carcajada y este divertido señaló con la cabeza a su hija:

—Ahora sé quién era la culpable de que te retrasaras para desayunar.

Nerea se tapó la cara poniéndose roja como un tomate mientras Pedro y Alejandro disfrutaban con el azoramiento de esos dos.

—Adiós —se despidió Nerea saliendo escopeteada por la puerta.

Hugo se despidió de aquellos dos liantes y sin cambiar el gesto, Alejandro se giró para mirar a su amigo.

—¡Ven aquí consuegro! —exclamó contento al darse la vuelta con los brazos abiertos—. Pero... la madre que te parió...

Pedro ni siquiera le oyó. Volvía a estar sumergido en el juego. Alejandro desistió y lo dejó solo frente al ordenador sin despedirse. Total, tampoco se enteraría. Además ya era tarde y su hora de irse a la cama había llegado.

Mientras tanto, Nerea y Hugo entraban en la habitación de él para descansar sin dejar de reír. Aquello había sido un tanto surrealista. Nerea sacó de debajo de la almohada uno de los pijamas que días atrás había dejado ahí. Dormía más en esa habitación que en la suya. Se lo puso ante la atenta mirada de Hugo de espaldas a él.

—Voy a lavarme en un momento la cabeza, creo que aún tengo arena en el pelo.

Hugo sonrió y le guiñó un ojo antes de que desapareciera por la puerta del baño. Diez minutos después salía oliendo a champú y secándose las puntas con la toalla.

—¡Puf! Con este calor, dormir con el pelo húmedo se agradece.

Se sentó en la cama mientras Hugo se terminaba el cigarrillo que se estaba fumando en la terraza de la habitación. Lo apagó y tirándolo a la calle entró, pero dejó la puerta de la terraza entreabierta para dormir más frescos con la brisa que entraba. Se tumbó en su lado de la cama e hizo que ella le imitara. Tirando la toalla hacia una esquina de la habitación, se tumbó acurrucándose a su lado y él le pasó una mano por la espalda para abrazarla e inhalar el aroma que desprendía su cabello.

—Me encanta como hueles. Creo que tu pelo sigue siendo un misterio para mí.

—¿Por qué? –preguntó soltando una carcajada.

—Porque aún no sé de qué color es.

Nerea negó con la cabeza y reincorporándose un poco susurró cerca de su rostro.

—Sinceramente, yo tampoco sé de qué color es. De pequeña era rubia y poco a poco se me fue oscureciendo –explicó cogiendo un mechón entre sus dedos y mirándolo–. La gente dice que es un rubio ceniza, pero me da igual del color que sea. A mí me gusta y ya está. –Se encogió de hombros y puso pucheros–. Entonces resuelto esto... ya no tengo misterios para ti.

—Te equivocas, princesita –Le dio un suave beso–. Siempre serás un misterio para mí.

Ella le sonrió y tras darle un nuevo y rápido beso entrelazó sus piernas con las de él, pero no podía dormir. Tras dos horas intentándolo mientras Hugo dormía profundamente, salió a la terraza y lloró en silencio. Por primera vez en esos dos meses, comenzaba a ser consciente de la realidad. Dos caminos, una meta distinta en cada uno. ¿Qué camino tomar?

19

$\blacktriangleleft$❀$\blacktriangleright$

$\mathcal{U}$n calor abrasador despertó a Ada de su sueño. Cuando el aire acondicionado se apagaba, cada mañana muy temprano comenzaba a hacer bochorno en esa minúscula habitación. Destapándose por completo, intentó volver a dormir pero no había manera. Cogiendo su móvil, pulsó la tecla central y comprobó que eran las ocho y diez de la mañana. Como era de esperar, la cama de Nerea estaba sin deshacer. Resopló. Se alegraba de que hubieran aclarado el incidente, pero seguía pensando lo mismo. Esa relación no tenía futuro, aunque admitía que cada vez que los veía juntos una punzada de celos la atravesaba. Creía en el amor, pero ella misma tenía miedo de él, por eso aquella noche en la que Sergio le confesó que estaba enamorado de ella se bloqueó y huyó. ¿Qué más podía hacer? Él se quedaría aquí y ella se marcharía. Pero fue una cobarde. Ni siquiera le había dado una explicación. Directamente, no podía hablarle.

Se arrastró por la cama hasta que tocó el suelo y logró levantarse. En el baño, disfrutó de una ducha rápida y se dispuso a bajar a desayunar, pero recordó que Laila y Elena habían salido la noche anterior y ese día se quedarían en la habitación. Corrió las cortinas y llenó sus fosas nasales del agradable aroma que desprendía el mar. Iría a correr por la orilla. Total, no tenía nada mejor que hacer. Se puso el biquini, un pantalón corto de deporte y una camiseta de tirantes. De su neceser, cogió una goma de pelo y se recogió sus rizos rojos como el fuego en una coleta alta.

Bajó las escaleras con energía y decidió desayunar más de lo normal. Correría durante un buen rato y necesitaría fuerzas. A esas horas, el restaurante estaba prácticamente vacío por lo que cogió un buen desayuno y ocupó una de las mesas al lado de la ventana para comer contemplando el mar. Cogió el cuchillo para untar las tostadas pero se había olvidado de coger la mantequilla y la mermelada. Dio un nuevo sorbo a su café y se levantó para coger lo que quería.

—Buenos días —dijo una voz grave a su lado.

—Buenos días —resopló.

—¿Desayunando?

—Sí —contestó tajante.

—¿Tú sola?

—Yo sola.

Hugo en un intento por ver qué tenía la amiga pelirroja de Nerea en contra de él, se acercó a ella para entablar una conversación amistosa, pero Ada ni siquiera le había dirigido una mirada mientras decidía qué mermelada coger.

—¿Sabes decir más de dos palabras seguidas?

Ada lo taladró con la mirada.

—Sí, sólo te estaba mostrando de forma sutil que quiero que te vayas a la mierda y me dejes en paz.

Hugo se pasó la mano por la cara para borrar una sonrisa. Su princesita se parecía mucho a esa pelirroja. Como decía su padre: «Dios las cría y ellas se juntan». ¡Menudo carácter!

—Vale, iré al grano. ¿Se puede saber que tienes contra mí?

—¿Yo? Nada —dijo poniendo gesto despreocupado y cogiendo dos paquetitos de mermelada de melocotón—. Básicamente, que eres tío, tienes polla y todo ese conjunto ya indica que eres gilipollas. Pero no es un insulto, ¿eh? Eso es algo que todos sois.

Hugo recurrió a todo su autocontrol para no cantarle las cuarenta a esa tía como llevaba queriendo hacer hacía semanas. Lo que le pasaba a esa pelirroja era que estaba amargada y según le había contado Nerea, hacía tres semanas que no echaba un polvo.

Ada volvió a paso rápido a su mesa sin importarle las miradas furtivas que algunos de los empleados le echaban. El corto pantalón de deporte que llevaba le resaltaba el trasero y le alargaba las piernas, y eso a los hombres les encantaba.

Se sentó y abriendo los paquetitos, comenzó a untar la tostada ignorando al animador que se sentó en una de las sillas libres. Ella le miró, pero siguió ignorándole. Ya se largaría. Pero cada vez más incómoda al sentir como él no le quitaba el ojo de encima mientras desayunaba, le tiró la servilleta y dijo:

—¡Te quieres largar de una puta vez! Joder qué cansino.

—No, estoy cómodo aquí —la vaciló.

—Vete a hacer tu trabajo, coño.

Hugo giró la muñeca y mirando su reloj se recostó en la silla colocándose las manos detrás de la cabeza.

—Aún me queda una hora antes de empezar el turno.

—¡¡Joder!! Mira, no me caes bien porque eres un picaflor y un mujeriego. Admito que animé a Nerea para que echara un polvo contigo, ¡pero ya está! No quería que se involucrara en una relación y ya es tarde. Va a sufrir por tu culpa y cuando lo haga, vendré a acabar lo que empezó ella. Te arrancaré los huevos.

Él sonrió irónico.

—Vaya... ya veo lo que piensas de mí, pero hablemos de ti. Desde que llegaste te he visto con más de siete tíos distintos y tras el último —la provocó— no he vuelto a verte con ninguno. Dime, ¿porque tú estés disfrutando de estos años con quien quieras antes de sentar la cabeza, eso quiere decir que eres una puta? Tú y yo somos iguales, Ada —dijo apoyando los codos en la mesa— hemos disfrutado de la libertad de la soltería al máximo, tirándonos a quien nos ha apetecido, pero ahora ha llegado a nuestra vida una persona que nos está haciendo disfrutar de algo que creo que ninguno de los dos habíamos experimentado. ¿La diferencia? Yo estoy disfrutando de todos y cada uno de los momentos a su lado. Tú no, y el día de mañana te arrepentirás.

Hugo se levantó de la silla y la dejó sola y muda. Ada dio un puñetazo en la mesa y sin acabar el café salió del hotel y se dispuso a correr por la playa. Despacio, para que no se le metiera arena dentro de las deportivas, llegó a la orilla donde las olas morían y comenzó a trotar a un ritmo lento para calentar. Poco a poco fue aumentando el ritmo mientras pensaba en lo que le había dicho Hugo. Ella también podía sentir esa sensación de miles de mariposas en su estómago, pero llevaba tres semanas ignorando a Sergio. La había cagado.

Alzó la vista al frente y pudo comprobar cómo hombres de cuerpos atléticos que corrían en dirección contraria la repasaban de arriba abajo. Antes, les habría respondido con una mirada coqueta o incluso habría intentado conseguir su número, pero ahora no se imaginaba estar con otro que no fuera Sergio. En ese instante, supo que a Hugo le pasaba lo mismo con Nerea. No podía estar con otra que no fuera su amiga. Se secó una lágrima que le recorría la mejilla y dio media vuelta para seguir corriendo ya de regreso al hotel.

—¡Ada! ¡Ada! —oyó como la llamaban.

Ella se detuvo en seco.

—Esa voz... —susurró y giró la cabeza para mirar por encima del hombro, pero rápidamente volvió a mirar al frente.

Cuando Sergio la vio desde la distancia, no podía creerlo. Su Ada, su ninfa como la llamaba, estaba a escasos metros de él. No iba a dejar escapar esa oportunidad de hablar con ella. La necesitaba. Esas últimas semanas habían sido horribles sin su presencia y haría todo lo que estuviera en su mano para conquistarla.

Ada al verlo guapísimo con una camisa blanca y unos pantalones negros, volvió a echar a correr a una velocidad inimaginable.

—¡Ada! —continuó llamándole corriendo detrás de ella.

«¿Qué estás haciendo, Ada?», preguntó la voz de su cabeza, pero su cuerpo no podía parar de correr.

—¡Ada para, por favor!

«¡Para de una vez!», le regañó esa voz y finalmente se detuvo. Era hora de enfrentarse a lo que venía. Recuperando el aliento, Ada esperó de espaldas a él a que la alcanzara. Por primera vez en su vida, tenía miedo de que las palabras de un hombre le rompieran el corazón.

Cuando Sergio la alcanzó, la cogió suavemente por el brazo y se colocó frente a ella que tenía la mirada fija en sus pies. Al verla tan confundida, no quiso perder la oportunidad y levantándole el rostro, posó los labios sobre los suyos. Sorprendida por ese acto de pasión, se quedó unos segundos parada pero enseguida respondió a su beso.

—Lo siento, mi ninfa, lo siento. Pero tenía que volver a besarte. Te necesito tanto... —susurró antes de volver a besarla sin importar quién los mirara—: Di algo, por favor.

—Yo... yo... —tartamudeó— ¡Lo siento! —sollozó abrazándose a él y hundiendo el rostro en su pecho—. Yo me asusté cuando dijiste eso y... y... no reaccioné bien.

—Ya está, mi amor. —Le acarició la nuca para relajarla—. No llores.

—No lo entiendes, Sergio —dijo en un tono triste separándose de él—. Yo en apenas un mes volveré a Oviedo y...

—Entonces me iré contigo —la interrumpió serio.

—¿Qué?

Sergio le cogió las manos y tras besárselas dijo:

—Te quiero, Ada, y soy capaz de perseguirte a cualquier lugar y vivir dónde tú quieras, pero juntos.

—Pero tú tienes un trabajo aquí y...

—Este trabajo es temporal y finaliza el último sábado de agosto. Y si me ofrecen la renovación, no la aceptaré, porque quiero estar contigo, mi ninfa.

Emocionada como nunca en su vida, sonrió y le abrazó besándole apasionadamente. Por ella iba a dejar todo lo que tenía para seguirla, pero no lo permitiría. No quería ser una egoísta y ya lo había sido bastante con él.

—Eres lo mejor que me ha pasado nunca —dijo limpiándose las lágrimas—. Pero no voy a permitir que dejes tu trabajo, tu casa y todo por mí.

—Pero yo quie...

Ada le tapó la boca con los dedos y le acarició la mejilla.

—No, no lo voy a permitir. Pero yo tampoco quiero perderte porque también te quiero, así que seré yo quien se quede aquí a vivir.

—¿Estás segura? A mí no me supone ningún problema marcharme de aquí.

—Y a mí tampoco mudarme de ciudad. No tengo ningún trabajo que me retenga allá y mi casa es de alquiler. Pero tendré que ir a Oviedo para el tema de la mudanza y dejar todo bien atado.

—Yo te ayudaré con todo. –La abrazó con fuerza–. Me acabas de hacer el hombre más feliz del mundo.

Mientras Ada estaba feliz tras lo que estaba por llegar, Nerea abría los ojos en la cama de Hugo. El reloj ya marcaba las once, pero le había costado tanto dormir durante la noche que apenas había descansado seis horas. Hugo ya se había ido y acercándose a la almohada la olió para impregnarse de esa fragancia masculina que tanto le gustaba. Se frotó los ojos con los dedos, pero al irse a levantar notó un fuerte escozor en la entrepierna. Tras emitir un pequeño gemido de dolor, volvió a tumbarse y abriendo las piernas vio que tenía los muslos y las ingles escocidas e incluso las nalgas. Dio un puñetazo en el colchón furiosa. ¡Le dijo que no quería que la arena se le pegara! No volvería a echar un polvo en la playa nunca más.

Como pudo y muy despacio se levantó de la cama y andando con las piernas lo más separadas que podía, fue al baño para buscar alguna pomada pero no había ninguna. Roja como un tomate, llamó a Hugo y tras insistirle mucho, pero sin contarle lo que le ocurría, hizo que subiera.

—¿Qué te pasa? ¿Estás bien? –preguntó preocupado entrando en la habitación. La había notado muy angustiada por teléfono.

—No –gimió tapándose la cara.

Hugo se sentó en la cama al lado de donde ella estaba tumbada y comenzó a acariciarle el brazo con delicadeza.

—¿Qué te pasa, cariño?

Muerta de vergüenza, no pudo hablar por lo que con el dedo índice se señaló la parte más sensible de su anatomía. Hugo miró donde ella se señalaba sin entender nada.

—Nerea, o hablas o no te entiendo.

—¡Te dije que no quería que se me pegara la arena!

—¿Qué? –preguntó extrañado aún sin entender nada.

—¡Que estoy escocida! ¡Me escuecen la entrepierna y el culo! –dijo tapándose con la almohada.

Hugo la miró sorprendido y soltó una pequeña carcajada que intentó disimular con una tos, pero Nerea enfadada comenzó a golpearle con la almohada en la cabeza. Aunque cuando fue a ponerse de rodillas en la cama para darle mejor, sintió una punzada de dolor y quejándose volvió a tumbarse espatarrada.

—¿Quieres que vaya a la farmacia a por una pomada?

—¿Para qué crees que te he llamado? –le espetó furiosa.

—Quizá por el calentón que tienes entre las piernas –se mofó y Nerea le golpeó fuerte en el brazo–. ¡Ay! Serás bruta.

—Tú, ríete, que por si no te has dado cuenta esto trae consecuencias que a ti también te afectan, así que durante unos días olvídate del sexo.

En ese momento, se le quitó la sonrisa de la cara. ¡Mierda! Ella tenía razón. Lo mejor sería que le comprara la pomada e ibuprofeno para que ese contratiempo pasara cuanto antes. Él indirectamente también sufría ese escocimiento. La besó en la frente después de que ella le hiciera la cobra y fue a la farmacia más cercana.

—Toma –dijo al volver–: Esto te aliviará y la farmacéutica me ha dicho que puedes tomarte un ibuprofeno cada ocho horas si te escuece.

Nerea alargó la mano para coger el paquete que le traía, pero Hugo se lo quitó de su alcance. Le miró con reproche poniéndole mala cara y se cruzó de brazos esperando a que se lo diera.

—Quiero algo a cambio por este favor.

—¿Qué quieres? –dijo molesta tras resoplar.

Hugo apoyó los nudillos y una rodilla en el colchón para dejar su rostro a unos centímetros del suyo.

—Un beso, princesita.

Levantando las cejas, se acercó a él y le dio un rápido beso en los labios que a Hugo le supo a poco. Muy poco.

—Ya está, ahora dámelo –exigió poniendo la palma de la mano hacia arriba.

—No, quiero un beso de verdad cariño, o no hay pomada.

—Pues tú sabrás. Sin pomada tampoco hay sexo.

Hugo suspiró. ¡Menuda cabezota! Cansado de pelear con ella, le cogió el rostro y la besó como a él le gustaba. Al principio, Nerea se resistió apretando los labios, pero se dejó vencer y permitió que la besara apasionadamente.

—Esto está mejor, princesita. —Le guiñó un ojo a la vez que le daba la caja con la pomada.

Nerea se lo quitó de malas maneras de las manos y sacó el tubo que había en su interior, pero al ver cómo Hugo la observaba, le preguntó.

—¿Qué pasa?

—¿Quieres que te la ponga yo, princesita? —le preguntó pícaro—. No sería la primera vez que te aplique una pomada —dijo recordando el día que ella se cayó en recepción dándose un fuerte golpe en la cadera.

—¡Ni en sueños!

—Cariño, que no veré nada que no haya visto ya.

—¡Fuera! —exigió señalándole la puerta—: Tú, de momento, a trabajar. Cuando esté mejor de… esto, bajaré.

Hugo sonrió y dándole un suave beso se despidió de ella para continuar trabajando, pero antes quedaron en la puerta de la habitación de ella a las ocho para bajar a cenar con sus respectivos padres.

Nerea apenas podía moverse. Consiguió a duras penas y caminando como un pato llegar a su habitación y se sorprendió de no ver a Ada. ¿Dónde estaría? Volvió a tumbarse en la cama y llamó al servicio de habitaciones para que le subieran la comida a las dos en punto.

El resto del día transcurrió aburridísimo. Se puso la pomada en varias ocasiones y la pastilla le disminuía el dolor, pero necesitaba salir a la calle y la terraza ya no le valía.

A la hora de cenar, tuvo que cambiarse. Hugo y ella habían quedado para cenar con su padre y Pedro, pero si bajaba todo el mundo la vería caminar de esa forma tan humillante. No tenía alternativa aunque les dijo a Elena y Laila que estaría con ellas en el bar-salón, quienes tras partirse de risa cuando les contó lo que le sucedía, asintieron y le prometieron guardarla un sitio.

Tras ponerse un sencillo vestido, Hugo la recogió y tuvo que recurrir a toda su fuerza para no reír al ver cómo intentaba andar más o menos normal. Encima, para su mala suerte,

Alejandro y Pedro les esperaban en la mesa más alejada. Nerea maldijo por lo bajo.

Aliviada cuando se sentó en la silla, saludó con una sonrisa a aquellos dos y tras pedir agua y vino, Pedro y Hugo se levantaron para empezar a coger la cena.

—¿Quieres que te traiga yo algo? –le preguntó Hugo a Nerea y esta asintió–. ¿Qué te apetece?

—No tengo mucha hambre, así que una ensalada y un poco de arroz con leche bastarán.

Hugo asintió y le llevó primero su cena y después cogió la suya. Alejandro un tanto extrañado por ese comportamiento, observó pero calló. Una vez que todos tenían su cena comenzaron a charlar. Nerea les contó que comenzaron a llevarse bien el día después de su cumpleaños cuando Hugo decidió comportarse bien con ella y aunque al principio no quería saber nada de él, poco a poco se fueron uniendo. Los padres de ambos sonrieron, pero Alejandro no paraba de observar a su hija. No paraba quieta en la silla, como si estuviera incómoda. ¿Qué le sucedía? Preocupado le preguntó.

—¿Estás bien, princesa?

—Sí, papá. Tranquilo.

—Está escocida –les confesó Hugo–. Ya está, ¿a qué no ha sido tan difícil?

Nerea le golpeó de nuevo en el brazo pero esta vez Hugo rio. Le encantaba esa cara de enfado que tenía en ese instante por lo que siguió.

—Ayer estuvimos en la playa y se le quedo arenilla pegada –dijo ganándose una colleja por parte de Nerea.

Alejandro y Pedro se taparon la cara para que no les vieran reír, pero Nerea fulminándoles con la mirada puso los ojos en blanco y se levantó.

—¡Hombres! Una estupenda cena y ahora, ¡adiós!

Nerea abandonó el restaurante sin llamar mucho la atención. Por suerte el escozor le iba disminuyendo y andaba mejor. Entró en el bar-salón y se reunió con sus amigas que ya habían ocupado una de las mesas.

—¿Cómo estás? –le preguntó Laila al ver a Nerea sentarse con ellas.

—Algo mejor, ya está menos rojo pero aún sigue molestando. Al menos puedo disimular a la hora de andar, porque esta mañana era imposible.

—Para mañana ya verás como la mayoría habrá desaparecido —le dijo Elena cogiéndola de la mano—. Por cierto, ¿y Ada? No la he visto en todo el día.

—Ni yo. Estará echando un polvo con alguno, probablemente. Ya era hora —comentó Laila.

Esa noche, el protagonismo recaía en los hombres. Los animadores seleccionaron a unos cuantos adultos que se encontraban allí y los llevaron detrás del escenario. Mientras Samuel les ayudaba a cambiarse, Hugo colocó una alfombra roja en el centro del salón y varios focos alumbrándola. Los seleccionados iban a hacer un concurso de hacer desfiles y el más aplaudido por el público ganaría una botella de vino de Rioja y un fin de semana romántico en una casa rural cerca de Gandía. Pero la particularidad era que los modelos deberían desfilar con unos estrechísimos vestidos, tacones de aguja, maquillados y con peluca. El pase comenzó y todos los espectadores prorrumpieron en carcajadas al ver cómo apenas podían andar moviendo las caderas como las modelos profesionales y las piernas peludas que lucían con orgullo. Cuando quedaron los finalistas, la siguiente prueba impuesta consistía en hacer un baile sexy y los tres finalistas tuvieron que hacer un pequeño teatrillo para conquistar a los animadores.

El espectáculo llegó a su fin y dando las gracias, los huéspedes comenzaron a dispersarse menos Nerea que esperaba junto a sus amigas a que Hugo acabara de recoger para subir con él a descansar, aunque esa noche sin polvo de buenas noches. Estaban las tres hablando aún sentadas, cuando Nerea se fijó en cómo una morena despampanante con minifalda y taconazos se acercaba a Hugo y comenzaba a acariciarle la espalda y su fuerte brazo. Nerea, muerta de celos, se levantó como si tuviera un petardo en el culo y, sin importarle el escozor de su entrepierna, se acercó hasta donde estaba Hugo. Con una falsa sonrisa, se tiró a su cuello y lo besó con pasión dejando a la morena con los ojos abiertos.

—Hola, mi amor —dijo Nerea sobre los labios de Hugo—. ¿Vas a tardar? No quiero irme a la cama sin ti.

Sorprendido porque no la había visto venir y sin saber siquiera que estaba allí, ya que creía que había subido a la habitación tras cenar, le rodeó la cintura con los brazos sabiendo lo que estaba haciendo y sonriendo le respondió:

—No, cariño. Pero si me esperas un segundo, subimos juntos.

—Está bien —dijo sentándose en el escenario—. Te espero.

La morena indignada al no haber conseguido su propósito, levantó la barbilla y se fue moviendo el trasero ante la mirada asesina de Nerea. Algún día le arrancaría los ojos y las manos a todas las zorras que intentaran ligar con su chico. Hugo riendo se acercó a ella y le dio un suave beso.

—¿Te he dicho que estás preciosa cuando te pones celosa?

—Y no veas lo guapísima que me pongo cuando reparto hostias.

Hugo soltó una carcajada y se acercó a ella para tocarle las piernas que dejaba al descubierto su veraniego vestido.

—¿Estás mejor de… eso?

—Un poco, pero olvídate —le advirtió levantando un dedo—, que no hay sexo.

Hugo hizo un puchero y ella con suavidad le giró la cara hacia la derecha con una sonrisa. El chico guardó la última caja y le tendió la mano a Nerea que aceptó el gesto y de un salto bajó del escenario, pero casi cae al suelo al notar un fuerte mareo de no ser por los brazos de Hugo.

—¿Estás bien, princesita?

—Sí, sí, sólo es un mareo —dijo llevándose la mano a la frente—. Debe de ser de las pastillas.

—¿Se te pasa?

Ella negó con la cabeza notando cómo el estómago comenzaba a revolvérsele a causa del mareo. Pasándole una mano por debajo de las rodillas y otra por la espalda, Hugo la cogió y ella cerrando los ojos contra su pecho para disminuir esa sensación, se dejó llevar hasta la habitación donde la tumbó con delicadeza tras ayudarla a ponerse el pijama. Sin quitarse los boxers él también se desnudó y se tumbó a su lado atrayéndola hacia él para abrazarla.

—Duerme, princesita. Mañana estarás mejor.

—Eso espero porque ¡menudo día!

20

❧❀❧

Agosto llegó. Y la cuenta atrás también. Nerea, con la llegada del nuevo mes, empezó a sentir una opresión en el pecho pues sabía que sus días en Gandía llegaban a su fin. ¿O no? Ninguna de sus dudas se disipaban y la idea de marcharse de allí le asustaba. No quería dejar de ver a su padre ni a... Hugo. Por una vez en su vida se sentía completa y no quería renunciar a ello.

Pero en su situación, decidir significaba renunciar. O a sus amigas o a dos personas importantes para ella. No quería pensar en ello, pero cada noche que dormía abrazada a Hugo la angustia podía con ella y se levantaba a altas horas de la noche para llorar en silencio contemplando el mar.

Hugo la notaba rara, pero por más que le preguntaba si le pasaba algo, ella le respondía que no, aunque él ya la conocía y deducía lo que le tenía tan preocupada. Calló. No quería presionarla a pesar de que él deseaba que se quedara. Ella debía decidir. Para él también estaba siendo difícil la situación. Quizá sólo le quedaran unas semanas para estar al lado de ella.

—¡¡Nerea!! —gritó Laila desde el pasillo donde se encontraban las habitaciones—. ¿Te estás poniendo el biquini o fabricando una bomba con él a lo MacGyver?

—¡Que ya voy!

Nerea salió con las gafas de sol puestas y su vestido blanco con el que bajaba a la playa y a la piscina. Tenía ojeras tras estar varias noches sin apenas pegar ojo y quería ocultárselo a sus amigas mediante el maquillaje y las gafas. No estaba para que le dieran una de sus charlas.

—¿Y Ada? —pregunto Elena asomándose a la habitación.

—En la ducha. Dice que no le apetece ir a la playa —contestó Nerea sin ápice de ánimo.

—¿Estás bien? —se preocupó Laila agarrándole del brazo con suavidad.

—Sí, sólo que llevo unos días muy cansada.

Las amigas se miraron pícaras intuyendo por qué su amiga apenas descansaba. Además sabían que ya casi no dormía en la habitación que compartía con Ada. Siempre esperaba a Hugo para subir con él a su habitación.

—Pues tendremos que decirle a Hugo que te deje dormir también. Que follar está bien, pero a unas horas decentes, ¿eh?

—Idiotas —dijo Nerea con una pequeña sonrisa—. Anda vamos, que ya estamos todas.

Bajaron por las escaleras, pero en los últimos escalones, Pedro las miró con una sonrisa y llevándose el dedo índice a los labios les pidió silencio. Extrañadas acabaron de bajar y ellas también sonrieron a ver en el *hall* a niños e incluso niñas, vestidos de gladiadores luchando en un combate con espadas de corchopán mientras los animadores, también con trajes de gladiadores, retenían una caja llena de monedas de chocolate envueltas en papel dorado.

Los pequeños emocionados demostraban sus dotes con la espada riendo, corriendo y saltando bajo la supervisión de Hugo y Samuel. El público que había a su alrededor les sacaba fotos, les animaban y aplaudían. Con el fuerte sonido de una bocina, Hugo dio por finalizada la primera prueba que todos habían superado y les hizo pasar a la piscina a superar la siguiente para ganar el gran tesoro de chocolate.

Los niños rápidamente corrieron siguiendo a Samuel que había sacado la espada del cinto y con esta en alto y un grito de guerra hizo que los niños le siguieran corriendo hasta el siguiente juego. Los espectadores siguieron a los pequeños y por fin las chicas pudieron atravesar la recepción para ir a la playa.

Con el cofre del tesoro en sus brazos, Hugo sonrió a Nerea y le guiñó un ojo a lo que ella respondió con otra sonrisa y lanzándole un beso.

Quitándose las chanclas, recorrieron por la caliente arena el trecho que les quedaba hasta llegar al sitio donde les gustaba tomar el sol. Cerca de la orilla pero lo justo para que las olas del mar no mojaran las toallas. Se echaron crema y se tumbaron disfrutando del sol y el olor del agua salada.

Laila y Elena se quedaron dormidas bocabajo con la parte superior del biquini desabrochada, por lo que Nerea sacó de su bolsa uno de sus libros y comenzó a leer, pero no podía concentrarse en él. No sólo porque las posturas en las que se ponía eran incómodas, sino porque cada vez se sentía más agobiada. Por más vueltas que le daba a los pros y contras de ambas decisiones, ninguna le llegaba a convencer.

Finalmente optó por tumbarse en la misma postura que sus amigas y juguetear con la arena enterrando la mano en ella. Una idea se le vino a la mente y mirando a esas dos que dormían profundamente, sonrió de medio lado y mordiéndose el labio se puso de rodillas. Poco a poco y con cuidado de no despertarla, fue echándole arena a Laila por todo el cuerpo excepto la cabeza, hasta tenerla completamente cubierta con ella. Iba a hacer lo mismo con Elena, pero cuando se puso en pie para ir al otro lado, Laila se levantó de golpe asustada por lo que tenían en el cuerpo haciendo que Nerea se carcajeara.

—¡¡Nerea!! Yo te mato —la amenazó sacudiéndose la arena del cuerpo—. Me va a salir arena hasta del chichi.

—La que está cansada soy yo, y vais vosotras y os dormís, pues me aburro. Así que algo tenía que hacer.

—Ya sabes que si nos tumbamos caemos fritas y ahora…

Laila la cogió de la muñeca y comenzó a tirar de ella en dirección al mar. Nerea, al ver sus intenciones, comenzó a oponer resistencia y a gritar entre risas intentando soltarse del agarre de su amiga. Ante este jaleo, Elena se despertó y vio a aquellas dos peleando y decidió observar sin intervenir. Sólo le faltaban las palomitas.

Laila, a pesar de su metro y medio, era más fuerte que Nerea y consiguió tirarla al mar, pero ella no pensaba dejar las cosas así, por lo que comenzó a salpicarla mojándola de arriba abajo. Laila daba cómicos saltos y gritaba ante el contacto del agua con su cuerpo, pero aprovechando que ya estaban mojadas, ambas se metieron en el mar para refrescarse.

—La próxima vez que te aburras te entierras tú —la advirtió.

—Rancia —rio Nerea—; ahora cuando salgamos, no me pienso sentar en la toalla hasta que esté completamente seca y me tapáis con ella para cambiarme de biquini, no pienso volver a estar escocida.

Laila soltó una carcajada y cogiendo arena del fondo, se la tiró al cuello a Nerea que rápidamente se sumergió entera para limpiársela.

—¡Serás cerda! ¡Qué asco!

—Anda, no seas quejica y... ¡Aaaah!

Nerea se asustó cuando oyó ese grito de Laila y abrió los ojos al ver cómo se tiraba encima de ella para que la cogiera. Nerea fue rápida y la cogió al vuelo, pero su peso y el impulso hizo que ambas cayeran al agua. Laila siguió gritando y se colocó a caballito en la espalda de Nerea sin dejar de gritar.

—¡Laila basta! ¡¿Se puede saber qué te pasa?!

—¡¡¡Ahí hay una medusa!!! —dijo asustada señalando con el dedo.

—¿Una medusa? —preguntó asustada.

Nerea también se puso a gritar y comenzó a retorcerse para que Laila la soltara pero estaba bien agarrada a su cuello. Los demás bañistas las miraban incrédulos por lo que esas jóvenes hacían hasta que un niño con manguitos nadó cerca de ellas y cogió del agua la medusa que resultó ser una bolsa de plástico. Dejaron de gritar y el color rojo subió hasta sus mejillas. Laila se soltó del cuello de Nerea y lentamente fue sumergiéndose por completo en el agua muerta de vergüenza. Mirándose los pies y caminando lo más rápido que podían a través del mar, salieron del agua. Se vistieron aunque seguían mojadas, dejando a Elena llorando de la risa sola en la playa, y caminaron hasta llegar al paseo marítimo.

—Laila —dijo Nerea subiéndose las gafas de sol a modo de diadema—. ¡Te voy a matar!

—¡Y yo qué sabía que era una bolsa de plástico! Les tengo pavor a las medusas y sinceramente cuando sospecho que hay una, no me acerco a comprobarlo.

Nerea puso los ojos en blanco mientras se quitaba como podía la arena de los pies y se secaba un poco. El vestido comenzaba a empaparse y ya se le transparentaba el biquini haciendo que muchos turistas la miraran con deseo y le mandaran señales nada decentes. Elena llegó hasta ellas con una amplia sonrisa recordando lo que había presenciado.

—Bueno, comité de la medusa —se mofó—: ¿Regresamos? Se acerca la hora de comer.

Ambas asesinaron a Elena con la mirada y caminaron de regreso al hotel. Una vez estuvieron en sus respectivas habitaciones, Nerea le contó a Ada lo sucedido mientras se secaba el pelo y la pelirroja no dejaba de reír viendo el vídeo que Elena les había hecho y mandado por WhatsApp.

Tras acabar de comer, a la hora de la siesta, Hugo citó a Nerea en el escenario del bar-salón donde se dieron miles de besos y más tarde compartieron una charla tomando un café con hielo.

—¿Tienes planes para esta noche con tus amigas? —le preguntó Hugo entrelazando los dedos con los de ella.

—No, vendremos aquí después de cenar y dependiendo de a qué hora acabe nos iremos a dar un paseo por la playa o nos iremos a la cama. Creo que nos estamos haciendo viejas.

Hugo sonrió y la atrajo hacia él para darle un suave y corto beso.

—Esta noche libro, ¿te vienes conmigo a un lugar donde nadie se siente viejo? —se mofó.

—¿A dónde?

Levantándose un poco de la silla se acercó a su oído y le susurró antes de morderle el lóbulo de la oreja haciendo que se estremeciera.

—A la discoteca donde bailamos por primera vez. Y así celebramos que cumplimos un mes.

Nerea sonrió y colocándose un dedo en la barbilla, hizo como que se lo pensaba. Ya había pasado un mes. Un mes desde que se dieron su primer beso, y un mes menos para decir adiós.

—Está bien, pero esta vez no me conformaré sólo con un baile.

Él sonrió y tirando de su muñeca, la sentó sobre su regazo para poder unir de nuevo sus bocas. Dando por finalizado el apasionado beso, Hugo miró el reloj y suspiró. Debería marcharse ya. Su descanso había acabado. Deseaba que llegara esa noche y ver la cara que ponía cuando le diera el regalo que le había comprado para celebrar que cumplían un mes. Cuando lo vio, supo que tenía que regalárselo.

Nerea entró en su habitación para echarse una pequeña siesta, pero al ver cómo Ada se mensajeaba con alguien con cara de pura felicidad, dejó la llave en la mesita que había al lado de la televisión y se sentó junto a ella.

—¿Con quién hablas?

—Con mi madre —dijo no muy convencida bloqueando el móvil.

—Ya. ¿Y siempre hablas con tu madre con esa cara de gilipollas?

—Oye guapa —rio Ada—. Es que me estaba contando algo gracioso.

Ada se levantó de la cama para abrir la nevera y sacar una *coca-cola* ante la atenta mirada de Nerea, que sabía que mentía.

—¿Y se puede saber qué era eso tan gracioso? —le preguntó achinando los ojos.

—No, mira que eres cotilla.

—No, pero de la noche a la mañana te recuperaste tras lo de Sergio, apenas te vemos el pelo y normalmente desapareces todas las noches. ¿Algo que contar, Ada Torres?

—No, y la que desapareces eres tú, siempre vas a dormir con Hugo, ¿o no? —dijo a la defensiva.

Nerea se llevó las manos a la boca haciéndose la molesta y después al pecho.

—¿Estás celosa? Adita, no tienes que estarlo —se mofó levantándose de la cama y acercándose a ella—. Que a mí sólo me ponen las pelirrojas —rio dándole un azote en el trasero.

—¡Capulla! —Soltó una carcajada—. Todo a su tiempo, Nerea.

—Sí. Como siempre es el tiempo el que decide todo.

Al ver el cambio de actitud en su amiga y ver cómo se tumbaba en la cama dándole la espalda, Ada se acercó a ella y le tocó el hombro.

—¿Va todo bien?

—Sí, no te preocupes. Voy a echarme un rato, ¿vale?

—Está bien —contestó Ada sin querer presionarla.

Nerea durmió durante toda la tarde. Estaba tan cansada que se echó una larga siesta de cuatro horas, hasta que Ada la despertó sobre las ocho avisándola de que ya era tarde para seguir durmiendo. Nerea se desperezó, y se fue a dar una ducha para despejarse. Seguía teniendo sueño y se sentía muy cansada. Se vistió con unos pantalones cortos y una camiseta sin mangas y bajó a cenar con sus amigas, pero tenía el estómago completamente cerrado y, a pesar de las regañinas de estas porque comiera tan poco, sólo cenó una ensalada que ni siquiera pudo terminar. Su móvil sonó y al ver que era un mensaje de Hugo diciendo que la pasaría a buscar por su habitación en media hora, sonrió y dejando a sus amigas plantadas en el restaurante, subió para cambiarse.

Comenzó a revolver el pequeño armario donde tenían parte de la ropa y sus maletas buscando lo que quería ponerse para esa noche. Cuando lo encontró, rápidamente se desnudó y se puso los pantalones negros de lentejuelas y la camiseta del mismo color que dejaba la espalda completamente al descubierto. Fue el conjunto que sus amigas le regalaron por su cumpleaños y sabía que Hugo se volvería loco al verla. Quería provocarle y que la mirara con deseo. Le encantaba. Esa vez, optó por dejarse el pelo suelto y pintarse los labios de rosa. Se calzó los tacones negros de aguja y cogiendo el bolso a juego, se miró al espejo para comprobar que estaba perfecta.

Unos suaves golpes sonaron en la puerta y con una sonrisa abrió para encontrarse con un guapísimo Hugo vestido con una camisa blanca y unos vaqueros oscuros desgastados. Con la boca seca, el joven la miró de arriba abajo y la atrajo por la nuca para devorarle los labios.

—Para —rio Nerea sobre sus labios—. Quiero que me dure el pintalabios —dijo limpiando el resto de pintura de los labios de Hugo con el pulgar.

—Sabes que esa camiseta es mi perdición. Tú quieres torturarme toda la noche, princesita.

—Puede, pero piensa en el premio —le guiñó un ojo.

Nerea se retocó los labios y, de la mano, ambos caminaron hasta la discoteca más cercana al hotel. En el corto camino, Hugo se sintió molesto al ver que todos los tíos con los que se cruzaban miraban a Nerea, por lo que atrayéndola hacia él aún más, la agarró por la cintura. A Nerea le gustó ese gesto y sonrió mordiéndose el labio inferior. Le encantaba verle celoso.

A pesar de ser las dos de la madrugada, mucha gente aún estaba cenando por lo que la discoteca estaba prácticamente vacía y pudieron encontrar dos taburetes en la barra.

—¿Qué te apetece tomar?

—Un San Francisco, no tengo mucho cuerpo para tomar alcohol, pero probablemente me tome un gin-tonic durante la noche —gritó Nerea en su oído por encima de la música.

Alzando la mano para llamar al camarero, este se acercó y cuando vio a Nerea la saludó reconociéndola.

—Hola, preciosa —dijo dándole dos besos—. ¿Hoy vienes con tu chico?

—Hola Sergio, sí, aquí estamos —le contestó con una sonrisa mirando a Hugo—. Te veo bien.

—Porque estoy mejor que nunca —le guiñó un ojo—. ¿Qué os pongo?

—Para mí un ron con coca-cola y para ella un San Francisco.

—¡Marchando! —exclamó entusiasmado golpeando la barra.

Cuando Sergio se alejó para poner sus consumiciones, Hugo miró a Nerea extrañado porque lo conociera. Al ver su cara, ella le contó su historia con Ada y que había coincidido con él en varias ocasiones. Hugo cayó que ese Sergio era el Sergio del que Nerea le hablaba y que estaba enamorado de Ada, pero que ella le rechazó.

—¿Ha vuelto Ada con él? —le preguntó Hugo recordando la conversación que tuvo con la pelirroja un día en el desayuno.

—Creo que no, Ada no nos ha dicho nada.

A medida que pasaba la noche, la discoteca se fue llenando y agobiados en la barra por la cantidad de gente que pedía sus bebidas, Hugo cogió de la mano a Nerea y se la llevó a la pista para bailar con ella. Todos los hombres que se encontraban a su alrededor, miraban a Nerea con deseo. Hugo estaba al tanto de esas miradas, aunque prefirió ignorarlas. Dándole la vuelta a Nerea, pegó su espalda desnuda a su pecho para abrazarla por detrás y seguir bailando.

Nerea inclinó la cabeza a un lado sin dejar de moverse y sintió cómo los cálidos labios de Hugo se posaban en su cuello para comenzar a dejar un reguero de besos. Nerea cerró los ojos en el momento que notaba cómo sus manos se introducían por la abertura trasera de su camiseta y comenzaban a hacer círculos en su vientre ascendiendo hasta posarse en la parte baja de sus pechos. Nerea se mordió el labio inferior notando cómo su respiración comenzaba a agitarse y el pulso se le disparaba.

—¿Vamos a un lugar más íntimo?

Nerea no contestó. No podía. Ante su silencio, Hugo le acarició los pezones con los pulgares excitándolos al instante y comenzó a andar haciendo que Nerea se moviera hasta llegar a uno de los baños de la discoteca. Cerró la puerta tras de sí y empotrando a Nerea contra ella, la cogió por detrás de las rodillas elevándola un poco y le devoró la boca apretando su erección contra su vientre. Sus lenguas se buscaban y el beso se tornó más salvaje y pasional, haciendo que Nerea notara cómo su sexo comenzaba a humedecerse pidiendo más.

—Para… —jadeó cerrando los ojos—. No podemos, Hugo… alguien puede entrar.

—Agárrate a mi cuello —le ordenó sin importar lo que le dijera.

Excitada, hizo lo que le pedía y él la aupó sin dejar de besarla hasta llegar a uno de los urinarios para cerrar la puerta y echar el cerrojo después.

—Me da igual que nos vean, princesita. Quiero mi premio ¡ya! Esta camiseta me provoca mucho.

Nerea sonrió gloriosa al haber conseguido lo que quería cuando pensó en ponerse esa camiseta. Hugo le mordisqueó los pechos por encima de la ropa y le bajó los cortos pantalones junto con el tanga para dejarla desnuda ante él de cintura para abajo. Besó con delicadeza sus piernas y la cara interna de sus muslos antes de posar sus manos en las nalgas para atraer su sexo hasta su boca y comenzó a besarlo produciendo en Nerea enormes oleadas de placer. Echando la cabeza hacia atrás con los ojos cerrados y jadeando con cada lametada, enredó los dedos en su pelo tirando de él al notar cómo las piernas le temblaban. Lentamente, Hugo le subió hasta los pechos la camiseta y su boca fue ascendiendo por su ombligo, rodeándolo con la lengua y mordisqueándole las costillas hasta llegar a sus labios. La besó hambriento de ella y enredando sus lenguas degustando el sabor del otro que a ambos les volvían locos.

Nerea, sin poder aguantar más, le desabrocho el vaquero y sacando su caliente y duro miembro, enredó una pierna alrededor de su cintura e hizo que se hundiera en ella de una profunda embestida. Hugo la elevó y ella agarrada a sus hombros con fuerza, gemía ante el inmenso placer que su invasión le producía apretando sus pies contra las nalgas de él.

—No pares... –jadeó Nerea.

—¿Ya no te da vergüenza que nos oigan o vean?

—No... Hugo, por favor... te necesito tanto –susurró Nerea con un tono sollozante.

—Me tienes, cariño... Mírame, princesita...

Hugo le mordisqueó el cuello e hizo que sus penetraciones fueran más rápidas y profundas. Ante esa voz varonil acompañada de gruñidos, Nerea clavó sus ojos en los azulados de él y juntando sus frentes siguieron con ese baile erótico, sintiéndose el uno al otro y cómo se convertían en uno.

—Sé que suena egoísta... pero si no te lo digo... no me quedaré tranquilo... no quiero que te vayas, princesita –dijo soltando un sonido gutural–. Quiero que te quedes conmigo... creo que te qui...

Nerea asustada por lo que iba a decir, le tapó la boca con la suya besándole con pasión y ahogando en sus labios los enormes gemidos que amenazaban de salir de su boca por el abrasador orgasmo que les recorría a ambos. En esos últimos pero intensos segundos, Nerea comenzó a mover sus caderas en círculos acompañando sus embestidas y sintiendo un cosquilleo en su vientre.

Agotado, Hugo la dejó en el suelo y abrazándola con fuerza la aplastó contra la pared, intentado recuperar la respiración.

—Nerea, yo...

—¡Chsss! No digas nada, por favor —le pidió suplicante.

Optó por callar al notar cómo escondía el rostro en su cuello y le abrazaba aún con más fuerza. Hugo no sabía qué hacer, pero sentía que todo estaba llegando a su fin y le dolía. No quería ni podía decirle adiós y tampoco iba a soportar que ella se lo dijera. En silencio se recompusieron la ropa y se asearon en los lavabos antes de salir para pedir nuevas bebidas. Estaban secos. Hugo divisó un taburete libre y Nerea se sentó en él. Pidió las mismas bebidas que antes y mientras las preparaban intentó volver a hacer sonreír a su chica.

—Olvida lo que te he dicho —dijo retirándole un mechón—. No quiero verte así, cariño.

—Es todo tan difícil...

—No pienses en ello —la besó en la frente—. Sólo disfruta de esto.

Nerea asintió y Hugo llamó a Sergio para que le cobrara, pero el camarero con una sonrisa tonta sólo tenía ojos para una persona. Extrañados de que el camarero no les escuchase, giraron las cabezas para ver dónde miraba y Nerea abrió la boca al ver a Ada acercándose a la barra, donde cogiendo impulso se alzó sentándose en ella para besar a Sergio apasionadamente. Este la cogió para ponerla detrás de la barra sin dejar de besarla dejando más sorprendidos aún a Hugo y, sobre todo, a Nerea.

—Hola, mi ninfa.

—Hola cariño —y mirando a su amiga la saludó—. Hola, Nerea. Te lo dije. Todo a su tiempo.

—¡Capulla! —le gritó tirándole la pajita del San Francisco—. ¿Desde cuándo estáis juntos?

—Sólo hace unos días —contestó Sergio agarrando por la cintura a su chica.

—Me alegro mucho, de verdad —dijo Nerea sonriendo.

—Nerea —la llamó Ada con cara de preocupación—. Yo volveré a Oviedo a por mis cosas y luego regresaré a Gandía. Voy a mudarme junto a Sergio.

Nerea la miró muy sorprendida. ¿Ada se quedaba en Gandía? ¿Las dejaba? ¿Se iba a quedar a vivir con el hombre del cual estaba enamorada? Se había quedado completamente muda. En unas horas su amiga había tomado la decisión que ella aún se sentía incapaz.

—¿Lo saben Laila y Elena?

—Aún no, pensaba contároslo mañana a todas. He estado tan desaparecida porque necesitaba hablar con Sergio sobre esto. No va a ser fácil decírselo, pero Nerea quiero que sepas que os quiero mucho a las tres y que nada va a cambiar entre nosotras pero quiero estar con Sergio.

—Te entiendo, boba —dijo abrazándola—. Y te deseo lo mejor y yo... no sé qué hacer.

—Nerea, te lo dirá el corazón. A veces esa decisión tarda más o menos tiempo en llegar, pero llega a tiempo —la sonrió y mirando a Hugo dijo—: Gracias.

Hugo asintió con la cabeza y le guiñó el ojo con complicidad contestando a ese agradecimiento. Sin entender nada, Nerea se volvió hacia Hugo y le miró frunciendo el ceño.

—¿Me he perdido algo? —dijo tras bostezar.

—Te lo explico de camino a la cama, princesita. Ya es tarde.

—Sí, además últimamente estoy cansada a todas horas.

Las parejas se despidieron y de camino al hotel, Hugo le contó su desayuno con Ada y su consejo de disfrutar de cada momento al lado de la persona que les estaba enseñando un mundo nuevo, con sentimientos que afloran y que aunque asusten, no quieren dejar de sentir, pues con ellos se sienten completos. Al llegar a la habitación, Nerea se soltó de su mano y dando una patada con cada pierna, se deshizo de los tacones.

—Qué gusto —suspiró al notar sus pies liberados.

Hugo sonrió y vio como ella se estiraba, síntoma de que estaba cansada. Sin quitarle la vista de encima, vio como sacaba el pijama de debajo de la almohada y se dirigía al baño para prepararse, como hacía todas las noches que pasaba a su lado. La gran mayoría de ellas. Media hora después, salía cambiada y desmaquillada con la ropa en la mano y tras ver como la dejaba en una de las sillas que había, Hugo se acercó a ella y la cogió de las manos.

—Tengo un regalito para ti —dijo Hugo tras besarle los nudillos.

—¿Para mí? —preguntó sorprendida.

Él sonrió y sacó del bolsillo trasero de su pantalón una pequeña caja con el logotipo de una conocida joyería. Nerea le miró a los ojos entre asustada e intrigada, y con manos temblorosas abrió la pequeña caja. Con delicadeza sacó el colgante de plata que había en su interior y sonrió emocionada al ver que se trataba de la inicial de su nombre con una pequeña tiara puesta de medio lado sobre un palito de la letra N.

—La vi el otro día y sentí que tenía que regalártela.

—Es precioso —susurró—. Pero yo… yo no tengo nada para ti… —dijo apenada.

Hugo la cogió de la mano y se sentó en la cama para después sentarla a ella en su regazo. Le quitó el colgante de las manos y retirándole el pelo comenzó a ponérselo mientras le decía:

—Tú eres lo mejor que me ha pasado nunca, Nerea. Yo no necesito nada, porque cada día que he pasado a tu lado ha sido un regalo. —Terminó de ponerle el colgante y depositó un suave beso en su cuello.— Y no cambiaría ninguno de los días que llevo a tu lado por nada, ni siquiera los días en los que no nos soportábamos, porque fueron el principio de lo que ahora somos.

Emocionada, Nerea lo abrazó y atrapó sus labios en un tierno beso. Poco a poco Hugo fue colocándose encima de ella y comenzó a quitarle el pijama. Entre miles de besos y caricias, hicieron el amor con una ternura que ambos desconocían. No querían pensar en la despedida que ambos intuían que estaba por llegar.

21

Llegó la mañana del domingo y Nerea fue la primera en despertarse. Sonrió al ver a Hugo dormido bocabajo y con el rostro girado hacia ella. Se estiró y cogiendo su móvil vio que ya eran las once de la mañana. Apenas había dormido seis horas tras la noche anterior, pero se sentía descansada. Mirando al techo, se llevó la mano al cuello y sonrió al ver el colgante que le había regalado Hugo. Era precioso y la tiara que llevaba su inicial significaba mucho para ambos. Soltando la cadena de plata, se fijó en el calendario pequeño que Hugo tenía en la mesilla. Ya era tres de agosto. Por mucho que quisiera no pensar, le era imposible. Con la decisión de Ada, la suya se había vuelto aún más confusa. Si se quedara, tendría con ella a Ada, a su padre y a Hugo. ¿Pero si Ada y Sergio a los dos meses volvían a separarse? ¿Se quedaría sin su amiga? No quería pensar en eso. Necesitaba distraerse por lo que, mirando a su chico, sonrió y con cuidado de no despertarle, fue sentándose en su espalda apoyando las rodillas en el colchón a ambos lados de su cuerpo y quedando apoyada en ellas para no tocarle. Con una sonrisa pícara, se inclinó un poco y la camiseta del pijama que llevaba le rozó la espalda haciendo que Hugo se sobresaltara pero no despertara. Recogiéndose el pelo hacia un lado, llevó la boca a su cuello y comenzó a besárselo.

—Despierta dormilón –le susurró al oído.

Hugo ronroneó y hundió la cara en la almohada para seguir durmiendo. Pero Nerea no se iba a rendir, por lo que estiró las rodillas quedando tumbada encima de él y continuó besándole por la nuca y la espalda desnuda.

—Arriba, ya es tarde —dijo apoyando la barbilla en el hueco de su cuello.

—Un poco más —suplicó con la cara aún hundida en la almohada—. Por un domingo que tengo libre hasta la noche...

Pero pensaba conseguir su propósito, por lo que continuó besándole y ronroneando mimosa cerca de su oreja.

—Venga, que quiero que me des mi beso de buenos días.

Sin moverse, Hugo llevó las manos a sus costados y comenzó a hacerle cosquillas para que se apartara. Nerea chilló y saltó a su lado de la cama. Él apoyó un codo en la almohada y la cabeza en la palma para mirarla con los ojos aún medio cerrados.

—Tramposo.

Sonrió y se acercó a ella para darle un beso, pero Nerea giró la cara.

—¿Me has hecho la cobra?

—Sí — dijo cruzándose de brazos.

—¿No querías un beso, princesita?

—Ahora ya no. Puedes seguir durmiendo.

—Madre mía qué rápido cambias de humor —rio sentándose en la cama intentando acariciarla pero ella se levantó.

—Voy a ducharme —dijo tajante.

Un tanto irritada porque le había chafado la mañana, entró en el baño y maldijo porque la puerta no tuviera pestillo. Abrió el grifo y tras desnudarse se metió en la ducha, pero oyó cómo la puerta se abría.

—Ni se te ocurra entrar —le advirtió.

Pero él no quiso hacerla caso y abriendo la mampara entró. Antes de poder quejarse, ya la había aprisionado y devoraba sus labios con ardor. Deseosa de él, Nerea echó los brazos a su cuello abrazándole y atrayendo más su boca a la suya profundizando el beso.

—¿No era esto lo que querías, princesita?

Poniendo morritos, ella asintió y volvió a abrazarse a él pegando sus pechos desnudos a su torso y besándole de manera tierna.

—Estás mimosa, ¿eh?

Ella asintió besándole el cuello y cogiéndole por las nalgas, Hugo la elevó y se hundió en ella sin dejar de besarla. Hicieron el amor con el único sonido del agua mojando sus cuerpos y sus respiraciones agitadas. El clímax les llegó al unísono y quedándose sentados en el suelo de la ducha se abrazaron reteniendo las palabras que ambos querían que salieran de sus bocas, pero que por el bien de los dos, era mejor no decirlas.

—¿Estás bien? —le preguntó Hugo retirándole el pelo húmedo de la cara al notar que temblaba.

—Sí, es sólo que me estoy quedando un poco fría —mintió. No quería confesarle el miedo que tenía al paso de los días.

Hugo cerró el agua y se puso de pie ayudándola a levantarse para salir de la ducha. Cogió una toalla y se la colocó enroscándosela a la altura del pecho para después él coger otra y ponérsela en las caderas.

Salieron del baño en silencio comenzando a secarse con las toallas. Nerea lo hacía de espaldas a Hugo mientras este no le quitaba los ojos de encima. No podía creer que aún no hubiera tomado una decisión. Sentía rabia porque no quisiera quedarse con él, aunque sonara egoísta. Se había enamorado de ella y no quería dejarla marchar. Pero él tampoco quería dejar su ciudad. No quería dejar ni el hotel ni mucho menos a su padre tras lo que les había ocurrido en el pasado.

Una vez vestida, Nerea se limpió las lágrimas que había derramado mientras se cambiaba y cogió el móvil al oírlo sonar. Era un mensaje de Ada en el grupo que las amigas tenían en WhatsApp diciendo que las esperaba a las tres en quince minutos en el bufé de la piscina. Tenían que hablar.

Ella ya sabía lo que les iba a decir, pero aún no daba crédito. Ada les iba a decir adiós para intentar ser feliz con el hombre del que se había enamorado, mientras ella era una cobarde y no luchaba por hacer lo mismo junto a Hugo. Pero tenía miedo. Miedo de que un día todo acabase y ella se quedara sola y destrozada. No lo soportaría una segunda vez. Pero si seguía así, jamás lograría ser feliz al lado de la persona a la que amaba.

Agitó la cabeza para quitarse esos pensamientos y tras calzarse la cuñas se giró y rodeó la cama para acercarse a Hugo quien estaba sentado en el filo de esta.

—Tengo que bajar. Ada quiere hablar con nosotras —dijo sentándose en su regazo y rodeándole el cuello con los brazos—. ¿Comemos juntos?

—¿La princesita me está invitando a comer? —dijo haciéndose el sorprendido—. Está bien, pero no comeremos en el hotel. Voy a llevarte a que conozcas las diversas tapas de esta maravillosa costa.

Nerea sonrió y acercó los labios a los suyos para fundirse en un tierno beso. Este se volvió más profundo y salvaje, y conscientes de que si seguían, no pararían, se separaron.

—Anda vete ya —la animó Hugo dándole un suave azote— que como sigas aquí un poco más llegarás tarde porque te volveré a desnudar y a hacerte el amor —le mordisqueó el cuello.

—Estate quieto —sonrió apartándole—. Así me provocas más.

Finalmente la soltó y Nerea salió de la habitación. Nerviosa por la conversación con Ada, suspiró y quitándose la goma de pelo que tenía en la muñeca se lo recogió en un moño mal hecho sobre la nuca. A paso lento llegó al bufé de la piscina. Era la primera en llegar. Miró a todos los lados para ver si alguna venía, pero nada. Siempre se retrasaban. El ruido de sus tripas le hizo volver a la realidad y cogiendo una pequeña bandeja, pidió un café con leche y cogió unas galletas de chocolate. Estaba muerta de hambre y aún no había desayunado.

—¡Buenos días! —saludó una voz animada—. ¡Qué ricas! Dame una.

Una sonriente Ada llegó hasta donde Nerea y robándole una de sus galletas comenzó a comérsela.

—Oye guapa —se quejó—. Que son mías. Ahí tienes para que cojas —le señaló el bufé.

—No seas rata… ¿Y las dos que faltan?

—Ahora bajarán digo yo… —la miró—. Te veo muy tranquila.

—¿Por qué no iba a estarlo?

—Pues por la reacción que tengan.

—Nerea —dijo echando el aire y sentándose al lado suyo cogiéndola de la mano— su reacción será la misma que la tuya. De sorpresa. Sé que no se van a enfadar, porque son mis amigas, al igual que tú la mía y no te enfadaste. —Al ver la cara de Nerea prosiguió—: Nerea, y si te quedas tú también, tampoco lo harán. Aunque viéndote estos últimos días y cómo te comportas creo que la idea de irte es la que te parece más adecuada aunque no es la que deseas, ¿me equivoco?

Nerea negó con la cabeza bajando la mirada y le acercó la bandeja a Ada.

—Toma, comételas tú. Se me ha quitado el apetito.

Ada calló. Si hablaba con ella sobre el tema lo único que haría sería empeorar las cosas. En esos días que había ocultado a sus amigas su reconciliación con Sergio, había hablado mucho con él sobre cómo decírselo a ellas y aunque al principio sí tenía miedo de cómo se lo tomarían, poco a poco se fue convenciendo de que lo entenderían y el día anterior al contárselo a Nerea, lo vio más claro. Además, sólo con ver la mirada de Nerea cuando miraba a Hugo la delataba. Se iba a ir. Ada quiso hablar con ella para ayudarla con toda la situación que estaba viviendo, pero Sergio le aconsejó callar. En la vida todo sucede por algo y el destino es caprichoso. Nunca se sabe lo que pasará en realidad.

—¡Ya estamos aquí! —gritó Elena hiperventilando—. Sentimos el retraso pero nos han entretenido los camareros del bar-salón con sus movimientos de cadera —rieron pícaras.

—Y luego me decís a mí —rio Ada—. Venga, sentaos. Tengo algo que deciros.

Laila y Elena se sentaron y cogiendo cada una un par de galletas de chocolate, se recostaron en la silla mirando a Ada.

—He vuelto con Sergio —dijo ilusionada y sin rodeos.

Abrieron los ojos como platos dejando de masticar ante la noticia. Eso era lo último que esperaban.

—¡Pero eso es fantástico, Ada! —exclamó Laila.

—¡Ya era hora! —aplaudió Elena—. Estábamos desesperadas por verte con esa actitud monjil. Al final creo que la que más ha follado estas vacaciones ha sido Nerea. Con el mismo, pero su polvo diario no se lo ha quitado nadie.

—¡Pero qué mismo! –suspiró Laila–. No te enfades Nerea, pero Hugo está muy, pero que muy bueno y tiene unos ojazos y una mirada que derriten.

—¿Tengo que ponerme celosa? –preguntó Nerea alzando las cejas.

Laila se quedó pensando y finalmente respondió.

—Sí.

Todas rieron a excepción de Nerea que sonrió sin ganas. No estaba celosa, sino que hablar de él comenzaba a dolerle por su posible marcha. Apoyando el codo en la mesa reposó la cabeza en la palma y bostezó. Comenzaba a tener sueño de nuevo. ¿Qué le ocurría? Probablemente sería por esos últimos días que no lograba descansar bien.

—No nos desviemos –dijo Ada–. Que aún no he acabado, luego ya si queréis hablamos del buen ver del novio de Nerea.

Un cosquilleo le recorrió el vientre al oír esa palabra. ¿En verdad lo eran? Sacudiendo la cabeza intentó dejar de pensar en ello, sin éxito.

—Hay más –prosiguió Ada–. Voy a mudarme aquí a vivir con Sergio. Cuándo volváis a Oviedo, yo también lo haré para dejar todo atado y comenzar la mudanza, pero regresaré aquí junto a Sergio –Al verles las caras de sorpresa y sabiendo lo que le iban a preguntar dijo–: Sí, lo confieso: me he enamorado de Sergio, le quiero, le amo y quiero empezar una vida junto a él –siguieron calladas–. ¿Podríais decir algo no?

—Elena, pellízcame que creo que el polvo de antes y lo de ahora es un sueño –dijo Laila.

Ada le dio una colleja.

—¡Auch! ¡¿Serás bruta?! –se quejó acariciándose la nuca.

—Y esa es una de las muchas que te debo.

—Así que, ¿va en serio?

—¡Por supuesto!

—Yo estoy flipando –dijo Elena alucinada–. No te voy a mentir, Ada. No me lo esperaba porque nunca te has enamorado de nadie, pero me alegro mucho por ti y que sepas que aunque vayamos a vivir a kilómetros de distancia te seguiré dando la tabarra.

—Y yo haré una lista de las collejas que te vayas ganando. Así cuando nos veamos me las cobro juntas.

Ada emocionada y notando como sus ojos comenzaban a humedecerse, se puso de pie y esperó a que sus amigas también lo hicieran para abrazarse. Como decían ellas, juntas hasta el final. Después del abrazo y los besos a Ada, volvieron a sentarse y Laila miró a una ausente Nerea.

—Entonces, ¿tú también te quedarás, no? Ya no estarás tan sola como creías antes. Ada y tú viviréis aquí juntas.

—Si me disculpáis... —dijo Nerea sintiendo una opresión en el pecho. Cada día sentía más angustia por la decisión que debía tomar.

La joven, agobiada y con un nudo en el estómago, se levantó y corrió al baño más cercano donde vomitó por el estrés acumulado. Desde el suelo y apoyando la espalda en la puerta del baño, comenzó a respirar con dificultad y se llevó las manos temblorosas a la cabeza enredando los dedos en su pelo. No podía más. Esa situación la superaba y en ese momento se arrepentía de haber iniciado una relación con Hugo. ¿Por qué no la había dejado en paz en su momento? Si lo hubiese hecho ahora no estaría así. ¿Qué futuro tenían juntos? Unos toques en la puerta la hicieron recomponerse rápido limpiándose la cara con las manos.

—Princesa —oyó la voz de su padre—. ¿Estás bien, cariño?

Alejandro que se encontraba en recepción, la había visto correr hasta el baño con una mano en la boca. Preocupado la siguió y al oírla vomitar y llorar decidió dejarla un tiempo a solas. Pero saber que su niña lo estaba pasando mal, lo mataba.

Nerea abrió la puerta y se lanzó a los brazos de su padre donde lloró en silencio mientras él le acariciaba el pelo.

—Cuéntamelo, princesa —dijo deshaciendo el abrazo y limpiándole las lágrimas con los pulgares—. ¿Qué ha pasado? ¿Has discutido con Hugo? —Ella negó y bajó la cabeza—. ¿Con tus amigas? —volvió a negar—. ¿Me lo quieres contar? —emitiendo un sollozo volvió a negar y se ocultó la cara con las manos—. Cariño, no te preocupes. Sea lo que sea se solucionará y si no me lo quieres contar lo entiendo, sólo quiero que sepas que te quiero, princesa, y siempre estaré a tu lado. No lo olvides, ¿me lo prometes?

—Te lo prometo, papá. Yo también te quiero.

Sonriendo para transmitirle tranquilidad, la atrajo hacia él y le besó en la frente como siempre hacía desde que era niña. Salieron del baño y tras decirle a su hija que estaría en su despacho por si necesitaba algo, la animó a que subiera a descansar. Ella le hizo caso pero tras coger el bolso y dejar una nota diciendo que necesitaba estar sola y que ya regresaría, salió del hotel dispuesta a que no la encontraran. Fue al garaje donde tenía aparcado el coche y tras pensar dónde podía ir, arrancó con la voz del GPS guiándola para salir de Gandía.

*

—¡¿Dónde está?! —bramó Hugo enfadado y nervioso.

Había estado una hora esperando a Nerea en recepción y al ver su tardanza comenzó a preocuparse. En un principio pensó que tal vez se había quedado dormida y llamó a su habitación desde recepción pero nadie lo cogía. Buscó la llave en los casilleros de la recepción y cuando la encontró subió como alma que lleva el diablo a su cuarto, pero allí no había nadie. Comprobó que no estaba su bolso y vio la nota que había dejado. La arrugó en la palma de la mano y cerrando de un portazo, fue a buscar a sus amigas. Recorrió todo el hotel de arriba abajo. Las buscó en el restaurante, en la piscina, en el bar-salón pero nada. Se pasó histérico las manos por el pelo pensando si ellas también se habrían ido, pero enseguida desechó esa idea. La nota decía que necesitaba estar sola. Recordó el día que se enteró de quién era su padre y esperanzado de que estuviera en el gimnasio bajó a la planta más baja. Pero no estaba. Recorrió todo el gimnasio y tocó con cariño el saco de boxeo. Una leve sonrisa apareció en su cara y un extraño cosquilleo le recorrió el cuerpo. Necesitaba detener el tiempo. Necesitaba que se quedara. La necesitaba. Recorrió la sauna esperando encontrarla pero nada. La puerta de la sala de masajes se abrió y suspiró al ver dentro de ella un pelo rojo y rizado que caía sobre la camilla. Decidido, entró dispuesto a saber dónde se encontraba Nerea.

—¡Dime dónde demonios está! —volvió a gritar al ver que Ada se quedaba paralizada.

—¿Qué dices? –dijo mirándole enfadada. ¿De qué cojones iba ese tío?

—¡Nerea! ¡¿Dónde está?!

—Para empezar... ¡a mí ni se te ocurra chillarme! Y para terminar saca tu culo prieto de aquí. ¡Estoy desnuda!

—Como si vas de monja. Quiero que me digas dónde se ha ido Nerea.

—¿Cómo que se ha ido?

Sin hablar le lanzó el arrugado papel que tenía en la mano y Ada tapándose con la toalla se sentó en el filo de la camilla y leyó la nota.

—¡Mierda! Espero que no haya decidido adelantar su regreso.

—¿Qué regreso? ¿Se iba a ir? –preguntó asustado.

—Aún no lo había decidido que yo sepa, pero sólo hay que verla para saber qué va a hacer... aunque no quiera.

Hugo se sentó en el suelo apoyando la espalda en la pared y hundiendo el rostro en sus manos. Al verlo, a Ada no le quedaron dudas. Hugo quería a su amiga y su marcha le volvería loco. Levantándose de la camilla, se arrodilló a su lado y le tocó el hombro.

—¿Estás enamorado de ella? –le preguntó. Necesitaba que se lo confirmara.

—Sí.

—Díselo.

—Lo intenté, pero antes de poder decirlo ella me calló.

—No hay que precipitar las cosas, nunca se sabe qué puede pasar durante estas últimas semanas.

Se puso de pie y cogiendo su ropa miró a Hugo.

—Vamos a buscar a Alejandro, seguro que él sabe algo. Pero antes –le señaló la puerta–: Voy a cambiarme que ahora mis preciosas tetas tienen dueño.

Levantando una ceja, sonrió y le dijo que la esperaba en el ascensor. Medio minuto después subían en él y sin llamar a la puerta entraron como un torbellino en el despacho del director del hotel.

—¿Ocurre algo?

—¿Sabes dónde está Nerea? –preguntaron a la vez.

—Se ha ido a su habitación, necesitaba descansar.

—No, ahí no está –contestó Ada tendiéndole la nota.

Alejandro la leyó varias veces y llamó a recepción para ver si la habían visto salir. Mónica, la recepcionista, se lo confirmó. Hacía aproximadamente una hora y media que había abandonado el hotel, pero no sabía a dónde se había dirigido.

—¿La habéis llamado al móvil?

Los jóvenes se miraron. No se les había ocurrido. Alejandro al verles las caras, puso los ojos en blanco y cogiendo su móvil marcó el número de su hija. Directamente le saltó el buzón de voz.

—No quiere hablar con nadie. Me ha saltado el buzón. –Bajó la mirada, suspiró y entrelazó los dedos, algo que siempre hacía cuando estaba preocupado y que Hugo sabía–. Id a ver si está su coche en el garaje.

Ada salió del despacho derecha hacia el garaje mientras Hugo se quedaba junto a Alejandro y apoyaba la frente en la ventana.

—Tranquilo, volverá.

—No sólo me preocupa eso, Alejandro —este sonrió. Estaba claro que el joven quería a su hija y la idea de que desapareciera de su vida, le martirizaba–. Me preocupa perderla –le confesó.

—Siéntate. –Le señaló la silla frente a él– Vamos, sabes que no muerdo.

Hugo le hizo caso y le miró.

—Cuando conocí a Carolina, la madre de Nerea y la que fue la mujer a la que más amé, tenía veinte años. Yo era como tú. En la universidad era un mujeriego, no había chica que se resistiera a mis encantos. Entonces un día en la biblioteca la vi. Iba preciosa con su vestido azul y sus botas marrones que dejaban parte de sus piernas a la vista –Hugo sonrió–, me acerqué a ella y me presenté, pero ya había oído hablar de mí, así que cuando vio mis intenciones me dio un rodillazo en mis partes nobles y se fue mandándome a freír espárragos. –El joven soltó una pequeña carcajada. Con Nerea le había pasado algo muy parecido–: No me rendí, quería ir a por ella y cuanto más pasaba de mí más me enamoraba hasta que un día la vi llorando en la playa y me acerqué.

»Al principio quería que me fuera, pero no lo hice y conseguí que se desahogara conmigo. Por lo visto el chico con el que estaba saliendo la había dejado por no querer acostarse con él. Mi Carolina era virgen en ese momento. Me dieron ganas de ir a romperle la cara a ese imbécil. Quise llevarla a su casa pero me miró con sus ojos lagrimosos y me pidió que no lo hiciera. No quería que la vieran así porque sus amigas se lo habían advertido. La llevé a mi piso y le presté mi cama. Me iba a ir al sofá cuando me pidió que me quedara con ella y la abrazara. –Una sonrisa triste apareció en su cara al recordarlo–. Y lo hice. Fue la mejor noche de mi vida. Al día siguiente nos despertamos sintiendo una sensación extraña pero al verla con el pelo revuelto y los ojos hinchados, supe que esa imagen era la que quería ver cada mañana al despertarme. Pasamos el día juntos y al llegar la noche la llevé en moto a su casa, pero antes de que ella se bajara, lo hice yo y sentándome frente a ella, le quité el casco y la besé. Pero había un problema. Ella era de Logroño y yo de Valencia. Salimos durante dos años hasta que nos graduamos y ella se fue. Sabíamos que el día llegaría pero no hablábamos de ello, sólo aprovechábamos cada momento –suspiró–. Yo estuve en la situación en la que ahora mismo está mi hija. Estuvimos tres meses separados hablando por teléfono, pero cada vez que colgaba y miraba mi piso lo veía vacío. Hice las maletas y fui en su busca.

—¿Por qué me cuentas esto?

—Porque veo el miedo que tienes a que se vaya. Ese miedo lo tuve yo y tardé tres meses en ir a buscarla. Es lo que le digo a mi niña, el tiempo lo decide todo. –Se puso de pie y sentándose a su lado le pasó el brazo por los hombros–. La primera vez que os vi juntos me recordasteis a mí y a Carolina de jóvenes. Sabía que estabais destinados a estar juntos, por eso no dijimos nada y dejamos que las cosas sucediesen solas, aunque dándoos empujoncitos. Sólo espero que si vuestra historia sigue adelante, tenga un final feliz. La mía, por desgracia, no lo tuvo pero espero que la vuestra sí.

Le apretó el hombro y salió del despacho para dejarle solo, aunque no era el único que lo necesitaba. Alejandro se apoyó en la puerta y sacando un pañuelo blanco se secó algunas lágrimas. Nunca dejó de querer a su Carolina y nunca dejaría de arrepentirse de no haber luchado por ella. Al ver a Ada correr hacia él, se guardó el pañuelo y esperó a que lo alcanzara.

—No está el coche. ¡Dios mío! ¡Se ha ido!

La puerta del despacho se abrió saliendo de ella un asustado Hugo.

—¿Cómo que se ha ido? ¿A Oviedo?

—No... ¡No lo sé!

—¿Has mirado si sus maletas están en la habitación? –preguntó Alejandro.

—Voy a ver.

Los tres subieron y para su alivio comprobaron que sus cosas estaban ahí a excepción del bolso.

—¿A dónde habrá podido ir con el coche?

—Creo que lo sé –respondió Hugo–. Volveré en unas horas.

Cogió su casco que guardaba en recepción y condujo hasta la urbanización donde la había llevado en varias ocasiones. ¡Tenía que estar allí!

*

Eran las doce de la noche cuando Nerea regresó al hotel. Había pasado el día en el Oceanogràfic de Valencia y en la Ciudad de las Artes y las Ciencias. Su padre siempre la llevaba ahí para pasear debajo de miles de peces y tiburones. Le encantaba. Alzaba la mano intentando tocarlos y reía viendo a los pingüinos. Gozar de esa paz y tranquilidad en la oscuridad con la única luz azulada de las aguas la tranquilizaba y le hacía olvidar la cruda realidad. Disfrutó del espectáculo que ofrecían los delfines sonriendo y aplaudiendo como cuando era niña y de las diferentes curiosidades científicas que de pequeña la volvían loca. Había pasado allí todo el día hasta su cierre. Se había agobiado tanto en el hotel que necesitaba escapar y desconectar y lo había conseguido durante unas horas. Cuando salió de ese pequeño paraíso, encendió el móvil y vio que tenía cincuenta y dos llamadas perdidas. Cinco de Elena, seis de Laila, diez de Ada, una de su padre y treinta de Hugo. Suspiró. Le esperaba un buen sermón por parte de todos cuando regresara, aunque sólo hablaría con su padre. Cenó en el local donde siempre la llevaba su progenitor y al mirar el reloj supo que ya era hora de volver. Tendría que enfrentarse a lo que sucediera, pero se veía incapaz de acabar con nada. Quería que todo terminase. Quería ser capaz de tomar una decisión. Quería escoger la decisión correcta y que la hiciera feliz. Agotada, condujo de regreso a Gandía.

*

—¿Dónde coño estabas, Hugo? Te tocaba a ti animar el bar-salón —le replicó Samuel saliendo del hotel tras escuchar el ruido de la moto—. Pienso cobrarme estas horas extras.

—Nerea ha desaparecido —dio una patada a la rueda de la moto. Si no es por la pata de cabra, la hubiera tirado al suelo—. Me he vuelto loco buscándola. ¡Maldita princesita!

Samuel comenzó a reír.

—No te rías, capullo. Ya me gustaría verte en esta situación.

—Macho, estás pillado.

—Cállate o no te hago las horas —Samuel alzó las manos en señal de paz y se sentó en un escalón. Hugo le imitó—. Todo esto puede conmigo.

—Nadie dijo que las relaciones fueran fáciles —le ofreció un cigarrillo que aceptó.

—A veces pienso que si la hubiera dejado en paz no estaríamos así.

—En eso tienes razón —dio una calada—. Pero tampoco habrías disfrutado de las sensaciones que has experimentado junto a ella. Dime, si pudieras volver al día en que la conociste, ¿qué harías?

Hugo no lo dudó.

—Volvería a hacer lo que he hecho. No cambiaría nada de estos dos meses.

—¿Ni siquiera cuando te exprimió los cascabeles?

—Ni siquiera —contestó riendo—. Mi princesita Cascanueces es única y no la cambiaría por nada.

Unas risas los sacaron de su ensueño y miraron a su izquierda. Dos estudiantes borrachas intentaban caminar sobre sus tacones de aguja en dirección al hotel. Hugo las reconoció como las dos estudiantes de Madrid que habían intentado ligar con él unos días atrás. Si las hubiese visto Nerea, las habría dejado calvas. Vestían con un vestido a cuál más corto y reían sujetándose la una a la otra hasta que cayeron en la dura acera, pero sin dejar de reír. Los animadores al verlas caminaron hasta ellas para ayudarlas a llegar a sus habitaciones.

—Hombre —dijo una de ellas completamente borracha a Hugo—. Si está aquí el protagonista de mis más húmedos y calientes sueños —Intentó besarle, pero Hugo se apartó—. ¿Vas a darme esta noche lo que escondes? —le apretó la entrepierna.

—Señorita, suelte eso por favor.

La otra chica que se resistía a la ayuda de Samuel, se puso de pie y empujándole, se tiró a los brazos de Hugo echándole los brazos al cuello.

—Yo te daré más placer que ella.

—¡Serás zorra! —replicó la otra riendo y abrazándose a la cintura de Hugo—. Podemos pasarlo muy bien los tres.

Hugo intentó quitárselas de encima pero no podía. Las chicas se lanzaban a alcanzar sus labios y hacía esfuerzos sobrehumanos para que no lo hicieran. De repente notó como una le lamía el cuello pero rápidamente se apartó. Cansado, alzó la vista y vio a Nerea frente a él, parada y negando con la cabeza. Sus ojos mostraban furia e intentando contener las lágrimas los cerró y comenzó a subir las escaleras para irse a su cama. ¡Menudo día!

—¡Joder, mierda! —empujó a las chicas sin importarle lo más mínimo si las hacía daño y corrió tras ella—. ¡Nerea! —la llamó—. No es lo que parece, déjame explicarte.

Como respuesta ella le tiró el bolso a la cabeza y le dio una patada en la entrepierna lo que hizo que él se encogiera de dolor.

—Joder, princesita —dijo sin aliento—. ¿Volvemos a tiempos pasados?

—¡Yo confiaba en ti! ¡Imbécil! —bramó enfadada con lágrimas en los ojos.

—Sí, volvemos a tiempos pasados. Nerea, escúchame, por favor, no es lo que parece. Estaba con Samuel hablando de que me tenías preocupado y han llegado ellas y…

—¡No quiero escucharte! —recogió su bolso y dio media vuelta para irse.

Pero no estaba dispuesto a que se fuera y alcanzándola, la agarró por la muñeca y la cargó al hombro llevándosela lejos de la mirada de la recepcionista.

—¡Suéltame!

—Ni lo sueñes.

Abrió la puerta de la piscina y la sentó en una de las mesas aprisionándole las piernas y los brazos para que no le volviera a pegar.

—Ahora que no te puedes mover, me vas a escuchar porque tú también me debes una explicación. ¡No tienes ni idea de lo preocupado que estaba por ti! He estado todo el puto día buscándote, me he recorrido la urbanización donde te llevo de arriba abajo e incluso te he buscado en nuestra cala. —Le soltó las manos para pasárselas por el pelo—. Te he llamado mil veces al móvil ¡¿Por qué lo tenías apagado?! Me he vuelto loco pensando que te podía haber pasado algo y he llegado ahora mismo de recorrerme todo Gandía desesperado por no haberte encontrado. Me he encontrado con Samuel y hemos visto a dos clientas del hotel borrachas como una cuba que no podían andar y hemos ido a ayudarlas, pero se han lanzado las dos a mi cuello y por más que intentaba quitármelas de encima no he podido, pero ¡joder! Han sido ellas, no yo.

—No te veía hacer esfuerzos por apartarlas —atacó sin querer darle la razón— y tampoco te importa dónde he estado o dejado de estar.

—Cree lo que quieras, princesita. ¡Eres imposible! Y todo en cuanto a ti me importa, porque te q...

Nerea le tapó la boca con la mano asustada. No le iba a permitir que le dijera esas dos palabras. Suficiente tenía con sentir por él lo que sentía como para añadirle más.

—No digas nada. —Lentamente le quitó la mano de la boca—. Por favor...

—Está bien. —Quiso abrazarla pero ella se lo impidió.

—Será mejor que me vaya a la cama. Así puedes disfrutar de tus putitas —dijo con retintín bajándose de la mesa.

—¿Otra vez con eso? Nerea joder —maldijo—. Pregúntale a Samuel si quieres.

Pero ella no le escuchaba, caminaba a paso ligero alejándose de él. No pensaba rendirse, quería que le creyera y corriendo se puso delante de ella.

—Joder, Nerea. ¿Por qué no me crees?

—¡Porque antes te follabas a medio hotel! —le gritó.

—Tú lo has dicho. ¡Antes! Por favor, Nerea, no me hagas esto... —le suplicó.

—Buenas noches, Hugo.

Él la dejó marchar sabiendo que si continuaba presionándola empeoraría las cosas. Dio un puñetazo a la pared para posteriormente apoyar la frente en ella. Nerea se estaba alejando de él y eso le destrozaba.

Nerea entró en la habitación y comprobó que Sergio no estuviera. Por suerte, sólo estaba Ada dormida y con la tele encendida. La apagó y poniéndose el pijama se acercó a la mesilla de Ada a apagar la luz.

—¿Nerea? —dijo somnolienta—. Dios mío ¡¿estás bien?! —Se puso de rodillas—. Nos tenías a todos preocupadísimos. Hugo ha ido a buscarte y a las once aún no había vuelto.

—Lo sé, me he encontrado con él abajo y muy bien acompañado.

—¿Qué dices?

—Lo que oyes. Estaba muy bien atendido por dos guarras borrachas. —Abrió la cama y se metió en ella enfadada—. Me siento estúpida.

Ada se levantó y se tumbó con ella.

—¿Te ha explicado lo sucedido?

—Según él eran clientas del hotel que las ha ido a ayudar y se le han pegado como lapas.

—¿No le crees?

—Sí, pero estoy harta de que siempre intenten ligar con él.

—Eres estúpida —soltó una carcajada—. Si le crees no tendrías que estar en la misma cama que yo, sino con él en la suya.

Nerea le golpeó el brazo.

—Perdona, guapa, eres tú la que está en mi cama. Y necesito estar sin él ahora mismo. Lo siento así...

—Anda, princesita —se mofó—. Vamos a dormir pero no esperes que yo te despierte con un beso.

22

A la mañana siguiente Nerea no quería levantarse de la cama, pero necesitaba urgentemente una ducha. Ada se había quedado dormida en su cama y estaba muy sudada. Con cuidado, le quitó la mano que reposaba en su pecho y la apartó para poder levantarse. El agua tibia corrió por su cuerpo y cerró los ojos recordando lo del día anterior. Todo había acabado. ¿O no? Demasiadas cosas en menos de cuarenta y ocho horas. Sin secarse el pelo, se puso unos pantalones cortos rosas y una camiseta de tirantes negra algo holgada. Pasaría el día con sus amigas fuera del hotel. La noche anterior Ada le comentó que pasarían el día en la playa y comerían en uno de los chiringuitos, y que más tarde irían a la discoteca donde trabajaba Sergio.

Mientras tanto, Hugo estaba pensativo. ¿Qué había pasado? ¿En serio todo se iba a acabar por un maldito malentendido? No había podido dormir en toda la noche pensando en ella. La necesitaba a su lado y la habitación estaba vacía sin su presencia. Necesitaba besarla al despertarse y volver a hacerlo al dormirse. Pero ya no sabía qué hacer. Era una cabezota que había sufrido bastante a lo largo de su vida y ante eso, poco podía hacer para que confiara.

—¡¡Hugo, baja de las nubes, joder!! Que esto pesa y no me estas ayudando —le regañó Samuel.

—Perdona, no es un buen día.

—Ayúdame a bajar el puñetero piano y hablamos.

Sin ganas, le ayudó a elevar su parte del gran piano de cola y siguieron bajándolo por las escaderas hasta ponerlo en el pequeño espacio que separaba el *hall* del comedor donde los clientes esperaban mesa. Ese era el día temático de la música, harían actividades, comidas y espectáculos relacionados con ella. Enseñarían a los niños cómo hacer música con su cuerpo y a utilizar instrumentos musicales sencillos como el xilófono o el piano electrónico. Pero ese día Hugo parecía todo menos un animador. Tenía la mirada ausente y su cara de preocupación lo que menos hacía era animar.

Alejandro les abrió las dos puertas por donde se accedía al restaurante y con cuidado dejaron el piano en una esquina.

—¡Puff! –suspiró Samuel quitándose el sudor de la frente–. ¿A quién se le ocurrió guardar el piano en el último piso?

—A mí –rio Alejandro–. Así hacéis ejercicio.

Samuel observó el piano colocado y propuso:

—Lo podemos dejar ya. En esa zona no solemos poner nada y no molesta, además, queda bien.

Alejandro miró y pensando en la propuesta sonrió. No le parecía mal. Pero ordenó que se llevaran la planta que estaba junto al piano o esa esquina quedaría demasiado recargada. Hugo y Samuel salieron, pero el primero se giró hacia Alejandro.

—¿Sabes algo de Nerea? –le preguntó preocupado.

—Desde ayer no y no me ha devuelto la llamada. No sé dónde puede estar y comienzo a preocuparme –se masajeó la frente.

—Está en Gandía. Lo siento, se me olvidó decírtelo. No sé dónde estuvo pero volvió por la noche y… discutimos por un malentendido.

—Lo mejor será que no la presionemos. Sé cómo se siente porque ya te conté que pasé por lo mismo que ella.

—Yo no quiero que se vaya –se sinceró apoyando la cabeza en la pared.

Alejandro no pudo evitar que una sonrisa apareciera en su rostro y se acercó al muchacho para apretarle el hombro y mostrarle su apoyo.

—Yo tampoco, Hugo. Pero es su decisión y aunque no nos guste, hay que respetarla. De todas formas, siempre podemos tomar nosotros las nuestras para conseguir lo que queremos.

Le dio una pequeña palmadita y le dejó pensativo. Consciente de que debía trabajar, pasó sus dedos por todas las teclas del piano y bajando la tapa comenzó a subir los escalones de dos en dos para coger el resto de los instrumentos con los que jugarían con los niños.

*

—Vale, una cosa —dijo Elena señalándolas de una en una— Ada, no quiero que finjas nada para tirarte a nadie y vosotras dos —señaló a Laila y Nerea— si os metéis en el mar no montéis el numerito por una medusa. —Puso en alto dos dedos haciendo el gesto de poner entre comillas.

—Una pena no haberos visto —rio Ada tumbándose bocabajo apoyando la cabeza en los brazos y cerrando los ojos—. Y tengo novio, no voy a liarme con nadie salvo con él. Novio... me suena raro.

Pasaron el día tomando el sol y dándose cortos baños para refrescarse de vez en cuando. Bebieron granizados de todos los sabores y jugaron a las palas formando un cuadrado donde todas se divirtieron pasando mal la pelota. Durante ese juego, Nerea desvió la mirada al mar donde vio a una pareja jugando con el agua, salpicándose o haciéndose aguadillas. Los labios se le relajaron hasta formar una línea recta recordando sus momentos vividos con Hugo. En la playa, en la piscina, en la pequeña urbanización, pero sobre todo recordaba lo vivido en la habitación de él, donde las caricias y las palabras íntimas inundaban la estancia.

Ada cogió la pelota de plástico y se la tiró a Nerea a la cara para que bajara de las nubes.

—Nerea, deja de pensar en Hugo y vamos a jugar al voleibol, aunque sea sin red. A quien se le caiga la pelota tiene que quitarse una prenda de ropa —bromeó riendo.

—Sí hombre, si sólo llevamos el biquini —protestó Laila.

—Era broma, pero hagamos como el juego del burro. Cuando a alguna se nos caiga la pelota a la arena se le asignará una letra y la que complete la palabra «burro» tendrá que pasar una pequeña prueba.

Todas se callaron quedándose pensativas ante la proposición de Ada. No sería una prueba ni peligrosa ni demasiado bochornosa y las risas estaban aseguradas. Así que, ¿por qué no?

—Vale, pero acordemos antes la prueba —propuso Elena.

—¡Ronda de collejas! —saltó animada Laila aplaudiendo.

—Y una mierda —se quejó Ada con la pelota en la mano—. Si de algo son las rondas, son de chupitos.

Ada bajó la mirada pensando y dejando caer la pelota dio una palmada.

—¡Lo tengo! Esta noche hay concurso de karaoke en el hotel, así que después de cenar y antes de irnos a la discoteca, la que complete la palabra «burro», se tiene que apuntar.

—¡Ni de coña! —gritaron las tres a la vez.

—Menudas rancias... es eso o despelotarse en la playa.

Al final aceptaron el reto y comenzaron a rezar para que a ninguna se les cayera la pelota. Sacó Ada hacia Elena quien golpeó tan fuerte que hizo que Nerea tuviera que correr para darle pero finalmente no llegó.

—¡Tienes la B! —gritó Ada sonriendo—. ¡Sigamos!

Continuaron con el pequeño juego mientras gritaban, reían y sobre todo, disfrutaban. Golpeaban la pelota intentando que las otras le dieran, pero a medida que las letras avanzaban, iban poniéndolo más difícil haciendo mayores esfuerzos para que la pelota no tocara la arena.

—Un momento —dijo Laila con la respiración agitada—. Descanso y hacemos recuento. Ada tiene «bur», Nerea también, yo «bu» y Elena «burr». Así que, Elena... ¡cuidadito! ¿Veis? Algo tiene de bueno ser bajita, que cuando me la tiráis en dirección al suelo no tengo que agacharme tanto.

Incorporadas, Laila elevó la pelota con la mano izquierda y la golpeó con la derecha hacia Ada, quien no la vio venir y se le cayó.

—¡Mierda! —maldijo cuando a sus letras se le añadió otra «r».

Sólo estaba a una letra de perder y no estaba dispuesta, por lo que sacando se la tiró con fuerza a Elena quien reaccionó a tiempo desviándosela a Nerea. Esta no estaba atenta, por lo que empató con Ada y Elena. No dispuesta a cantar en el hotel y menos delante de Hugo, se la tiró haciendo un buen pase a Laila quien remató a los pies de Elena convirtiéndola en la perdedora. Todas gritaron y saltaron cuando acabó el juego menos Elena que soltando un gran « ¡No!» se dejó caer de rodillas en la arena tapándose la cara.

—No has hecho nada y ya tienes vergüenza —se mofó Laila.

A las ocho de la tarde, decidieron recoger y darse una rápida ducha antes de cenar. Nerea subió corriendo por las escaleras, dispuesta a no encontrarse con Hugo. No quería verlo, ni que la viera, no quería hablar con él, no quería saber nada de él. La noche anterior algo murió en ella al verle rodeado por esas dos chicas ¡y para más inri una le besaba el cuello! Furiosa se duchó y metió prisa a sus amigas para no tener que esperar mesa. Extrañadas por su actitud, la hicieron caso y al llegar al restaurante, Nerea se sentó en una de las mesas más alejadas.

—¿Más lejos de la comida no te podías poner? —dijo Ada con ironía dejando el bolso en la silla.

Nerea no contestó, sino que se levantó a coger su comida. No tardó ni cinco minutos y la comió a la velocidad del rayo dispuesta a largarse cuanto antes de allí. Sus amigas intentaron detenerla pero ella se excusaba.

—No te puedes ir, Nerea —protestó Laila—. Tenemos que ver a Elena en el concurso.

—De verdad, chicas, que no me apetece, estoy muy cansada pero pasadlo bien —contestó agobiada fijándose en la puerta.

—¡¿Pero se puede saber qué te pasa?! —la sobresaltó Ada—. ¿Es por Hugo? ¿Por lo que me contaste anoche? Joder, Nerea, fue un malentendido y tú lo sabes. ¡¿Cómo puedes ser tan cabezota?!

—No es por eso… —mintió en voz baja—. ¡Vale sí! ¿Pero tú qué harías si te encuentras a Sergio rodeado de dos zorras besándole el cuello?

Elena y Laila se miraron sorprendidas ¿Qué había pasado?

—Pues creerle a él. Porque según tú, Hugo sólo ayudaba a dos clientas que estaban como una cuba a entrar en el hotel ya que como empleado es su deber y no creo que él quisiera que le besaran el cuello, pero allá tú, Nerea. Estás renunciando a una relación que puede tener un final feliz.

—No... tarde o temprano acabaría –dijo con voz triste.

—Eso no lo sabes... –suspiró Ada.

—Sí lo sé. Buenas noches.

Nerea abandonó el restaurante más deprisa de lo que había llegado secándose los ojos antes de que ninguna lágrima se derramara. Ada no le quitó ojo hasta que desapareció de su vista y mirando a Laila y Elena que la observaban con cara de incredulidad, les resumió lo ocurrido el día anterior entre Nerea y Hugo.

—¡Qué fuerte! ¿Y la boba esta no le cree? –dijo Laila estupefacta.

—Sí le cree, pero no sé qué le pasa para que esté así. ¡Es una cabezota!

Sin querer darle más vueltas, salieron del comedor y entraron en el bar-salón. Con una sonrisa maliciosa, Ada se acercó a Samuel para que inscribiera a Elena en el concurso de karaoke.

—¿Y las demás? ¿No os animáis? –le preguntó Samuel a la pelirroja apuntando el nombre de Elena.

—No, es que ha sido una especie de apuesta.

—Vaya, y le ha tocado por lo que veo –rio–. Vale, ahora dime qué canción va a cantar.

—¿Hay que elegirla ya?

—Sí, así lo vamos preparando cuando baje el otro que no sé dónde se ha metido –bufó refiriéndose a Hugo.

Ada cogió el libro con las cientos de canciones que había y cuando vio una que podía prometer, se la enseñó a Samuel y este, con una sonrisa, la apuntó.

—Ya estoy aquí –dijo una voz profunda tras ellos.

—Joder, macho, ya era hora.

—Lo siento, no sabía la hora que era –contestó Hugo apurado pasándose una mano por el cuello–. Hola, Ada.

—Hola, Huguito —y al ver cómo la miraba a ella y a su alrededor dijo—: Nerea no está aquí, se ha ido a la habitación, te cree, pero es una cabezona. Suerte.

Le dio un par de palmaditas en el brazo y se sentó junto a sus amigas para disfrutar de un cubata antes de salir de fiesta. El concurso empezó. Había participantes de todas las edades y cantando todo tipo de canciones. Desde el *Aserejé* hasta Pimpinela, pero Ada no dejaba de mirar a Hugo. Estaba apagado y sus ojos azules, tristes y preocupados. Apenas se concentraba trabajando y Samuel ya le había llamado la atención varias veces como a un niño despistado. Por desgracia, ella no podía hacer nada. Las cosas siempre pasaban por algo. Llamaron a Elena a ocupar el centro de la sala y roja como un tomate cogió el micrófono que le tendía Samuel, pero le detuvo antes de que se fuera.

—Espera, ¿qué canción puedo elegir?

—Tu amiga ya la ha elegido. —Miró el papel donde tenía los participantes con su canción apuntados.— Tú cantas la de *Para hacer bien el amor* de Raffaella Carrá.

Elena abrió la boca mientras Samuel se iba y maldijo por lo bajo.

—¡¡La mato!!

Samuel puso la música y muerta de vergüenza empezó a cantar quedándose quieta y a un volumen muy bajo. Laila y Ada se tapaban la cara para que no las viera reír. La pobre Elena estaba rígida como un palo sin saber cómo moverse o a dónde mirar. A Ada comenzó a darle pena y tras acabarse el cubata, se levantó y anduvo hasta ella sin dejar de bailar hasta que cogiéndole el micrófono lo puso en medio. El estribillo llegó y ambas más animadas y confiadas comenzaron a cantarlo a pleno pulmón haciendo que el público participara aplaudiendo o cantando desde sus asientos. Aún sentada, Laila aplaudía hasta que ella decidió también apuntarse y se unió a ellas en el centro del salón cantando y bailando. Cuando la canción acabó las tres se abrazaron riéndose y se inclinaron hacia delante a modo de agradecimiento por los aplausos. Se despidieron lanzando besos dispuestas a seguir con la fiesta en la discoteca, donde podían cantar sin ser escuchadas.

A la una de la madrugada, cuando el bar-salón quedó vacío, Hugo y Samuel recogieron todo, apagaron los focos y se despidieron de los camareros que estaban limpiando.

—¿Estás bien, Hugo? Hoy has estado... como si no estuvieras.

—No, la verdad. Lo siento, mañana estaré mejor.

—¿Necesitas hablar?

Hugo negó con la cabeza.

—Mejor mañana, ¿vale?

Samuel asintió y pulsó el botón del ascensor para subir a recoger sus cosas. Estaba cansado y quería irse a casa. Hugo le vio marcharse y quedándose unos minutos parado, giró la cabeza clavando su mirada en el piano. Poco a poco se encaminó hacia él y sentándose en la banqueta, levantó la tapa y comenzó a tocar notas sueltas.

Nerea no podía dormir. Por más que lo intentaba la imagen de Hugo pasaba por su cabeza una y otra vez. Acurrucada en la cama no dejaba de pensar en el día anterior e incluso analizó lo que sus ojos vieron y le contó Hugo. Harta de dar vueltas, se puso una fina chaqueta gris clara de manga tres cuartos y bajó para ver si su padre estaba en el despacho. Hablar con él siempre la ayudaba, pero el sonido dulce de un piano hizo que sus pies se desviaran al lugar de donde procedía. Y le vio. Apoyándose en la pared, observó los gestos de Hugo. No había tensión en su rostro y se le veía relajado con los ojos cerrados sintiendo lo que tocaba. Sus dedos se movían hábiles por las teclas y su respiración regular acompañaba a sus movimientos.

A Hugo, de niño, su padre le pagaba las clases de piano en una casa particular y aunque al principio no le gustaba, con el paso del tiempo comenzó a ir con más ilusión, sobre todo cuando su madre se ponía violenta y veía en las clases y la música una manera de huir de la realidad. Cerró los ojos sintiendo la música fluir de sus dedos sin darse cuenta de que unos ojos lo observaban. De repente paró y abriendo lentamente los ojos se giró hacia la puerta notando cómo un hormigueo le recorría de arriba abajo.

Nerea, vestida con el pijama, dibujó una pequeña sonrisa pero no se movió. Comenzó a frotarse el brazo derecho nerviosa como si tuviera frío pensando qué hacer o decir.

—Ven —le susurró Hugo tendiéndole la mano.

A paso lento caminó hacia él, hasta que su mano cogió la suya y tirando suavemente de ella, le hizo sentarse a su lado. Ella aún no había dicho nada, pero bajó la cabeza hasta quedar recostada en su hombro. Él aprovechó este gesto para girar un poco el cuello y besarla en la frente.

—Toca algo —le pidió en voz baja.

Poniendo de nuevo los dedos en las teclas, comenzó a tocar las primeras notas de la pieza *Orobroy* de Dorantes. Nerea disfrutó de la preciosa melodía sin levantar la cabeza de su hombro. Cerró los ojos transportándose a otro universo, en el que sólo estaban ellos dos. Solos y juntos. La dulce canción y la cercanía de su cuerpo hicieron que se relajara por completo. Finalizada, Hugo echó el banco hacia atrás e hizo que Nerea se sentara en su regazo frente a él. Necesitaba abrazarla, olerla, besarla. En el abrazo, depositó un tierno beso en su cuello aspirando su perfume hasta que ella se separó apoyando la frente contra la suya.

—Lo siento —dijo al final—. Siento haber sido tan cabezota y no haber confiado en ti.

—¡Chsss! —la mandó callar retirándole el pelo de la cara—. Ya está, mi amor. No pasa nada.

Nerea le dio un dulce beso y volvió a abrazarse a él. Por fin se sentía bien. Hugo, más relajado tras lo ocurrido, comenzó a acariciarle el pelo sin dejar de repartir cientos de dulces besos por su cara.

—¿Todo bien? —le preguntó a Nerea al notarla relajada entre sus brazos.

—Sí, todo bien.

Deshizo el abrazo pero sin levantarse de su regazo, se retiró el pelo de la cara y entrelazó los dedos con los suyos jugueteando con ellos.

—No tengo sueño —dijo Nerea con voz mimosa mirando sus manos—. Tengo antojo de chocolate.

Hugo soltó una suave carcajada pero una idea se le cruzó por la cabeza. Hizo que Nerea se levantara de su regazo para después ponerse él de pie y cerrando la tapa del piano, metió la banqueta bajo este. La cogió de la mano y tras pedirle silencio, cruzó el restaurante con ella hasta llegar a la puerta que daba acceso a la cocina.

—¿Por qué me has traído aquí? –preguntó extrañada Nerea.

—Porque tienes antojo de chocolate y creo que es hora de enseñarte cómo se hacen los *cupcakes*.

Nerea abrió la boca estupefacta y se echó a reír.

—¿A la una y media de la madrugada? –soltó riendo–. Estás loco.

«Por ti», pensó Hugo pero no lo dijo.

—Perfecta hora para cocinar. Venga vamos.

Entre risas y de la mano llegaron a la enorme cocina y Hugo comenzó a sacar todos los ingredientes necesarios además de los utensilios, mientras Nerea le observaba. Encendió el horno para que se fuera calentando y dejó un bol en una de las encimeras, con el dedo índice le indicó que se acercara. Con una divertida sonrisa lo hizo y comenzó a ayudarle mezclando primero el cacao en polvo, el azúcar, la harina, la levadura y una pizquita de sal. Formada la masa, Nerea rompió en el bol dos huevos como le había indicado Hugo mientras él echaba la leche y el extracto de vainilla y lo removía. Entre los dos mezclaron los ingredientes y un intenso olor a chocolate comenzó a inundarles las fosas nasales. Mordiéndose el labio inferior, Nerea metió un dedo y se lo llevó a la boca soltando un gemido por su delicioso sabor. Hugo la miró haciéndose el enfadado y metiendo dos dedos le manchó una de sus mejillas. Divertida, cogió la cuchara sopera con la que removían la masa y le echó el chocolate que había en ella manchándole la camiseta y la cara. Sin decir nada, Hugo se dirigió hacia un lado de la inmensa cocina y cogió un cucharón. Al ver sus intenciones, Nerea comenzó a correr por la cocina protegiéndose con todo lo que veía, pero Hugo la atrapó inmovilizándola contra su pecho y dejó caer el líquido marrón por el pelo de Nerea.

—¡¡El pelo no!! –gritó intentando soltarse sin conseguirlo, pero pudo liberar una de sus manos para atrapar el cucharón volcándolo en la cabeza de él. Ambos quedaron pringados de chocolate–. ¡Por listillo!

Hugo soltó una carcajada y la liberó dejando el cucharón en la pila para lavarlo.

—Nos hemos quedado sin la mitad de la masa por tu culpa —la acusó Hugo.

—¿Por mi culpa? —dijo señalándose—. Yo sólo he cogido un poquito para probarla, ¡tú me has empezado a manchar!

—Anda, princesita. —Le dio un suave azote—. Vamos a rellenar algunos moldes.

Rellenaron media docena de moldes hasta la mitad y una vez que el horno estuvo a la temperatura adecuada, los metieron. Hugo dejó el trapo que había usado para no quemarse al lado del horno y cogiendo papel de cocina, le ofreció a Nerea para limpiarse un poco. Se quitaron todo el chocolate posible y se sentaron en el suelo a esperar los quince minutos que les quedaba a los *cupcakes*.

—¿No te dirán nada si te pillan aquí?

—La cocina está cerrada a estas horas, y cuando me entran antojos nocturnos siempre bajo a pillar algo.

Volvieron a entrelazar sus dedos quedándose un largo tiempo callados.

—¿Volverás a dormir conmigo? —le preguntó Hugo con voz suplicante rompiendo el silencio.

Nerea le miró a los ojos y soltó el aire retenido.

—Tengo que ducharme y cambiarme de pijama. Me has puesto perdida —respondió con una sonrisa.

—Princesita, tengo ducha y el pijama que dejas debajo de la almohada sigue ahí. Ven conmigo —le rogó poniéndole ojitos.

Enternecida, se colocó a horcajadas sobre él y le cogió del rostro dándole un pasional beso notando cómo sus fuertes brazos la envolvían por la cintura pegándola más a él.

—Está bien, pero te tendrás que duchar conmigo —levantó las cejas divertida—. Estoy muy cansada y necesito que alguien me frote la espalda.

—Pobre princesita —sonrió Hugo—. Menos mal que soy todo un caballero y te ayudaré encantado.

—Bueno, no hace falta que seas muy caballeroso dentro de la ducha.

Hugo soltó una carcajada y volvió a atrapar sus labios hasta que el pitidito del horno les indicó que los *cupcakes* ya estaban listos. Cogiendo el trapo que había dejado al lado del horno, Hugo sacó la bandeja y Nerea aplaudió al ver los deliciosos pastelitos. Los envolvieron en papel de aluminio y los pusieron en una bolsa para subirlos a la habitación. Limpiaron todos los utensilios de cocina que habían usado salpicándose, sin dejar de jugar, con el agua de las manos. Subieron al dormitorio con los *cupcakes* dentro de una bolsa para que se fueran enfriando mientras ellos se duchaban y hacían el amor con el agua cayendo sobre sus cuerpos. Limpios y vestidos, sacaron dos de ellos de sus moldes y los comieron entre risas y besos, pero esta vez, sin mancharse.

23

La vibración del móvil en la mesilla de noche le despertó de su sueño. Hugo suspiró molesto y alargó el brazo derecho para cogerlo y mirar quién le llamaba a esas horas de la madrugada. En la pantalla vio el nombre de Alejandro. Si le llamaba a esas horas de la noche era porque algo ocurría. Notó como Nerea se revolvía a su lado y girando la cara hacia ella, le siseó para que no se despertara pero ella abrió los ojos y se acurrucó más contra él.

—¿Ya son las seis? —preguntó somnolienta.

—Aún faltan tres horas —le susurró Hugo dándole un beso en la mejilla—. Duérmete, tengo que ir a hablar con tu padre.

Extrañada, apoyó los antebrazos en el colchón y elevó levemente su cuerpo para hablar mejor retirándose el pelo de la cara.

—¿Con mi padre? ¿Ha ocurrido algo?

—No lo sé —dijo en un susurro.

Hugo se puso unos vaqueros desgastados y tras coger la camiseta del trabajo, apoyó una rodilla en la cama y le dio un suave beso en los labios a Nerea. Salió de la habitación con cuidado de no hacer demasiado ruido, donde Alejandro ya le esperaba en el pasillo con gesto preocupado. No le dijo nada y le hizo seguirle hasta el despacho de su padre. En el trayecto en ascensor, Hugo abrió la boca varias veces. Estaba muerto de sueño, pero Alejandro ni se inmutaba. Miraba al frente y estaba sumergido en sus pensamientos. Y por su gesto, no eran buenos. Cruzaron la recepción y Alejandro saludó con un movimiento de cabeza a la recepcionista lo que alertó a Hugo. Eso no era propio de él.

Tras dar dos golpes a la puerta del despacho de Pedro, Alejandro abrió. Este se encontraba recostado, con la silla girada hacia la estantería, dando la espalda a la puerta. Su brazo izquierdo reposaba cruzado en su cintura mientras que la mano derecha presionaba sus labios. Al igual que Alejandro, su gesto era de preocupación y estaba sumido en sus pensamientos. Alejandro carraspeó para que su amigo se diera cuenta de que estaban allí y se fijó en el vaso que reposaba en la mesa con tres hielos y un líquido dorado hasta la mitad. Pedro al oír el carraspeo, levantó la vista y se giró quedando frente a su hijo y su amigo. Cogió el vaso y bebió de un sorbo todo el whisky que quedaba. Eso puso sobre aviso a Hugo. Su padre nunca bebía por las noches a no ser que fuera a pasarla en vela.

—¿Qué pasa, papá? —preguntó notando como el corazón estaba a punto de salírsele por la boca.

—Sentaos —ordenó Pedro.

Alejandro y Hugo retiraron las dos sillas colocadas al otro lado de la mesa de Pedro y se sentaron sin perder de vista todos los gestos que hacía. Al ver cómo su amigo volvía a coger la botella para rellenarse el vaso, Alejandro se la quitó negando con la cabeza.

—¿Me queréis decir que está pasando?

—Tu madre se ha escapado —soltó Pedro sin rodeos—. Me acaban de llamar de la clínica de desintoxicación donde la ingresamos. ¡Putos incompetentes! ¿Cómo se ha podido escapar?

Hugo resopló y se recostó en su asiento ¿Cómo era posible que esa maldita loca se hubiera marchado y que nadie se hubiese dado cuenta? Golpeó la mesa con el puño y maldijo. Esa mujer era capaz de cualquier cosa y entre ellas destruir el hotel que tanto le costó levantar a su padre. Aún recordaba el día que ingresó en la clínica hacía ahora doce años. Aquel día, su padre y él la llevaron por la fuerza hasta que dos médicos consiguieron inmovilizarla. Elisa, como se llamaba, mostraba un estado de histerismo y abstinencia tras estar varias horas sin beber, pero a pesar de que los doctores lograron reducirla, no dejaba de chillar que iría a por ellos y les haría sufrir como ellos a ella. Una amenaza que ambos sabían que cumpliría como las otras que lanzó a Pedro con respecto a Hugo.

Y había escapado. A pesar de estar como una regadera, esa enferma era capaz de cualquier cosa sin importarle nada ni nadie, ni siquiera su propia vida. Hugo recordó el día que llegaron los servicios sociales junto a su padre a casa. Su madre sabía de aquella visita y había dejado el gas abierto para evitar que se llevaran a su hijo y que su exmarido se saliera con la suya. Cinco minutos más, y ahora mismo estaría bajo tierra.

—No nos alteremos. Pasadas veinticuatro horas la policía iniciará la búsqueda —intentó calmar la situación Alejandro—. Esa mujer, a pesar de cumplir todo lo que dice, no es tan lista y lo sabe. No podrá esconderse mucho tiempo.

—Alejandro, esa hija de puta no necesita tiempo. Puede presentarse aquí mañana mismo y hacer cualquier gilipollez que lleve el hotel a la ruina —resopló Hugo.

Pedro no dijo nada. Se mostró pasivo escuchando a su amigo y a su hijo debatir sobre lo que aquella loca podía hacer y las soluciones posibles.

—Él tiene razón, Hugo —dijo Pedro señalando a Alejandro—. No es lista, estará bebida y será fácil de encontrar con ayuda de la policía. De momento sólo podemos mantener la calma y hacer como si nada. Mañana hablaré con la policía y os avisaré de cualquier cosa. —Se levantó de su asiento—. Lamento haberos despertado a estas horas, pero me he alterado y necesitaba contároslo. Volved a la cama —miró el reloj—, nos vemos en un par de horas.

—¡Qué bien! —dijo Hugo irónicamente levantándose de la silla. Estaba agotado y en dos horas tendría que empezar a trabajar—. Nos vemos en el desayuno.

Alejandro y él subieron hasta la última planta, pero Pedro se quedó en su despacho. Los tres sabían que ya no podría volver a dormirse, así que empezaría a adelantar trabajo para irse ese día más pronto a la cama. Tras despedirse, cada uno se metió en su habitación, pero Hugo tras cerrar la puerta de la suya, se quedó unos minutos apoyado en ella. Sin querer hacer ruido, comenzó a desnudarse hasta quedarse con los *boxers* y se metió en la cama donde Nerea dormía. O eso creía.

—¿Todo bien? —preguntó de espaldas a él.

—Sí, tranquila —mintió pasando un brazo por su cintura pegando su pecho a su espalda y depositando un suave beso en la coronilla—. Descansa.

Pero Nerea no le creyó. Conocía a su padre y no llamaría a esas horas si el asunto pudiera esperar a ser tratado al día siguiente y no a las tres de la mañana y había visto como Hugo se quedaba parado en la puerta, pensativo y a oscuras. Nerea, queriendo que le contara qué había sucedido, se dio la vuelta quedando frente a él y le besó. Un beso tierno que transmitía confianza y apoyo, y que Hugo disfrutó.

—Mientes muy mal —sonrió Nerea dándole un suave golpe con el dedo en la nariz—. Sé que pasa algo, pero si no me lo quieres contar no tienes por qué hacerlo, pero no me mientas diciendo que todo está bien cuando no es así, ¿vale? Sabes que no me gustan las mentiras por pequeñas que sean.

Hugo asintió y la abrazó ciñéndola a su cuerpo notando como sus piernas se entrelazaban con ese abrazo. Expulsó el aire retenido en sus pulmones y la besó en la frente dejando reposar varios segundos sus labios ahí antes de hablar. No quería ocultarle nada. Eso lo único que haría sería complicar las cosas entre ellos.

—Es mi madre —Nerea levantó la cabeza—. Se ha escapado de la clínica de desintoxicación y tengo miedo de que haga algo que pueda perjudicar a todos. Esa maldita mujer es capaz de cualquier cosa —dijo furioso.

Nerea, al ver su estado, le siseó y le acarició la mejilla con la palma para que la mirara. Él lo hizo y se perdió en sus preciosos ojos marrones.

—No pienses en eso, se solucionará ya verás. Pero no merece la pena estar mal por una persona como ella —se colocó a horcajadas sobre él y le cogió el rostro con las manos—. No va a pasar nada, Hugo. Esa mujer no va a hacerte más daño. ¿Sabes por qué? —Él negó con la cabeza.— Porque tienes a tu alrededor gente que se preocupa por ti. Tienes a tu padre, al mío… me tienes a mí. Así que no quiero verte más así, cariño. Porque con todos nosotros estás a salvo.

Emocionado por aquellas palabras, juntó su frente con la de ella y abrazándola por la cintura la besó haciendo que el mundo desapareciera a sus pies. Nerea enredó los dedos en su pelo profundizando más el beso hasta que notó como Hugo comenzaba a desnudarla, pero ella lo detuvo.

—Hugo son las cuatro y media de la mañana. Deberías dormir estos minutos que te quedan.

—Tienes razón —dijo acariciándole los brazos.

Nerea se quitó de encima de él y esperó a que se tumbara para apoyar la cabeza en su musculoso pecho. Depositó un beso encima de su corazón y cerró los ojos disfrutando de su cercanía.

Pero Hugo apenas pudo dormir una hora. No pudo dejar de pensar en todo lo que aquella loca podría hacer. Pero no iba a permitir que volviera a hacer daño a su padre. Por su culpa lo odió durante más de ocho años y si no llega a ser por Alejandro, no sabía qué hubiese pasado con ellos.

Apagó el despertador de un manotazo y frotándose la cara con las manos se levantó para darse una ducha y despejarse. Apenas había pegado ojo en toda la noche y no descartaba la posibilidad de quedarse dormido mientras trabajaba. Como cada mañana, se vistió en el baño para no despertar a Nerea y cogiendo las llaves de las distintas instalaciones del hotel, las guardó en el bolsillo del uniforme. Le dio un beso en la mejilla a Nerea y se fue sin hacer ruido.

Alejandro ya le esperaba con su habitual sonrisa para bajar a desayunar, pero él no tenía fuerzas para sonreír. Deseaba que pillaran a su madre cuanto antes para volver a dormir tranquilo.

Como esperaban, Pedro ya había desayunado y a esas horas estaba en su despacho trabajando. No había pegado ojo en toda la noche y a pesar de estar agotado, tenía que cumplir con sus obligaciones.

—Esta tarde vendrán dos agentes a hacernos unas preguntas. Una vez hechas cenaremos y tú podrás irte a descansar —dijo Alejandro sirviéndose el café—. Ya he hablado con Samuel para la función de esta noche y puede apañárselas solo perfectamente.

—Estoy bien, Alejandro. No voy a dejar de trabajar por esto. Lo dijiste esta madrugada, hay que hacer como si nada.

—Sí, Hugo. Pero una cosa es hacer como si nada y otra cosa es que a las once de la noche no te tengas en pie. —Le señaló las ojeras que tenía—. No seas cabezota o le diré a mi hija que te lleve a rastras a la cama.

Una pequeña sonrisa se instaló en el rostro de Hugo y dio un sorbo a su café. Aunque a lo largo de la mañana necesitaría muchos más. Ese día haría alguna actividad en la piscina con los niños. El agua le despejaría y los niños le distraerían.

Y así fue. Organizaron una partida de waterpolo, donde los animadores eran los árbitros. Samuel desde fuera y Hugo metido en la piscina. Pero las que más disfrutaron de ese juego fueron las huéspedes que coqueteaban con Hugo y se deleitaban con su cuerpo medio desnudo. Algo que a Nerea la encendió, pero se quedó quieta donde estaba. Confiaba en él, aunque arrancaría las extensiones de todas las mujeres que se acercaban a él. Y para más inri sus amigas no disimulaban sus risitas al ver cómo achinaba los ojos fulminando a esas frescas con la mirada, pero antes de que se fuera a cambiar y al ver la cara de su chica, Hugo se acercó a ella y sin importar que los miraran, la besó para dejar claro que su corazón ya tenía dueña.

—Eres una celosona, princesita —susurró Hugo cerca de sus labios.

—¿Cómo te pondrías tú si unos tíos me desnudaran con la mirada y coquetearan conmigo delante de ti?

—Touché.

—¿Estás mejor? —preguntó Nerea con las manos en su pecho—. Se nota que no has dormido.

—No estaré tranquilo hasta que esa hija de puta esté de nuevo encerrada en la clínica.

Nerea le acarició ambas mejillas con los pulgares y se puso de puntillas para darle un tierno beso sin importar las gotas de agua que caían por su cuerpo y se fundían en sus pieles.

—Será mejor que vayas a cambiarte —le sugirió Nerea—. Es tu hora de comer, ¿no?

Hugo asintió y tras despedirse con un nuevo beso subió a su habitación para cambiarse y bajar a comer. Aprovecharía sus tres horas de descanso para echarse una siesta antes de continuar entreteniendo a los más pequeños y de la llegada de los agentes al hotel.

Pero al despertarse supo que no tenía que haberse echado esa siesta. Se levantó peor de como se había metido en la cama. Tenía muchísimo más sueño y no tenía ganas de nada, pero debía volver abajo y ayudar a Samuel. En unas horas llegarían dos miembros de la policía y podría irse de nuevo a la cama.

—Joder, tío, no te tienes en pie —rio Samuel tirándole una pelota de plástico en la cara a Hugo.

—Te devolvería el pelotazo pero no tengo fuerzas.

Samuel soltó una carcajada y continuó inflando los balones de plástico para uno de los juegos de aquella tarde que prácticamente dirigió Samuel. Hugo sólo vigilaba que los niños no se hicieran daño o se peleasen unos con otros mientras no dejaba de abrir la boca. Las horas pasaron lentísimas y más de una vez se había echado agua en la cara para no quedarse de pie dormido hasta que a las siete y media por fin Alejandro le llamó. Los agentes habían llegado.

Para no llamar la atención del hotel, la recepcionista los guio hasta el despacho del director, donde Alejandro les ofreció asiento frente a él mientras Pedro y Hugo se quedaban de pie esperando las preguntas que aquellos les fueran a hacer. Los agentes estrecharon la mano a los tres haciendo sus correspondientes presentaciones.

—Buenas tardes caballeros, este es el agente Hernández y yo el agente Ruiz —se sentaron y sacaron el informe que esa tarde les habían entregado en comisaría—. No tenemos mucha información. Sé que ayer llamaron a altas horas de la noche denunciando la desaparición de una mujer que no está en sus plenas facultades mentales y como le habrán informado no podemos hacer nada sin que pasen veinticuatro horas sin noticias.

—Exacto agente Ruiz —respondió Alejandro—. Ayer la exmujer de mi jefe y amigo, se escapó de la clínica de desintoxicación donde la ingresaron hace doce años.

—Señor Ortiz —llamó el agente Hernández a Pedro—. Tengo entendido que usted presentó una demanda por malos tratos contra su mujer ya que desatendía al menor del cual estaba a su cargo hace ya casi veinte años. ¿Es cierto?

—Así es. Cuando mi hijo nació —miró a Hugo— mi exmujer cayó en una depresión y comenzó a beber. A lo largo de los años se volvió agresiva y tuve que irme de casa por miedo a que se llevara a mi hijo o le hiciera daño como siempre amenazaba, ya que estaba luchando por su custodia completa en ese momento hasta que la conseguí.

—¿Usted es el hijo de la señora Elisa Sotovila?

Hugo dio un paso adelante pellizcándose el puente de la nariz.

—Así es. Viví con ella hasta los dieciséis años y no se puede decir que estuviera en plenas facultades. Desde los ocho años, que es cuando mi padre tuvo que irse para protegerme, prácticamente tuve que aprender a cuidarme solo.

—Entonces hablamos de una mujer con problemas con la bebida que no se amilana ante nada. ¿Me pueden dar una breve descripción física y los lugares que frecuenta?

—Cuando la vi por última vez —comenzó a explicar Pedro— llevaba el pelo largo hasta por debajo de los hombros y castaño. Tiene los ojos azules, mide uno sesenta y su complexión es delgada. También fuma, por lo que tiene los dientes y las uñas amarillas y no suele asearse ni cambiarse de ropa. Pero claro, eso fue hace doce años. ¿Quién sabe si estará igual? —suspiró.

Los agentes tomaron nota de todos aquellos datos. Cuando llegaran a la comisaría tendrían que revisar el caso de divorcio de aquel hombre junto con la demanda que puso años atrás. Eso les facilitaría las cosas.

—¿No sabe qué lugares solía frecuentar?

—Tascas de mala muerte cercanas a las costas —respondió Hugo—. Sobre todo aquellos que se encuentran a las afueras de Gandía.

Los agentes asintieron con la cabeza y cerrando la carpeta de cuero negra que llevaban, se levantaron y volvieron a tenderles la mano para despedirse.

—Comenzaremos en comisaría a investigar y mañana a primera hora se empezará su búsqueda. No se preocupen por nada y si tienen noticias nuevas, háganoslas saber.

—Mucha gracias por todo agentes —agradeció Pedro.

Los tres acompañaron a los agentes hasta la puerta y tras despedirse entraron en el restaurante para cenar, aunque Hugo apenas tomó nada. Lo único que quería era marcharse a la cama, por lo que llevando su plato a la cocina, se despidió del resto de los empleados hasta el día siguiente. Salió del comedor, pero se detuvo en recepción al palparse el bolsillo y no encontrar las llaves. Se las había dejado en la mesa del restaurante. Iba a darse la vuelta para ir a por ellas cuando unas manos le taparon los ojos.

—¿Quién soy?

Hugo sonrió

—Mi princesita Cascanueces.

Nerea soltó una carcajada y le quitó las manos de los ojos colocándose frente a él.

—¿A dónde vas? —le preguntó cogiéndole de la manos.

—Me he dejado las llaves en la mesa mientras cenaba, así que voy a buscarlas, ¿y tú? ¿Qué haces tan sola por aquí? —le preguntó extrañado al no ver cerca a sus amigas.

—Cumplir órdenes del director del hotel. Mi obligación es llevarte ahora mismo a la cama para que descanses y si no quieres, te llevaré a rastras.

Hugo soltó una carcajada al ver como Alejandro había dicho en serio esa mañana que mandaría a su hija para asegurarse de que se iba a la cama.

—No opondré resistencia, princesita.

Nerea sonrió y esperó a que él regresara con las llaves para subir a la habitación.

—¿Has cenado? —le preguntó Hugo cerrando la puerta de la habitación.

—He estado toda la tarde con las chicas de tapas por la zona, así que ya estoy cenadita. ¡Venga a la cama!

—A sus órdenes.

Hugo se desnudó quedándose con los *boxers* puestos y se tumbó agotado bocabajo en la cama con la cabeza girada hacia la derecha. Al ver cómo se dejaba caer sobre el colchón, Nerea sonrió y se colocó a horcajadas sobre su espalda para darle un masaje.

—¿Qué haces, princesita? —preguntó sorprendido.

—Darte un masaje. Venga déjame hacer y relájate.

Sin fuerzas, él cerró los ojos y disfrutó de la ligera presión que las manos de Nerea ejercían por toda su espalda y su cuello hasta que se quedó profundamente dormido.

24

❦

—**P**uta mierda de microondas —se quejó Ada pulsando una y otra vez el botón—. ¡¡Esto no funciona!!

Enfadada porque el microondas no calentara la leche para el café, la cogió y se la llevó a la mesa. Esa mañana no tenía más remedio que bebérselo frío.

—Anda alegra esa cara —dijo Nerea pasándole uno de los *cupcakes* que habían hecho ella y Hugo hacía dos días—. Y prueba mis primeros *cupcakes*.

—¿Y eso? —preguntó Laila cogiendo el que le tendía Nerea.

—Hace dos noches, Hugo me enseñó a hacerlos.

—Está buenísimo —dijo Elena dando un mordisco al suyo.

Nerea sonrió y se comió el suyo en apenas unos segundos. Le encantaban y esos últimos días tenía mucho antojo de chocolate. Se terminó el zumo y vio como su padre cruzaba todo el restaurante a grandes zancadas junto con Pedro y Sara, la *maître*, hasta entrar en la cocina. Tras ellos llegaron Samuel y Hugo y comenzaron a probar distintos aparatos eléctricos del comedor, pero ninguno funcionaba. Samuel le dijo algo a Hugo y tras asentir, cada uno se fue por su lado. Samuel salió del restaurante y Hugo se metió también en la cocina.

—No funciona nada aquí tampoco —resopló Hugo con los brazos en jarras—. Así no podemos trabajar.

—Poco podemos hacer. No hay luz en todo el hotel y ya hemos revisado los contadores. Habrá que llamar a la compañía —dijo Pedro.

—Ya ha ido Samuel a hacerlo —comentó Hugo—. Lo que podemos hacer es traer a la cocina bombonas de butano para improvisar algo. Los huéspedes tendrán que comer, digo yo, aunque sea un bocadillo de lomo con pimientos.

—Tienes razón. Ya sabes dónde están —contestó Pedro—. Reúne a todo el personal posible e id bajando las que podáis. Cuando se necesiten más, que la jefa de cocina os lo haga saber, hasta entonces habrá que esperar.

Hugo asintió y salió de la cocina para decirle a uno de los camareros que, cuando acabaran en el restaurante, fueran a uno de los almacenes del hotel a llevar bombonas a la cocina. A paso ligero salió en dirección a recepción y saltando por encima del mostrador, comenzó a buscar la agenda donde tenían apuntados los teléfonos de los distintos hoteles de la cadena. Necesitaba confirmar si sólo había ocurrido en el suyo o en el resto también.

Revolvió todas las carpetas, papeles y agendas que encontraba pero ninguna era lo que buscaba. ¿Dónde guardarían esos números? Recordó que, el día que se aprobaron los cambios, su padre le comentó que habían puesto una libreta roja aparte con los distintos contactos de todos los hoteles de Gandía y que en la primera hoja estaban apuntados los de la cadena. La cosa era. ¿Dónde demonios estaría la libretita?

Nerea sabía que algo raro ocurría y que todos los empleados, incluidos Pedro y Alejandro, rondaran por el restaurante para hablar unos con otros se lo confirmó. Limpiándose los labios con una servilleta tras terminar su desayuno, se levantó y titubeó si ir a la cocina o por donde había desaparecido Hugo. Al final optó por seguir a su chico. No sentía confianza suficiente para presentarse en la cocina.

Al salir al *hall*, le vio desordenando todo el puesto de recepción y apoyando los antebrazos en el mostrador estiró un brazo uno para poder revolverle el pelo con la mano.

—¿Qué buscas? —le preguntó apoyando la mano derecha en el codo izquierdo.

—Una libreta roja. Me estoy volviendo loco –bramó exasperado.

Nerea se fijó en un cuadernillo que estaba a su lado y que encajaba con su breve descripción, así que cogiéndola entre el dedo índice y el pulgar se la mostró.

—¿No será por casualidad esta? –dijo moviéndola levemente de izquierda a derecha.

Hugo levantó la cabeza para mirar lo que le enseñaba y asintió cogiéndola y abriendo sus páginas para asegurarse.

—¿Dónde estaba?

—Encima del mostrador, al lado del teléfono –dijo con una sonrisa al ver como ponía cara de «soy idiota».

Iba a marcar uno de los números en su móvil para llamar cuando vio a las dos estudiantes que le metieron en un lío con Nerea bajar por las escaleras sin dejar de echarle miradas nada decentes. Consciente de lo que iban a hacer, al verlas acercarse a él desvió la vista hacia Nerea que miraba distraída su móvil.

—Princesita acércate –susurró indicando con el dedo índice que se aproximara a él.

Extrañada, lo hizo y cogiéndole el rostro, Hugo la besó con amor durante un largo rato hasta que vio cómo las estudiantes, con su gesto, habían captado el mensaje. Nerea, en ese tiempo, pasó los brazos por su cuello para atraerle más hacia ella y devolverle mejor el beso. Ese hombre la dejaba completamente hipnotizada con esos sencillos gestos.

—¿Y eso? –preguntó con la sonrisa pegada a sus labios.

—Porque no te quiero perder… –confesó en un susurro y al ver como a Nerea le cambiaba la cara la volvió a besar–. Tengo que hacer una llamada. Nos vemos luego, ¿vale princesita?

Ella asintió aún desconcertada por lo que le había dicho y, separándose de él, fue a reunirse con sus amigas.

Hugo, con el teléfono móvil en la mano y con el número marcado, la vio alejarse y cuando desapareció de su campo de visión pulsó la tecla verde y se lo llevó al oído, pero no había señal. O bien estaba roto o tampoco tenían luz. Probó con el resto de los hoteles de la cadena y comprobó que ocurría lo mismo. Tras colgar al marcar el último número, salió de recepción en busca de Pedro y Alejandro, a los que encontró en el despacho de este último.

—No hay señal en ninguno de los hoteles de la cadena –dijo Hugo tras entrar.

—Lo sabemos –contestó Alejandro mostrándole una página en su móvil. Por lo visto había un apagón en toda la ciudad y los técnicos ya habían comenzado a trabajar en ello–. Me da que esto va para largo –suspiró bloqueando el teléfono y guardándoselo en el bolsillo delantero del pantalón.

—De puta madre… –ironizó Hugo–. Será mejor que vayamos bajando las bombonas de butano.

Hugo volvió al restaurante y tras dar un pequeño silbido, ordenó al personal que le siguiera al almacén donde guardaban todo lo relacionado con el mantenimiento del hotel. Entre seis personas bajaron doce bombonas y ayudaron a los cocineros a ponerlas en su sitio. Por desgracia ese día sólo podrían preparar unos bocadillos, pero recompensarían a los huéspedes por las molestias.

Sudado tras bajar las bombonas, Hugo fue en busca de Samuel para ver qué podían hacer durante el día para entretener a los más pequeños. Aunque por la noche si no había luz, lo mejor sería que los clientes permanecieran en sus habitaciones.

—¡Hugo! Te estaba buscando –le llamó Samuel cargado con una caja–. Ve al almacén de la piscina, hay otras dos cajas de linternas, por si acaso el problema de la luz se alarga hasta la noche. Órdenes de tu padre.

Hugo asintió y colocando una caja encima de la otra cuando llegó al almacén, las cogió y las dejó en el mostrador de recepción. Pedro llegó e indicó a los empleados que cogieran una linterna y después llamaran a las habitaciones del hotel ocupadas para que los huéspedes también tuvieran una linterna por cuarto. No sabían cuánto tardarían en solucionar el problema, pero mejor era prevenir que curar.

El día en el hotel transcurrió con normalidad. Los huéspedes entendieron la situación y atendieron a todas las instrucciones que les daban los distintos empleados del hotel. La noche llegó y el problema seguía sin solucionarse. No había luz ni en la calle ni en ninguna de las casas ni en el hotel, a excepción de las de emergencia. Algunas personas comenzaban a ponerse nerviosas pero los diversos empleados del Hotel Villa Magic les acompañaron a sus habitaciones para que estuvieran más relajados.

Pedro viendo los cientos de luces de linterna que había en la recepción y en el bar-salón del hotel, ordenó a todos los clientes que subieran a sus respectivas estancias. Les informarían cuando el problema estuviera solucionado.

Nerea, que había pasado el día fuera junto con Elena y Laila, ya que Ada se había ido con Sergio, llegó al hotel junto a ellas y encendieron sus linternas. Todo estaba demasiado oscuro y observaron cómo la gente subía por las escaleras a sus correspondientes habitaciones. Hugo, que se encontraba apoyado en el mostrador de recepción hablando con algunos empleados, se dio la vuelta hacia la puerta al ver unas luces que no correspondían a su linterna ni a las de sus compañeros y sonrió al reconocer a Nerea. Disculpándose con el resto de los empleados, caminó hasta ella. Cogiéndola por la cintura y sin importar que sus amigas lo vieran, le dio un suave beso en los labios.

—¿De dónde venís? —las preguntó sin soltar a Nerea.

—De dar un paseo nocturno —respondió Nerea abrazándose a su cintura—. Hemos estado en la playa aprovechando los últimos rayos. Así que, como anochecía, hemos regresado al hotel ayudándonos de las luces de emergencia y la de los coches. Apenas veíamos nada.

Hugo asintió y le dio un beso en la frente cerca del nacimiento del pelo.

—Sí. Lo mejor será que subáis a las habitaciones. Aquí no hay nada que ver —bromeó con el doble sentido de la frase.

Hugo las acompañó a su cuarto con la excusa de que quería que llegaran sanas y salvas, pero Elena y Laila no se lo tragaron y sabían perfectamente que las acompañaba por Nerea, pero no dijeron nada. Se metieron en el suyo tras despedirse de la parejita y Nerea se quedó un poco más en el pequeño pasillo frente a la puerta de su habitación.

—¿Quieres entrar? —preguntó sin querer que se fuera—. Ada pasará la noche con Sergio.

Hugo iba a aceptar su proposición cuando una idea le pasó por la cabeza. Con una sonrisa negó y se agachó para alcanzar sus labios en un corto beso.

—Tengo una idea mejor, princesita.

Entrelazó sus dedos con los de ella y encendiendo de nuevo la linterna, comenzaron a subir las escaleras hasta llegar al último piso. Con las respiraciones entrecortadas por el breve, pero intenso trayecto escaleras arriba, cruzaron el pasillo donde se encontraban las distintas habitaciones de los empleados hasta llegar a una puerta transparente que había al fondo por la que se accedía a las escaleras de emergencia. Empujándola, Hugo dejó paso a Nerea y cerrando la puerta tras ellos subieron el piso que les quedaba para llegar a la azotea del hotel.

Maravillada, Nerea contempló el cielo lleno de brillantes estrellas. La farolas de la calle impedían ver ese impresionante espectáculo natural, pero sin luz, las estrellas brillaban unidas y con fuerza. Despacio caminó hasta contemplar las maravillosas vistas al mar que se podían apreciar desde esa altura. Sonrió al notar cómo unos fuertes brazos la abrazaban y cómo Hugo hundía su cara en su cuello depositando un suave beso.

—¿Te apetece que nos tumbemos y miremos las estrellas? Tal como se ven ahora, es difícil de ver. Hay que aprovechar.

Nerea asintió y tras decirle que esperara un segundo, Hugo corrió escaleras abajo para llegar cinco minutos después con una manta y la almohada de la cama. Al verlo, Nerea levantó las cejas y se acercó a él cuando vio como extendía la manta en el suelo y ponía la almohada en el extremo superior de esta. Tras ponerse de rodillas, le tendió una mano a Nerea para que se acercara y le imitara. Una vez lo hizo, ambos se tumbaron colocando la cabeza en la mullida almohada.

—Así estaremos más cómodos —dijo abrazándola contra su pecho sin dejar de mirar el estrellado cielo.

Nerea se dejó abrazar y entrelazó sus piernas con las de él. Desearía poder detener el tiempo para poder estar siempre así.

—¿Habéis tenido mucho trabajo hoy? —preguntó para romper el silencio jugueteando con sus dedos entrelazados.

—La verdad es que no mucho. Sin luz, poco podíamos hacer, pero hemos conseguido distraer a los niños y la comida y la cena, ya ves lo que ha sido. Una ensalada y después los bocadillos.

—Sólo he comido en el hotel, cenar hemos cenado un sándwich que hemos comprado en un puesto cerca de la costa.

—¿Tenían luz? –preguntó sorprendido.

—No, pero no se necesita luz para hacer unos sándwiches y como todo el mundo está igual, pues estaban vendiendo y hemos pillado uno para cada una –dijo refiriéndose a Elena y Laila.

Siguieron contemplando el cielo hasta que vieron una luz blanquecina cruzar todo el cielo delante de sus ojos. Emocionada como una niña pequeña, Nerea se incorporó y miró a Hugo con una sonrisa de oreja a oreja.

—¡¿La has visto?! –gritó con la emoción en su voz–. ¡Madre mía, qué pasada! Nunca había visto una estrella fugaz –suspiró volviéndose a recostar sobre su pecho.

—¿De verdad?

—De verdad. ¿Tú habías visto antes?

—Una vez de pequeño. En la cala donde te llevé. Mi madre estaba demasiado violenta y me escapé hacia mi refugio. Me pilló la noche, pero sabía que a mi madre no le importaría que no estuviera en casa. Al contrario, la aliviaría. Me quedé horas y horas mirando el cielo y cómo decenas de estrellas fugaces pasaban delante de mis ojos. Cuando el sueño comenzó a entrarme y ya comenzaba a refrescar, volví a casa. Por suerte mi madre ya estaba durmiendo la mona.

Nerea no dijo nada. Sabía lo duro que era para él el tema de su madre y más ahora que se había escapado de la clínica. Veía lo preocupado que estaba por si esa mujer hacía algo que perjudicara a cualquier persona, por eso comenzó a dibujar círculos imaginarios en su pecho y cambió de tema.

—¿Utilizáis mucho esta azotea?

—Antes solía subir para fumarme un cigarrillo cuando mi padre no sabía que fumaba, pero me pilló un día la cajetilla de tabaco, me dio una charla sobre él y fin de la historia. Esta zona no se usa.

Nerea sonrió y depositó un beso en su clavícula antes de seguir observando la inmensidad del universo. Pero las estrellas se apagaron cuando las farolas de la calle volvieron a encenderse. Se oyeron aplausos y vítores, y poniéndose de pie, Nerea se asomó para comprobar que, efectivamente, había vuelto la luz. Girándose hacia Hugo se encogió de hombros y le ayudó a doblar la manta para bajar.

Bajaron a la habitación de él y tras dejar la almohada en la cama y la manta en un armario, Nerea se puso de puntillas para darle un beso en la mejilla.

—Gracias por enseñarme la azotea. Me ha encantado ver mi primera estrella fugaz contigo a mi lado —dijo sincera.

—Princesita, me encantaría enseñarte miles de cosas que no hayas visto nunca y estar a tu lado en esos momentos.

Nerea mostró una medio sonrisa sin saber qué contestar a eso. Le encantaría que fuera así, pero las circunstancias de la vida a veces no se pueden alterar.

Hugo miró su reloj y vio que apenas pasaban de las once.

—Aún es pronto. ¿Te apetece que vayamos a dar un paseo?

—Me parece bien, no hay otra cosa que hacer.

—Princesita, sí que hay otra cosa que hacer —dijo pícaro desnudándola con la mirada—. Pero eso será después del paseo.

Con una sonrisa le dio un suave golpe en el brazo y agarrándose a este, salieron de la habitación para dar un tranquilo y romántico paseo por la suave arena de la costa mediterránea.

25

Los rayos de sol que entraban por la ventana se posaron en los párpados cerrados de Nerea, haciendo que poco a poco abriera los ojos. Aún con sueño, dio media vuelta en la cama para seguir durmiendo un poco más. Hugo ya se había ido, por lo que hundiendo la nariz en la almohada volvió a cerrar los ojos para intentar dormirse, pero esa mañana no se encontraba nada bien. Tenía el estómago revuelto y si no lo hubiera tenido vacío, habría vomitado todo lo que llevaba. Se quedó un rato en la cama presionando su vientre hasta que poco a poco ese malestar fue disminuyendo. Consciente de que no podría volverse a dormir, se levantó y tras asearse, se vistió. Antes de salir de la habitación, se miró en el espejo y vio cómo dos cercos oscuros comenzaban a aparecer debajo de sus ojos a causa del cansancio y lo poco que dormía. Cogió la pomada antiojeras y se la aplicó antes de darse el maquillaje para disimularlas. Tras echarse su colonia, salió de la habitación para bajar a desayunar. Eran las nueve y media de la mañana, así que aprovecharía que el restaurante estaba abierto, pero fue entrar por la puerta y ver la comida y percibir su olor y se volvió a llevar una mano al estómago y la otra a la boca. El malestar volvió a aparecer. A sabiendas de que si comía algo, lo echaría, se dio media vuelta y salió del hotel para que le diera el aire. Se sentó en uno de los escalones y apoyando la espalda en una de las columnas cerró los ojos intentando relajarse. Se sentía agobiada. Probablemente habría pillado una gastroenteritis. No era la primera vez que le ocurría en verano y sus síntomas eras esos mismos que estaba sintiendo. Esperaría un poco y si seguía así, le pediría a alguien que la acompañara al ambulatorio más cercano. Una vez se fue encontrando mejor, volvió a entrar en el hotel y fue al bar-salón para pedir una manzanilla. Eso le sentaría bien.

Hugo, que estaba preparando las actividades de la piscina, se quedó mirándola preocupado cuando entró en el hotel. Estaba pálida y no tenía muy buen aspecto. Tras decirle a Samuel que regresaría enseguida y que se fuera adelantando, la siguió y tras ver lo que iba a tomar, confirmó que no se encontraba bien.

—Buenos días, princesita —la saludó abrazándola por detrás y besando su cuello—. ¿Te encuentras bien? —Le señaló con la cabeza la manzanilla.

—Sólo estoy un poco revuelta, nada más —le sonrió con ternura.

—Quizá cogieras frío ayer en la azotea. Tendría que haber cogido otra manta para taparnos.

Dándole un ligero tirón, Nerea le acercó a ella y le dio un suave beso en los labios rodeándole el cuello con los brazos.

—Anoche hacía calor. Dudo que me hubiese tapado con ella. No te preocupes, se me pasará.

—¿Quieres que te acompañe al médico? Puedo pedir que Samuel me sustituya unos minutos y…

—No, tranquilo. Estoy bien, de verdad. No es la primera vez que pillo un virus estomacal en verano.

Hugo asintió y, a su pesar, se despidió de ella. Tenía que trabajar. Cuando Nerea terminó su manzanilla, le dio las gracias al camarero con una sonrisa y se encaminó al despacho de su padre. Llamó varias veces a la puerta y tras no recibir contestación, entró. Como imaginaba, su padre no estaba allí, pero si lo conocía bien, sabía que no tardaría en volver para encerrarse en esas cuatro paredes, por lo que se sentó en su silla y poniendo la mano sobre el ratón del ordenador entró en internet. Daba gusto mirar su correo y cotillear en Facebook en una pantalla más grande que la del móvil, pero al cerrar la única pestaña que tenía abierta, vio en el escritorio una carpeta llamada «Nerea trabajo». Extrañada e intrigada, pinchó en dicha carpeta, sabiendo que no estaba bien lo que hacía y múltiples enlaces y archivos se mostraron ante ella. Poco a poco fue pinchando cada uno de los enlaces que le llevaban a una página en la que había uno o varios puestos vacantes en colegios, academias y centros especializados. ¡Incluso locales en venta para poder abrir ella algo! Un nudo se le formó en la garganta al saber lo que significaba eso. Su padre no perdía la esperanza de que se quedara y lo confirmó al comprobar que la última modificación en esa carpeta era de hacía dos días. ¿Por qué no le había dicho nada? ¿Por qué no había hablado con ella? Pero rápidamente se dio cuenta. Su padre no quería agobiarla. Apagó la pantalla del ordenador y tras comprobar que no venía nadie, salió del despacho.

*

—Buenos días —saludó a la recepcionista un hombre alto con vaqueros y gafas de sol de aviador—. Buscábamos a Alejandro Delgado y a… —miró en su libreta— Pedro y Hugo Ortiz.

—Un momento, por favor.

La joven recepcionista cogió el teléfono marcando el número del despacho del director del hotel. Extrañada porque no respondiera, llamó a Pedro que no tardó ni dos tonos en contestar. La empleada le informó de que dos señores requerían su presencia, la de Alejandro y la de Hugo. No tardó ni medio minuto en llegar. Por el camino, se encargó de avisar a su hijo a través de un mensaje, quien enseguida se reunió con su padre y los dos hombres.

—Buenos días —saludó Hugo tendiéndole la mano.

—¿Han descubierto algo? —preguntó Pedro a los dos policías que se encargaban de encontrar a su exmujer.

—Tenemos noticias de lugares donde la han visto y que hoy estará en una macrofiesta ilegal que se organiza en un puerto cercano, donde el alcohol y las drogas serán los protagonistas principales. Se ha organizado ya una redada para la detención tanto de los asistentes como de los organizadores, y esperemos que entre ellos se encuentre la señora Elisa Sotovila.

—La palabra «señora» le queda muy grande –replicó Hugo.

El agente Ruiz fue a decir algo pero una voz se lo impidió y todos miraron el lugar de su procedencia. Alejandro, que había ido al banco para mirar y firmar unos papeles para mejorar el hotel, se sorprendió al reconocer a los agentes que días antes les habían visitado para la búsqueda de la exmujer de su mejor amigo. Esperanzado porque hubiesen encontrado a aquella loca, se reunió con ellos con el corazón acelerado en busca de la noticia que todos deseaban oír:

—Buenos días, señor Delgado –saludaron los agentes–. Estaba informando a los señores Ortiz de la posibilidad de encontrar esta noche a la señora Sotovila en una macrofiesta ilegal. Fuentes nos han informado de la posibilidad de que la mujer se encuentre allí. Esta noche o como muy tarde mañana por la mañana tendrán noticias.

Alejandro suspiró entre aliviado y decepcionado. Le alegraba saber que quizá pronto acabaría ese problema, pero una punzada le atravesó el pecho al darse cuenta de que existía la posibilidad de que ese suplicio continuara hasta… ¡a saber! Como siempre decía, ¡el espectáculo debe continuar! Lo mejor sería seguir cada uno con sus labores y lo más importante, no poner sobre aviso a los clientes.

Alejandro al ver el gesto de Hugo se acercó a él y le colocó una mano sobre el hombro. El chico estaba alterado, enfadado e incluso se le veía cansado de la situación vivida con su madre durante sus veintiocho años de vida. A pesar de su fortaleza, Alejandro y Pedro lo conocían bien y notaban cómo Hugo comenzaba a hundirse. Aunque el tiempo lo hizo todo más fácil, el tema de su madre le seguía afectando.

—Hugo tranquilízate –le dijo su padre–. Todo se solucionará.

—Esa mujer no puede dejarnos en paz… ¡ojalá desapareciera! –gritó muy alto asustando a todos los que pasaban en ese momento por el *hall* del hotel.

—Señor Ortiz —dijo uno de los agentes dirigiéndose a Hugo— alterarse no es bueno. Les prometemos que en breve tendrán noticias. Buenos días.

El resto de la mañana no fue fácil para Hugo. Quería que pillasen a esa maldita mujer y la encerraran de por vida.

Por la noche, su humor no había mejorado. Los agentes no habían llamado ni pasado por el hotel. En más de una ocasión, Hugo hablando con su padre, se refirió a ellos como «maderos incompetentes» y casi le destroza el mobiliario del despacho. El joven echaba humo. Estaba cansado de esa mujer, lo único que quería era que desapareciera de su vida… ¡para siempre!

A las diez, se incorporó de nuevo al trabajo. Necesitaba distraerse y Samuel requería su ayuda.

—¡Ey! —le llamó la atención Samuel dándole una colleja—. Macho, deja de comerte la cabeza. Si piensas tanto es peor. Anda, ayúdame a bajar el baúl del mago, al menos hoy nos libramos de currar.

—Claro, no te jode. Hacer de azafato es no currar.

Cogieron los extremos del pesado baúl negro con el cual un mago que habían contratado para esa noche, haría sus trucos. Lo dejaron en las dos marcas que habían puesto esa mañana en el suelo del bar-salón, donde les había indicado el mago.

—Di ayudante, que azafato parece que vamos a aparecer aquí con minifalda y tacones dando las indicaciones antes de despegar —se mofó Samuel—. Pero curramos menos. Tío, estás muy negativo.

—Sabes que el tema de la… desgraciada de mi madre me puede.

—Todo acabará —le animó apretándole el hombro.

Hugo sólo pudo asentir ligeramente. Apoyado en el escenario, observaba como el bar-salón comenzaba a llenarse mientras Samuel y el mago contratado mantenían una charla sobre el espectáculo que se iba a realizar. Entre todos los clientes que iban a contemplar el espectáculo, para Hugo sólo destacaba una persona entre el público: su princesita. No dejó de observar ninguno de sus movimientos. Tenía mal aspecto. Se la veía pálida y cansada y una mano en su estómago le indicaba que seguía encontrándose mal. Lo mejor sería que fuera a descansar.

Comenzó a caminar hacia ella para decírselo, pero Samuel lo detuvo. La función iba a comenzar.

El mago se colocó en medio del bar-salón y haciendo una reverencia se presentó primero él, para luego presentar a sus ayudantes, Hugo y Samuel. El mago, poniendo su punto cómico, bromeó sobre los dos animadores. Bromas que Samuel correspondía con una carcajada y Hugo, debido a su humor, con una sonrisa irónica y conteniendo sus ganas de coger al maguito por el pescuezo.

Durante la hora y media que duró el número del mago, Nerea no dejaba de observar las reacciones de Hugo. Esa tarde, había estado hablando con su padre. En su larga conversación, le contó la visita de los agentes al hotel esa mañana. Su padre no tuvo que decir nada más. Ella intuía cómo se encontraba Hugo y lo confirmó al ver su gesto cuando el mago le hacía alguna broma. No sonreía ni le seguía el juego como hacía Samuel, es más, Nerea podía ver las ganas que tenía de decirle cuatro cositas. Cuando el mago se despidió del público, que no dejó de aplaudirle en ningún momento, se dio la vuelta mirando a Samuel y a Hugo y les pidió que llevaran el baúl al maletero de una furgoneta negra que estaba aparcada en la entrada. El joven, cansado de que el maguito siguiera mangoneándoles, le iba a contestar pero Samuel, viendo sus intenciones, lo detuvo con una mirada. Soltando enfurecido el aire que tenía en los pulmones, cogió de mala manera el baúl él solo, para sorpresa de su compañero, y lo llevó a la dichosa furgoneta. Cerrando las dos puertas del maletero de mala manera y cada vez más cabreado, regresó al bar-salón y se paró en seco al ver a Nerea junto a Samuel y el mago intentando agarrarla por la cintura, por más que ella intentaba apartarle con la ayuda de Samuel, pero el mago quería conseguir su propósito. ¡Lo que le faltaba! ¡Que ahora el mago intentara ligar con su chica! A paso rápido y con la mirada encendida por la furia llegó hasta ellos y le dio un suave empujón al mago poniendo a Nerea detrás de sí para que la dejara en paz.

—No quiero que le vuelvas a poner las manos encima, ¿entendido?

—Tranquilo, tío. Sólo estábamos hablando —se excusó levantando las manos sin dejar de sonreír.

—No me toques los huevos, que no soy gilipollas ni estoy ciego. He visto cómo intentabas cogerla de la cintura, a pesar de que ella rechazaba tu contacto —bramó más enfadado.

Nerea al ver la espalda tensa de Hugo y cómo apretaba los puños hasta que sus nudillos se pusieron blancos, pasó una mano por debajo de su brazo para con la otra acariciárselo, haciendo que la mirara a los ojos.

—Relájate, ¿vale? —dijo con dulzura—. No ha pasado nada. —Y mirando al mago dijo—: la próxima que me toques y no entiendas un no por respuesta, te lo haré entender de otra forma. Y no te gustará.

Hugo al oírla no pudo evitar sonreír y pasó un brazo por sus hombros para atraerla hacia él sin importar quién los mirara.

—Ya has oído a la señorita. Ahora te pido que abandones el hotel. Tu trabajo aquí ha acabado —espetó Hugo serio.

El mago, dándose por vencido, cogió su maletín y se fue de allí dispuesto a no volver. ¡Menudo trato había recibido por parte de ese guaperas de animador! Al menos le había llevado el pesado baúl hasta la furgoneta. Tras la marcha de este, Nerea miró a Samuel.

—¿Necesitas más a Hugo o me lo puedo llevar? —le preguntó con una sonrisa divertida.

—Anda, llévatelo, preciosa. A ver si le quitas el mal humor, ¡pero no me cuentes cómo!

Soltando una carcajada, Nerea le respondió.

—¡Uy! no tengo el cuerpo para mucho movimiento.

Como cada noche, regresaron juntos a la habitación de Hugo donde Nerea, tras quitarse las manoletinas blancas que llevaba se tumbó en la cama bocabajo emitiendo un leve sonido. Hugo al verla, se tumbó a su lado y comenzó a acariciarle la espalda.

—¿Quieres que te traiga una manzanilla? —le preguntó preocupado al ver su estado.

—Ya me he tomado una abajo —contestó incorporándose para verle la cara—. Se pasará, esta tarde he ido con Ada a una farmacia que hay aquí cerca y me han dado un protector de estómago y Primperan. Unos días y como nueva —se acercó para darle un suave beso—. ¿Tú estás bien?

—Estoy mejor, que es algo —contestó retirándole un mechón detrás de la oreja—. Será mejor que descansemos, princesita.

—Sí... —susurró.

Nerea se levantó de la cama cogiendo el pijama de debajo de la almohada y fue al baño justo en el momento en que el móvil de Hugo sonaba. Pensó en no contestar, pero al ver en la pantalla un número desconocido, cogió.

—¿Dígame?

—Buenas noches, ¿es usted Hugo Ortiz? —dijo una voz femenina al otro lado de la línea.

—Sí, soy yo. ¿Quién es? —preguntó sentándose en el filo de la cama.

—Mire, le llamamos del Hospital Francesc de Borja. Siento comunicarle, que su madre, Elisa Sotovila, ha fallecido hace apenas unos minutos. Lo sentimos.

Hugo se quedó en blanco y una punzada le atravesó el corazón. ¿Muerta? No podía ser... tenía que haber un error. Se negaba a creerlo.

—Disculpe, ¿podría decirme la causa? —preguntó con voz ahogada.

—Una sobredosis. La encontraron dos agentes de la policía inconsciente y llamaron a una ambulancia de inmediato, pero no se pudo hacer nada por su vida.

—Está bien, gracias.

Y colgó. No podía ser. Deseaba que su madre desapareciera. Deseaba que saliera de sus vidas y les dejara en paz..., pero nunca quiso ni deseó su muerte. Comenzó a llorar en silencio aún sin moverse en el sitio. Dejó la mirada suspendida en el vacío y ni siquiera la desvió cuando oyó el ruido de la puerta del baño abrirse.

—Estoy agotada creo que... ¿Hugo? —le llamó Nerea al ver sus mejillas encharcadas en lágrimas y el rostro desencajado. Asustada, se acercó hasta él y agachándose le cogió el rostro entre las manos para que la mirara—. Hugo, cariño, ¿qué ha pasado?

—Mi madre… ha… muerto —dijo esa última palabra tras tragar saliva.

El joven se derrumbó y ocultó su rostro con las manos. Nerea sin dar crédito aún a lo que había sucedido, le abrazó haciendo que hundiera el rostro en su cuello. Notaba la angustia, la rabia y la pena en las lágrimas que se deslizaban por su clavícula. Nerea lo acunó como a un niño pequeño hasta que él la miró.

—Lo siento… —susurró Nerea.

—Ha sido culpa mía… yo quería que desapareciera para siempre, pero… no quería esto.

—¡No vuelvas a decir eso! —le regañó Nerea juntando sus frentes—. Escúchame bien, no ha sido culpa tuya, ¿me oyes? La vida es así, cariño. Y el destino caprichoso…

—Me han llamado del hospital —le explicó un poco más tranquilo—. Por lo visto ha sido a causa de una sobredosis.

Nerea le acarició la nuca y le dio un beso en la frente. Hugo volvió a abrazarla. Se sentía impotente y necesitaba su calor y amor en ese momento. Imágenes de toda su vida junto a la mujer que le destrozó la infancia y por la que ahora lloraba, comenzaban a pasar por su cabeza.

—Nunca me quiso, esa mujer nunca me quiso y ahora sufro por su muerte… ¿Por qué?

—Porque no eres como ella. Porque tú sí tienes corazón, tienes sentimientos y te preocupas por las personas que quieres. Y aunque ella nunca te cuidó, era tu madre, y aunque no quieras verlo, fue importante para ti.

Unos golpes en la puerta hicieron que miraran hacia ella sabiendo quién estaría detrás. Nerea hizo que Hugo se quedara en la cama mientras ella abría. La cara de un descolocado Pedro y los ojos entristecidos de su padre fue lo que se encontró al abrir.

—¿Os han llamado del hospital? —quiso saber Nerea.

—No, han sido los agentes, pero se encontraban allí. Mandaron a una empleada del hospital avisar a Hugo. ¿Cómo está? —preguntó Pedro preocupado.

—No está bien. Le ha afectado bastante. Está destrozado.

—Dile a Hugo que tiene tres días de baja y mañana por la mañana, Alejandro y yo iremos al hospital. Hay que reconocer el cadáver y prepararlo todo para el funeral.

Nerea asintió y dándole el pésame a Pedro, cerró la puerta y regresó con Hugo que seguía sentado en la cama. Sin saber qué decirle, se sentó a su lado y volvió a abrazarle depositando un suave beso en su cuello.

—Vamos a dormir —dijo Nerea quitándole el móvil de las manos para desactivar la alarma y dejarlo en la mesilla—. Lo necesitas.

Consiguió que se tumbara y apagando la luz, Nerea pasó una mano por su cintura para abrazarle. No sabía que más hacer. Aunque quisiera ocultarlo, ella también estaba confusa por todo lo sucedido.

26

Los días posteriores a la noticia del fallecimiento de Elisa Sotovila fueron tristes y negros. E incluso el tiempo trajo nubes grises y lluvias fuertes. Alejandro acompañó a Pedro al hospital, donde ambos reconocieron el cuerpo sin vida de esa mujer que les había causado numerosos problemas, pero que tanto Pedro como Hugo habían querido.

Hugo no salió de su habitación durante todo el día y Nerea no se separó de su lado. No hablaba, no la miraba, no la besaba, no hacía nada. Sólo permanecía tumbado en la cama y de vez en cuando Nerea veía una solitaria lágrima recorrerle la mitad del rostro. Supuso que estaría recordando. Verlo así la mataba y en una ocasión se excusó un momento para bajar a su habitación, donde lloró de impotencia. No sabía qué hacer o qué decirle para que al menos hablara con ella. Incluso se sentía mal consigo misma. Sin quererlo, no había podido dejar de pensar en marcharse de Gandía. Cada día que pasaba veía más difícil un futuro junto a él. ¿Le esperaba una vida feliz a su lado? Ella lo dudaba. Finalmente, agobiada y sin apenas poder respirar, fue al baño y vomitó. Cuando consiguió calmarse, cogió ropa limpia y regresó junto a Hugo.

Le obligó a comer, pero el estómago del chico estaba completamente cerrado. Apenas probó la comida que le había subido el servicio de habitaciones a petición de Nerea y por orden de Pedro.

Al acabar de comer y con la mirada baja volvió a la cama y se quedó dormido. A pesar de no haber hecho nada durante todo el día, Nerea estaba agotada. Le superaba verle en ese estado. Su respiración comenzó a acelerarse a causa de los nervios y el agobio que sentía, y sin importar que lloviera a cántaros, abrió un poco la terraza para salir y cerrarla casi del todo tras de sí. La lluvia chocaba contra su cara y se mezclaba con las lágrimas que se deslizaban por su rostro. Se quedó ahí parada observando el fuerte oleaje del mar, hasta que comenzó a notar el frío. Decidió darse una rápida ducha y cambiarse de ropa.

Cuando salió del baño con el pelo húmedo y vestida con unos pantalones cortos vaqueros y una camiseta de manga tres cuartos, vio a Hugo de pie mirando la tormenta caer. Sin saber muy bien si hacía lo correcto, se acercó a él y le abrazó por detrás rodeando con sus brazos su duro pecho y apoyando su mejilla en la espalda. Por fin, tras más de doce horas de silencio, Hugo se dio la vuelta y la abrazó como si temiera perderla. Temía que ella también se fuera.

—¿Crees que lo superaré? –le preguntó en un hilo de voz sin deshacer el abrazo.

—Claro que lo superarás, aunque ahora no lo sientas así. Tendrás a tu lado a gente que te ayude. Yo pasé por lo mismo hace apenas cuatro años. Mi madre se suicidó delante de mí y hasta hace dos meses tenía pesadillas con eso, pero desde que… bueno —se sonrojó— desde que estamos juntos no me ha vuelto a pasar.

—Siento haberte ignorado todo el día pero me sentía tan… impotente. Aún no entiendo por qué sufro por ella si nunca me quiso.

Nerea abrumada le acarició la mejilla y miró a sus ojos azules ahora enrojecidos e hinchados por el llanto.

—Porque tú sabes lo que es querer y aunque te lo niegues, la querías. Era tu madre.

—Nunca lo fue… nunca me cuidó.

—Pero tu padre sí lo hizo y probablemente no viste que tu madre no te cuidaba hasta que él se fue.

Hugo comenzó a recordar esos años y vio como Nerea tenía razón. Hasta que su padre no se marchó de casa, no descubrió cómo era en realidad su madre. Su padre se encargó de que no lo hiciera para que no sufriese a tan corta edad.

Esa misma tarde se celebró una misa en su honor. Nerea acompañó a un decaído Hugo y no le soltó la mano en ningún momento. Bajo las gafas de sol negras, ambos ocultaban los signos de esos dos horribles días.

La mañana siguiente no despertaron mejor. Hugo no era el que Nerea había conocido dos meses atrás. Estaba callado, apenas la tocaba y mucho menos la besaba.

Para el funeral, Nerea buscó entre su ropa algo adecuado para la ocasión. Finalmente, Sara, la maître, le dejó un recatado vestido negro a juego con los tacones y las gafas de sol. Ayudó a Hugo con el nudo de la corbata pero no le miró a la cara en ningún momento, simplemente entrelazaron sus dedos y salieron al pasillo donde Alejandro les tendió un paraguas negro. No había parado de llover durante esos dos días. Llegaron al cementerio en silencio, y abrazada con una mano a la cintura de Hugo para resguardarse de la lluvia, Nerea miró con un nudo en el estómago aquella tumba marrón oscuro cubierta por flores. Fue una ceremonia íntima, donde las lágrimas apenas estuvieron presentes. Hugo miraba mohíno el ataúd donde descansaría para siempre y por fin, en paz, una mujer condenada a la amargura.

El cura les dio el pésame a Pedro y a su hijo y montando en un coche verde oscuro, se fue. Los pocos invitados que habían asistido, fueron abandonando el tétrico lugar quedando sólo Pedro, Hugo, Alejandro y Nerea ante la lápida de Elisa.

—Será mejor que regresemos al hotel —propuso Alejandro rompiendo el hielo.

—Tienes razón —dijo Pedro sacando un pañuelo blanco de tela y pasándoselo por los ojos—. Vámonos…

—Id yendo vosotros —habló Hugo soltando la mano de Nerea y tendiéndole el paraguas. No le importó que la lluvia comenzara a calarle—. Quiero estar un poco más aquí.

Nerea quiso quedarse con él pero su padre le pasó un brazo por los hombros y pidiéndole silencio, la obligó a caminar.

Cansada y deprimida, se abrazó a su padre cuando este le cogió el paraguas. Sin poder evitarlo, Nerea volteó la cabeza y algo en ella murió al verle bajo la lluvia y de rodillas ante la tumba de su madre con una mano acariciando el frío mármol como si sus caricias traspasaran hasta el cuerpo de la difunta. Al verla, su padre hizo que mirase al frente y le dio un beso en la sien.

Hugo no regresó hasta la noche. Nerea le esperó preocupada en su habitación, hasta que por fin oyó el ruido de la puerta abrirse. El joven tenía el traje completamente empapado y sucio, pero a ella le dio igual y aliviada por que estuviera bien y de vuelta, se lanzó a sus brazos para abrazarle.

—Me tenías muy preocupada... ¿Dónde has estado? –le preguntó acariciándole la mejilla con el pulgar.

—En la casa donde me crié y luego en la cala. Estoy bien –dijo comenzando a quitarse el traje.

—Deberías darte una ducha.

Hugo asintió y fue al baño, donde terminó de desnudarse y se metió bajo el chorro caliente. Apoyó la frente contra la pared de la ducha y dejó que el agua le cayera por la espalda y el cuello. Cerró los ojos e intentó poner en orden sus ideas, pero estaba agotado tras esos días. Iba a salir cuando notó unas suaves manos comenzar a masajearle los hombros y el cuello. Despacio giró la cabeza y se encontró con el dulce rostro de Nerea, cuyos labios dibujaban una medio sonrisa. Estaba vestida con el pijama, pero no pareció importarle que se mojara. Dándose con lentitud media vuelta quedó frente a ella y tras mirarse a los ojos, Nerea se puso de puntillas y alcanzó sus labios en un suave y corto beso. Nerviosa por su reacción, se pasó la lengua por los labios para retener su sabor. Sin hablar aún, Hugo le acarició el rostro retirándole con el dedo índice un mechón de pelo que se le había quedado pegado en la mejilla a causa del agua. Le acarició con el pulgar el labio inferior y finalmente la besó. No fue un beso pasional, sino un beso tierno donde se convirtieron en uno.

—Gracias... –susurró Hugo tras finalizar el beso.

—No tienes nada que agradecerme. Hubieras hecho lo mismo por mí...

—Aun así gracias. No sabes cuánto me ha ayudado que no te hayas separado de mí, salvo cuando necesitaba estar solo. Jamás podré compensarte por esto…

—Me vale con que nos vayamos a la cama, me abraces mientras dormimos y a la mañana siguiente me despiertes con un beso.

Tras dos días sin sonreír, por fin Nerea consiguió que lo hiciera y tras un rápido beso salieron de la ducha. Hugo le dejó una camiseta para que se quitara el calado pijama y cuando se cambió, la cogió por la muñeca para atraerla hacia él y que se tumbara a su lado.

*

—¡¡Nerea!! ¡¿Me estás escuchando?! —gritó Laila dándole una colleja.

—¡Auch! —se quejó llevándose la mano a la nuca—. Joder, Laila, algún día te corto la mano.

—¡Te estoy hablando y no haces más que mirarle el culo a Hugo! Mis ojos están aquí. —Se los señaló—. No en esa espectacular retaguardia.

—¡No le miro el culo! —se defendió—. Estoy preocupada. Hace apenas tres días que falleció su madre y yo he visto lo mal que lo ha pasado.

Laila se sentó en la hamaca a lo indio y agachó la cabeza para mirar su entrepierna por si acaso se le escapaba algún pelillo de las ingles de la braga del biquini. Llevaban todo el día en la piscina aprovechando el sol que había salido tras dos días de fuertes lluvias. Ada, como siempre esos días, estaba con Sergio, y Elena en la cama con migrañas y náuseas causadas por estas.

Hugo decidió saltarse su último día de baja e ir a trabajar. Necesitaba distraerse, y a pesar de que ni Pedro, ni Alejandro, ni Nerea estaban de acuerdo, era su decisión y la respetaron. Se encargó de hacer actividades con los niños en la piscina y se le veía como siempre, incluso Nerea notó que esa mañana se levantó con mucho más ánimo, aunque aún sentía una espina clavada en el pecho.

Como era de esperar, Nerea arrastró a Laila a la piscina. Aparte de hacerla madrugar para ser las primeras en desayunar, después le hizo correr con el estómago lleno y, así, coger sitio en las mejores hamacas.

—Pero parece que está mejor. El impacto que te produce la noticia de una muerte es muy malo. Y creo que aún no se cree que su madre haya fallecido. Yo lo veo bien, Nerea, pero no descartes que por la noche le den bajones. Aunque si se pone a patalear como un niño de cinco años, llámame que le espabilo.

Nerea puso los ojos en blanco y suspiró. ¡Laila era misión imposible!

—¿Qué haces, loca? –le preguntó Nerea al ver cómo se abanicaba con las copas del biquini.

—Estoy asada. Mira, toca. –Se sacó un pecho tapándose el pezón–. Tengo las tetas ardiendo que parece que van a explotar.

—¡Pero tápate! –le gritó Nerea al ver un grupo de niños mirando con la boca abierta el pecho de Laila–. Por Dios, que hay niños.

—Nerea, no me jodas, que lo primero que ven los niños cuando nacen es una teta y no sólo la ven, sino que ya se la meten en la boca –soltó tapándose.

Laila se recogió el pelo en una coleta alta y tras quitarse las chanclas se tiró de bomba a la piscina.

—Joder, qué gusto –dijo cuando sacó la cabeza del agua y bocarriba comenzó a flotar– anímate Nerea, está muy buena.

Encogiéndose de hombros, Nerea se quitó el colgante que le había regalado Hugo días atrás para no perderlo y descalzándose se tiró a la piscina junto a Laila.

—¿Buena? ¡¡Está fría!! –se quejó curvando la espalda.

—Anda, no seas quejica –rio Laila haciéndole una aguadilla.

Haciéndose la enfadada, Nerea le devolvió la aguadilla y cuando notó las manos de Laila en la cinturilla de la braga de su biquini, asustada al ver sus intenciones, gritó sin dejar de reír y empujándola comenzó a nadar por toda la piscina para que no la pillara. Laila, dispuesta a conseguir su propósito salió de la piscina y corrió por el borde para alcanzarla antes. Se tiró de nuevo al agua y cogiéndola del brazo consiguió desabrocharle el nudo de la espalda del sujetador.

—¡¡Laila, yo te mato!! —gritó con las manos en sus pechos para que no se le cayera el biquini.

Aún muerta de risa, Laila salió del agua y recogiendo a todo correr sus cosas, se enroscó la toalla al pecho y se marchó de la piscina después de sacarle la lengua a Nerea que seguía metida con las manos sujetándose el sujetador y roja como un tomate.

—Princesita, acércate anda. ¡Sois peores que los niños! —la llamó Hugo divertido, que había visto todo el numerito que esas dos habían montado.

Como pudo y sin dejar de taparse los pechos, Nerea salió de la piscina y se puso de espaldas a Hugo para que le abrochara el biquini.

—Ya está —dijo tras hacerle un doble nudo.

—¿Hemos llamado mucho la atención? —preguntó Nerea.

—Sólo un poco, princesita. Pero tranquila, ha sido muy divertido.

—Las payasas del hotel, ¿no?

—Bueno, yo llevo siendo el bufón durante años y sigo vivo —se mofó sonriendo y dándole un suave beso—. Ya he acabado esta mañana y me toca comer. Nos vemos luego, ¿vale princesita? —dijo tocando con el dedo índice la punta de su nariz.

—¿Estás bien?

Al ver cómo el rostro de Nerea cambiaba de una expresión divertida a una preocupada la abrazó sin importarle que le mojara.

—Estoy mejor, pero sigue siendo duro.

—Quizá deberías tomarte el resto del día libre…

—No, trabajar me viene bien, me impide pensar en ello.

Sin querer presionarle más, Nerea asintió y le dio un último beso antes de ir hacia su hamaca para recoger y subir a la habitación. Se lavó el pelo sin dejar de pensar en Hugo. Detrás de esa sonrisa que tanto le gustaba, sus ojos mostraban su estado de desconcierto y aún de dolor. Pero en situaciones así, lo mejor que podía hacer era permanecer a su lado.

27

Con el paso de los días, el ánimo de Hugo mejoró. Por las noches, antes de dormirse, seguía recordando a su madre y la tristeza le invadía, pero poco a poco le dolía menos recordarla y asumía lo sucedido. Él estaba vivo y debía seguir adelante.

Nerea no se separó de su lado y estaba pendiente de él en todo momento. Hugo se lo agradeció cada día, con cada sonrisa, cada caricia y cada beso y eso hacía feliz a Nerea, pero él quería hacer algo especial por ella, aunque no sabía qué.

Jamás había tenido una relación como aquella y lo máximo que se le ocurría era llevarla de nuevo a la cala. Una idea le pasó por la cabeza y aunque si le pillaban la bronca sería monumental, era una posibilidad, por ello, cogió en recepción la llave de la habitación que Nerea compartía con Ada. Cuando vio bajar a las chicas a la hora de comer, Hugo aprovechó para subir y cotillear entre las cosas de Nerea con la esperanza de encontrar algo que le diera una idea y por suerte, lo encontró.

En un bolso negro lleno de libros, sacó uno que estaba bastante desgastado y con las solapas medio rotas. Era un libro medieval y al leer el título, sonrió. Era el famoso libro del que Nerea le había hablado en más de una ocasión. Chasqueó los dedos cuando un brillante plan le vino a la cabeza y tras dejar el libro en su sitio salió de la habitación y llamó a un amigo que le debía un favor. Finalmente, tras dos horas al teléfono, Hugo consiguió tenerlo todo preparado para esa noche.

—¡Samuel! —le llamó Hugo al ver que bajaba por las escaleras—. Esta tarde me iré con Nerea fuera de Gandía, pero no le digas nada que ella aún no lo sabe, así que dime si necesitas algo para esta noche y lo voy preparando ahora en el descanso.

—Tío, me dejas flipado. Si hace tres meses alguien me dice que te ibas a enamorar, me habría reído en su cara. —Hugo le dio un suave puñetazo—. No necesito nada, ya está todo listo, así que relájate y disfruta de tu princesita.

—No dudes de que lo haré.

A las cuatro y media de la tarde, un trabajador del hotel llamó a la puerta de la habitación de Nerea para entregarle una carta color blanco roto con una pegatina circular en forma de sello que lo cerraba. Extrañada, volteó el sobre y sonrió al ver su nombre en negro y escrito con letra cursiva.

—¿Qué es eso? —preguntó la cotilla de Ada mirándola por encima del hombro.

—¡Y yo que sé!

—Parece una carta de estas raras de la realeza. ¿A qué esperas? ¡Ábrela! —le exigió Ada impaciente.

Con una sonrisa nerviosa, ambas se sentaron en la cama y Nerea despegó con cuidado el sello rojo para sacar una especie de cartulina adornada con un dibujo en cada una de las cuatro esquinas y una letra muy elaborada escrita con su propia caligrafía con una tinta negra que hizo que Nerea se sonrojara y sonriera como una idiota.

Para lady Nerea Delgado:

Tengo el honor de invitarle esta noche al baile real que se celebrará en el castillo más bonito de toda la costa mediterránea. Es obligatorio que lleve como acompañante a un apuesto caballero y que se vista con sus mejores galas.

Un cordial saludo,

Lord Hugo Ortiz

—Madre mía, Nerea. Dime que esto es coña o me caigo aquí muerta. Joder con Huguito...

Nerea se tapó la boca y comenzó a reír. Ese hombre nunca dejaría de sorprenderla. Emocionada como una niña peque-ña, dejó la carta sobre la cama al lado de una, aún estupefac-ta, Ada que la cogió para volver a leerla, y salió en busca de Hugo.

—¿Me buscabais, bella dama? —dijo una voz tras ella so-bresaltándola antes de bajar las escaleras hacia el *hall*.

Nerea, con rapidez, se dio media vuelta y se abalanzó a los brazos de Hugo dándole un fugaz beso.

—¿Es verdad?

—¿El qué? —preguntó perdiéndose en la sonrisa de ella.

—Lo de la carta.

—Claro que lo es. A las siete pasaré a buscarte para irnos, y espero que estés preparada.

—Pero, ¿a dónde vamos? ¿Y qué es eso de que me ponga mis mejores galas? —preguntó ilusionada.

Hugo sonrió y se encogió de hombros.

—Ya lo verás. Y con eso me refiero a que te pongas el ves-tido más bonito que tengas. —Le dio un suave beso—. Ahora, *milady*, debo seguir trabajando en su particular castillo —dijo refiriéndose al hotel—. Pero esta tarde, vendré a por vos.

La joven soltó una carcajada y le dio un último beso.

—Os estaré esperando, *milord*.

Las horas no parecían pasar para Nerea. Ni siquiera salió de la habitación en toda la tarde. Sólo pensaba en cambiarse, arreglarse y que Hugo llamara a su puerta para ver que le tenía preparado. Una hora después de la entrega de la carta, se metió en la ducha y estuvo en ella hasta que las yemas de los dedos se le arrugaron por completo. Tenía que ma-tar el tiempo. Por fin, a las seis, se plantó frente al armario donde tenía colgado todos los vestidos que había traído en la maleta, pero ninguno le parecía suficientemente elegante. Finalmente se decantó por un bonito vestido blanco que se ajustaba a sus curvas hasta las caderas de donde nacía una bonita falda que dejaba al descubierto sus rodillas. Una fina tela negra a modo de cinturón le rodeaba la cintura y sus dos extremos se juntaban en el lado izquierdo en un bonito lazo. Se calzó unos tacones a juego con el cinturón y se recogió su largo cabello en un perfecto moño alto. Se pintó los labios con un gloss rosa y se dio una sombra clara en los ojos antes de ponerse el rímel y hacerse la raya.

Puntual, Hugo llamó con los nudillos a la puerta y Nerea le abrió con una amplia sonrisa. ¡¡Estaba impresionante!! Llevaba una camisa blanca metida por el vaquero claro y unos elegantes zapatos con cordones, a juego con la americana negra con un solo botón a la altura del ombligo. Pero lo que realmente le gustó a Nerea fue la pajarita. ¡Le encantaban lo increíblemente *sexy* que estaban los hombres con esa sencilla prenda! Y Hugo no iba a ser menos.

—Estás preciosa, princesita —dijo acercándose a ella para entrelazar sus manos y agacharse en busca de su boca.

—Y tú, impresionante.

Bajaron de la mano a recepción donde Hugo cogió unas llaves que jamás había visto Nerea. A la salida del hotel, un todoterreno negro estaba aparcado en la puerta y cuando unas luces anaranjadas parpadearon ante ellos, Nerea le miró.

—¿Es tuyo? Yo creía que sólo tenías la moto.

—Apenas lo uso. Me lo regaló mi padre cuando me saqué el carné, pero pudiendo coger la moto, siempre la prefiero antes que el coche.

La ayudó a subir al todoterreno y él lo rodeó para sentarse en el asiento del piloto. Tras arrancar, encendió la radio y puso la música a un volumen bajo. Estuvieron todo el viaje hablando y de vez en cuando Hugo entrelazaba sus dedos con los de ella y los dejaba reposar en su muslo.

A pesar de la insistencia de Nerea por que le dijera adónde la llevaba, él no dijo nada, salvo que el lugar se encontraba a poco más de una hora de Gandía. En un tramo del camino, Hugo detuvo el coche y mirando a Nerea le tendió un antifaz negro.

—No pienso taparme los ojos.

—Venga, princesita. ¿No confías en mí? —Al ver que se quedaba callada pensándolo mientras se mordía una esquina del labio inferior y mirando el antifaz, cogió una de sus manos y se la besó—. Sabes que no te haría nada malo ni permitiría que te ocurriera nada.

Dándose por vencida ante esas palabras, asintió y él mismo le colocó el antifaz, antes de reanudar el camino hasta que finalmente aparcó. La ayudó a bajar del coche y cogiéndola de la cintura la guio por un camino inestable cuesta arriba hasta la entrada del increíble lugar. Alzándola un poco del suelo, bajó con ella dos escaleras y para que no tropezara la deslizó muy despacio, hasta que Nerea tocó superficie plana con sus zapatos, notando bajo sus pies unas tablas de madera. Hugo disfrutaba viendo sus mejillas sonrojadas y esa sonrisa que le iluminaba el rostro y la condujo por ese camino formado por tablas de madera hasta que la obligó a detenerse. Colocándose a su espalda, depositó un suave beso en su hombro desnudo y le retiró el antifaz. Nerea quedó completamente prendada del lugar donde se encontraba.

Estaban de pie en un camino compuesto por tablas de madera y rodeados de paredes de piedra. Dando un giro de trescientos sesenta grados, Nerea observó estupefacta el gran torreón que había a sus espaldas y las ruinas de otros torreones que componían el castillo. Lo que parecía haber sido el patio, estaba iluminado con lámparas flotantes con velas y en mitad del camino de madera había una mesa con la cena ya preparada y dos copas de vino.

—Yo... yo... —tartamudeó Nerea— no tengo palabras... Pero... ¿dónde estamos?

—En el castillo de la Atalaya. Sé que te gustan las historias medievales, que has fantaseado con estar en un castillo y ser la protagonista de una de esas novelas. —Se rascó la nuca—. Sé que no vamos vestidos con ropas medievales, ni tenemos una cena acorde con la época ni criados, pero en unas horas he podido conseguir este castillo para nosotros solos esta noche, una cena a la luz de las velas y un pequeño baile.

—Pero, ¿por qué? —pregunto incrédula a punto de llorar por todo lo que le había organizado.

—Ya te lo dije. Quería compensarte por lo que hiciste por mí.

Conmocionada, Nerea le miró sin dejar de sonreír y se mordió el labio inferior mientras le acariciaba la mejilla.

—Y yo te dije que no tenías que hacerlo. Con que volvieras a sonreír me valía.

—Sé que no tenía por qué, pero quería hacerlo —dijo acariciándole los nudillos con el pulgar—. Quiero que hoy mi princesita sea la protagonista de su propia novela medieval.

Una lágrima de emoción recorrió la mejilla de Nerea que Hugo eliminó con un beso y, tendiéndole el brazo, ambos caminaron hacia la mesa preparada con una sencilla rosa roja en el centro como adorno. Todavía sin creer que todo eso fuera verdad, disfrutó de la deliciosa cena que un pequeño *catering* había preparado. Hugo le contó que el castillo lo gestionaba un amigo suyo que le debía un favor y tras hablar con él, le convenció para que se lo alquilara durante esa noche.

—No me esperaba esto, la verdad. ¡Aún no me lo creo! —dijo secándose los ojos con el pulgar antes de derramar más lágrimas de emoción.

—Pues créetelo, porque esta noche eres la princesa del castillo —anunció elevando su copa para brindar con y por ella.

Cenaron entre risas y al terminar de cenar, Hugo rodeó la mesa y cogiéndola de la mano, la puso en pie y la llevó hasta el terreno del castillo formado por pequeñas piedras, bajando del camino de madera. Cogió un radiocasete que se encontraba detrás de una silla, y poniéndolo sobre esta pulsó el play.

—No me ha dado tiempo a contratar trovadores y lo único que podemos utilizar aquí es un radiocasete a pilas. —La miró con ojos de pedir disculpas—. Aquí no hay enchufes.

Poniéndose de puntillas, Nerea alcanzó sus labios y le besó con amor. Enredó los dedos en su oscuro pelo para atraerlo más hacia ella y besarle como ella quería. Deseaba disfrutar de ese momento y que nada ni nadie lo estropeara.

—Es perfecto —susurró al finalizar el beso y se abrazó a él para comenzar a bailar al ritmo pausado de la música.

Hugo la abrazó por la cintura notando cómo ella pasaba sus brazos por su cuello y le devolvía el abrazo hundiendo el rostro en él. Nerea cerró los ojos y disfrutó del calor de su cuerpo y del suave balanceo. Se sucedió una canción tras otra y no se separaron, hasta que las primeras notas de la canción *Impossible* de James Arthur comenzaron a sonar. Sonrientes, se miraron a los ojos. Hugo le cogió una mano y colocó la otra en su cintura para comenzar a bailar la canción con la que se dieron su primer beso aquella madrugada en el bar-salón del hotel. Su canción.

A la una de la madrugada y con mucho pesar abandonaron el precioso castillo y regresaron al hotel. Hugo cerró la puerta de su habitación y no encendió las luces. Nerea se quitó los tacones y se sintió pequeña cuando notó la mirada de él sobre ella. Tragó saliva y poco a poco ambos se fueron acercando hasta que Hugo la atrapó entre sus fuertes brazos y la besó con toda la ternura del mundo.

Nerea sin prisa pero sin pausa, le desabrochó el único botón de la americana y se la deslizó por los hombros acariciándoselos por encima de la camisa que no tardó en hacerle compañía a la americana y a la pajarita. Hugo le acarició los brazos desnudos y, juntando su frente con la de ella, bajó la mirada al fino cinturón de su vestido. Deshizo el lazo negro que se ceñía a su cintura con dos dedos tirando de uno de los extremos y metiendo las manos bajo la falda, le sacó el vestido por la cabeza dejándola ante él con la ropa interior. Sin dejar de mirarle, Nerea llevó las manos a su pelo y poco a poco fue retirando todas las pinzas que sujetaban el sofisticado moño hasta dejar suelta su larga melena, cuyo color, siempre había vuelto loco a Hugo.

Juntando de nuevo sus labios, Nerea le desabrochó los pantalones y cuando Hugo se deshizo de ellos, la cogió en brazos y con cuidado la tumbó en la cama. Hipnotizada por todo lo que él le hacía sentir, Nerea le acarició el rostro y bajó con suavidad sus manos por la ancha espalda de él hasta llegar a la cinturilla de los *boxers*, notando en el camino de sus caricias cómo Hugo se estremecía y temblaba tiernamente ante ese contacto. Nerea comenzó a bajarle los *boxers* sin apartar los ojos de los suyos. Hugo hizo lo mismo con la ropa interior de ella y cuando ambos estuvieron desnudos, sus besos se volvieron más pasionales. Con las respiraciones entrecortadas, Hugo guio su erección a su entrada y poco a poco se hundió en ella. Nerea gimió de placer y se abrazó más a él clavando las uñas en su espalda con cada embestida. Gruñidos varoniles se escapaban de la garganta de Hugo que morían en el cuello de Nerea. Sus corazones latían desbocados sintiéndose el uno al otro.

No hubo palabras, sólo sentimientos expresados en cada caricia, en cada beso y en cada mirada que se profesaban. Oleadas de placer les recorrían toda la espalda hasta la nuca y cada jadeo de Nerea era atrapado por la boca de Hugo.

El clímax les llegó al unísono y tras un último grito de liberación, ambos exhaustos, se abrazaron intentando recuperar el ritmo de sus respiraciones.

Hugo notaba su corazón cada vez más acelerado al pensar en ella. Cada vez que la tocaba o la besaba, le temblaban las rodillas y un cosquilleo le recorría el estómago cada vez que la veía. La quería en su vida. Comenzó a repartir cientos de dulces besos por su rostro hasta besarle el lóbulo de la oreja.

—Te quiero, Nerea –le susurró al oído–. Quédate conmigo… no te vayas… no te separes de mi lado…

Un nerviosismo recorrió el estómago de Nerea al oír esas palabra y notó cientos de cuchillos clavarse en su pecho. No podía ser. Colocando las manos en su pecho, lo empujó para que se apartara y cogiendo la sábana se tapó antes de sentarse en el filo de la cama de espaldas a él. Hugo, asustado, vio cómo bajaba la cabeza y comenzaba a negar. A pesar de haber estado a su lado en esos días tan difíciles, a Nerea le aterraba todo el amor que sentía por él. Por más que intentaba ver algo de futuro en aquella relación, no podía. Iba a sufrir. Y no pensaba permitirlo una segunda vez. Era hora de poner punto y final a aquella relación.

—Nerea… –susurró su nombre acercándose a ella para acariciarle la espalda. Contacto que ella rechazó haciendo que algo en Hugo muriera.

—No… –dijo al borde del llanto–. No, no puedes quererme… yo… yo… me voy a ir, Hugo. Voy a regresar a Oviedo –anunció de repente tomando una decisión.

Cuando oyó esas dos dulces palabras en su oído, quiso decirle que ella también lo amaba, pero no pudo. Comenzó a pensar en todas las posibilidades de que su relación fracasara. Él nunca había tenido una relación seria. Las huéspedes no le dejaban en paz causando en ella muchos celos que tarde o temprano habrían hecho mella en ellos haciendo que se separasen. No podía salir bien. Si se quedaba, si abandonaba todo por él y luego no salía bien, no podría recuperarse jamás.

—Nerea, por favor —suspiró apoyando la frente en su hombro antes de posar un beso sobre él y acercar su rostro al de ella aunque siguiera sin mirarle— escúchame, sé que tienes miedo, sé lo que estás pensando, que esto... nosotros, no funcionará, pero no es así, cariño. Yo te quiero. Jamás le había dicho esto a ninguna otra mujer, porque eres la primera de la que me enamoro. Y siempre serás la única para mí. Nerea, por favor, no me abandones. Quédate a mi lado, déjame despertarte con un beso cada amanecer. Déjame susurrarte al oído lo mucho que te quiero cada noche antes de dormir. Déjame estar a tu lado en lo bueno y en lo malo. Déjame hacerte sonreír cada día y secarte las lágrimas cuando estés triste. Déjame compartir mi vida a tu lado. Quiero todo contigo, mi amor. ¿No entiendes que sin ti no soy nada? Sin ti en mi vida, me moriría, Nerea, porque lo eres todo para mí —se declaró poniendo la mano bajo su barbilla y haciendo que le mirara. Tenía los ojos enrojecidos y las lágrimas habían comenzado a caer por sus mejillas. Nerea apretó los labios y bajando la mirada negó con la cabeza—. No me hagas esto, Nerea... no me dejes...

—Lo siento, Hugo. La decisión está tomada. Puede que al principio fuéramos felices, pero ¿y después? Todo ahora es muy bonito, pero siempre se termina acabando. Mira mis padres, ¡mira los tuyos! Tú y yo no tenemos un futuro juntos... esto sólo ha sido un rollo de verano. Siempre lo fue.

—¿Eso crees? Que sólo hemos sido un rollo —espetó dolido por sus palabras—. Está bien, Nerea, sigue siendo una maldita cobarde. ¡¡Sigue pensando que todos los tíos somos como el desgraciado de tu ex!! ¡¡Sigue viviendo con miedo e inseguridades y así ya verás lo feliz que eres!! Acabarás como mi madre... sola y amargada. Puede que nuestros padres acabaran separándose, ¡pero eso no tiene por qué pasarnos a nosotros! Pero ya veo que has decidido por los dos sin importar cómo me siento... Nunca serás feliz, Nerea.

Nerea sollozó más fuerte ante esas duras palabras y recogiendo su ropa, se vistió a todo correr sin decir nada. Todo había acabado y notó cómo su corazón se rompía en mil pedazos. Por un momento pensó en darse la vuelta y hablar con él, pero lo mejor sería que de una vez por todas pusieran punto y final a su relación.

—Nerea —llamó Hugo con un hilo de voz—. Si sales por esa puerta, no quiero que vuelvas a dirigirme la palabra.

Se arrepintió de decir eso en el mismo momento en que acabó de pronunciar la última palabra. Estaba cegado por la furia y la rabia tras abrirle su corazón y ella rechazarlo, pero tenía la esperanza de que no se fuera, de que hablara con él y reconociera que ella también le quería.

Tras un último vistazo a la estancia y a él, Nerea movió los labios sin pronunciar nada, pero Hugo pudo leer en ellos un adiós antes de que la mujer a la que amaba se fuera sin mirar atrás.

Nerea caminó por el largo pasillo hasta el ascensor. Durante el largo trayecto hasta su planta se dio cuenta de que jamás volvería a sentir sus brazos alrededor de su cuerpo, ni sus caricias ni sus besos, ni siquiera volvería a notarle temblar con su contacto mientras hacían el amor. Jamás volvería a despertar en sus brazos con un beso suyo. Sin hacer ruido, entró en la habitación que compartía con Ada. No encendió la luz, pero podía distinguir bajo la fina sábana el cuerpo de su amiga. Sin dejar de sollozar comenzó a desnudarse, pero se dio cuenta que su pijama estaba en la habitación de Hugo. Empezó a revolver sus dos maletas con la única luz del móvil, hasta que una lámpara de la mesilla se encendió.

—¿Nerea? Por dios, Nerea ¿qué te ocurre? —dijo Ada preocupada al verla en ese estado levantándose de la cama para agacharse junto a ella.

Finalmente, ella no pudo más y se derrumbó en sus brazos. Ada, sin entender nada, la abrazó y la acunó intentando calmarla mientras le acariciaba el pelo. Cuando los llantos de Nerea comenzaron a remitir, la miró y le limpió las lágrimas con los pulgares.

—Hugo y yo hemos roto —dijo sollozando de nuevo.

—¿Por qué, cielo? ¿Qué ha pasado?

—Me ha dicho que me quiere y que me quede a su lado y yo le he rechazado y le he dicho que volveré a Oviedo, que aunque al principio todo sea muy bonito, finalmente acabaríamos separándonos y yo no quiero sufrir por amor Ada... —dijo cogiendo un pañuelo.

—Nerea, ¿no te das cuenta? Ya estás sufriendo por amor y por no querer vivir. Hace poco me pasó lo mismo con Sergio, y vosotras me dijisteis que enamorarme y arriesgarme a estar con el hombre que amo, también es vivir. Y aunque me costó, aquí estoy. Dispuesta a mudarme junto a Sergio y empezar una vida junto a él. Nerea en la vida hay que arriesgarse y si no lo solucionas y hablas con Hugo, te arrepentirás toda la vida.

—Ya es tarde... —se sinceró sin dejar de llorar—. Me ha dicho que si me iba, no volviera a hablarle nunca.

—Seguro que no lo dijo en serio —intentó animarla volviéndola a abrazar—. Decir cosas en caliente no es bueno. Habla con él, Nerea.

Nerea negó con la cabeza.

—Se ha acabado, Ada. Todo se ha acabado. Y créeme, es lo mejor.

—No lo creo así, Nerea...

—Ada, si hubiera decidido quedarme y empezar una relación con él, tarde o temprano los celos o que se tirase a otra, hubieran acabado con esa relación, y ya no podría volver a Oviedo tras empaquetar toda mi vida por él...

—Creo que eso es una gilipollez y te lo vuelvo a repetir, Nerea. No sabrás nada hasta que no te arriesgues.

—No pienso arriesgarme por un tío que se follaba a todas las tías que se le ponían por delante.

—No lo hace desde que está contigo, Nerea...

—Pues seguro que ahora lo volverá a hacer. Mañana probablemente ya tenga a otra en su cama... —dijo notando como su corazón se encogía al imaginarlo.

La joven ya no sabía qué decir para animar a su amiga y que entrara en razón, sólo pudo abrazarla hasta que poco a poco, Nerea fue quedándose dormida en sus brazos.

28

Ninguno de los dos estaba bien. Nerea llevaba días encerrada en la habitación, no salía, no comía, no hacía nada. Sólo se quedaba tumbada en la cama y lloraba. Sus amigas, preocupadas por ella, le llevaban algo de comer, pero era darle un bocado y Nerea corría al baño a vomitar. Estaba pálida y sentía fuertes mareos. Sus amigas intentaron hablar con Hugo para que aclararan las cosas. No podían seguir así y ella necesitaba recuperarse, no sólo psicológicamente, sino también físicamente. Esos días había perdido mucho peso debido a sus vómitos continuos y la ausencia de comida.

Pero Hugo se negó a volver siquiera a verla. Ella había decidido, ella quiso separarse de él, por lo que debía ser ella la que fuera a hablar con él. No pensaba arrastrarse por una caprichosa a la que le había abierto su corazón y después le había dejado. Lo que ninguna sabía era que, aunque Hugo mostrara pasividad, por las noches, desesperado por su ausencia, dormía abrazado al pijama que Nerea se dejó bajo su almohada. Cada noche aspiraba su olor y dormía abrazado a él imaginando que era ella a la que estrechaba entre sus brazos. Imaginándose a su lado a la mujer que le había roto el corazón.

Pedro y Alejandro, enterados por las amigas de Nerea y en parte por Hugo de lo ocurrido, intentaron hablar con sus respectivos hijos. Para Pedro fue misión imposible. Su hijo se había cerrado en banda y ocultaba bajo su mal humor todo el dolor causado por el amor.

Alejandro pasó horas hablando con su hija mientras ella, abrazada a él, lloraba y le contaba el porqué de esa decisión. Su padre intentó hacerla entrar en razón, pero Nerea, al igual que Hugo, había cerrado las puertas al amor que se profesaban. Como cuando era niña y enfermaba, Alejandro le dio una sopa de arroz que habían preparado en la cocina para ella. Se la dio despacio, para que su estómago lo asentara. Consiguió que se la acabara junto a un yogur que le costó comer, pero finalmente lo hizo y se quedó dormida abrazada a su padre. Alejandro, preocupado por la tez blanca de su hija junto a unas considerables ojeras y su pérdida de peso, le dio un beso en la frente y la dejó descansar. Él debía seguir trabajando, pero esa noche volvería a visitarla.

—¿Cómo está? —le preguntó Pedro cuando Alejandro salió de la habitación de su hija con ojos tristes.

—He conseguido que coma y ahora está durmiendo. Está destrozada —dijo en un suspiro.

—Hugo tiene un humor de perros, pero soy su padre y sé que con esa actitud quiere esconderme el dolor que siente ahora mismo.

Alejandro se sacó un pañuelo del bolsillo y se secó los ojos. No podía ver sufrir a su princesa y menos ver cómo su cuerpo se consumía por la pena. Intentando disimular su malestar, bajaron al despacho del director, donde ambos se sirvieron un vaso de whisky. Lo necesitaban.

—Sabes que Nerea lo pasó muy mal cuando descubrió lo que en realidad buscaba Íñigo de ella y ahora… tiene miedo a arriesgarse por amor.

—No hay manera de que ninguno de ellos entre en razón —dijo Pedro negando con la cabeza.

—Hugo jamás se había enamorado y entiendo su reacción. Es más, según me contó, Nerea tomó la decisión de regresar a Oviedo cuando él le confesó que la quería.

—Me duele decirlo, Alejandro. Pero no podemos hacer nada. Sólo ellos pueden solucionarlo.

Alejandro asintió triste y se bebió de un trago todo el whisky que había en su vaso.

Tal como le había prometido, Alejandro regresó por la noche al cuarto de su hija. Seguía tumbada y su rostro mostraba la tristeza y el dolor que sentía. Tenía el pelo húmedo, por lo que supuso que se había duchado. Su amiga Ada, que se encontraba en el baño preparándose para salir, clavó la vista en Alejandro y le saludó con un ligero movimiento de cabeza. El hombre pudo ver en los ojos de la joven el aire de derrota que sentía con respecto a su hija. Al ver a su padre, Nerea le hizo sitio en la cama para que se sentara a su lado y volvió a abrazarle.

—¿Crees que soy idiota? —le preguntó tras varios minutos de silencio.

—No digas eso, princesa. En las cosas del corazón nada es fácil.

Al oír cómo la llamaba una nueva punzada le atravesó. Aunque cuando le conoció lo odiaba, la manera de Hugo de llamarla princesita se había convertido en algo muy especial para ella, pero ahora era doloroso.

—Yo le quiero, papá —se sinceró—. Pero tarde o temprano sé que todo se habría acabado.

—¿Por qué dices eso, cariño?

—Somos muy diferentes. Cuando le conocí se iba con todas las que podía, estaba cerrado al amor y sólo quería de mí lo mismo que de ellas...

—Princesa, ¿te has dado cuenta? —Ella le miró extrañada—. Has hablado en pasado. No quiero agobiarte más, Nerea. Tú has sido la que ha tomado la decisión de que se rompiera lo que teníais. Tú te has negado al amor. Tú has decidido apartarte de su lado. Tú has decidido no arriesgarte a crear una vida junto a él. Ahora está en tú mano reconducir tu camino. Mira en tu corazón, Nerea, y escúchalo. ¿De verdad quieres separarte de él? ¿De verdad no quieres arriesgarte a ser feliz con el hombre que amas? —A Nerea se le resbaló una lágrima por la mejilla—: Sabes que siempre te he ayudado y hagas lo que hagas te querré, pero en esto no puedo ayudarte. Lo único que puedo hacer es aconsejarte, pero este será mi último consejo: arriésgate. Es cierto que puedes perder, pero ¿has pensado en lo que puedes ganar?

Nerea se quedó callada. Las palabras de su padre siempre conseguían que reflexionara, pero por una vez en su vida prefería olvidarlas. Eso haría que su cabeza no parara de dar vueltas y que tomara la decisión equivocada. Pero, ¿acaso sabía qué decisión era la acertada?

—Deberías comer algo, Nerea, o enfermarás. Aunque sea por mí, por favor, princesa. Tienes muy mal aspecto.

Asintió con la cabeza, pero le ocurrió lo de siempre. Al acabar un simple sándwich, su estómago hizo que corriera al baño para echarlo. Su padre, agotado con la situación, antes de salir de la habitación, le dijo que si seguía así la llevaría al médico.

Ada, que había sido testigo de la conversación padre e hija, con cariño, se agachó junto a ella y le pasó una toalla mojada por la nuca mientras le sujetaba el pelo y Nerea empezaba a respirar con dificultad.

—Tranquilízate Nerea.

—Estoy mareada —dijo llevándose una mano a la frente.

—Normal, no comes nada y lo poco que comes acabas echándolo. Creo que voy a llamar a Sergio para decirle que no puedo quedar con él. No te pienso dejar sola.

Ada se puso de pie para llamar a su novio, pero Nerea le cogió de la muñeca aún desde el suelo para impedírselo.

—Estaré bien, Ada, tranquila. Mi padre tiene razón. Soy yo la que ha decidido estar en esta situación y ahora debo asumirla. Regresaré a Oviedo y… yo que sé… seguiré buscando trabajo y… regresaré a mi vida normal.

—No pienso decirte nada más, Nerea —finalizó el tema llamando a Sergio para decirle que no podrían verse esa noche. El chico enseguida entendió lo que Ada le decía y con un «te quiero» que Nerea oyó sintiendo una punzada de celos, se despidieron hasta el día siguiente—. Venga. —La ayudó a levantarse—. Túmbate en la cama mientras me desmaquillo y pídeme algo de cenar, porfi.

—¿Qué quieres que te pida?

—Una ensalada y un yogur bastarán.

Nerea cogió el teléfono y llamó al servicio de habitaciones para que les subieran una ensalada y un yogur azucarado. Les indicó el número de la habitación y la recepcionista le dijo que enseguida se lo subirían. Nerea le dio las gracias y colgó.

En el baño, Ada buscaba por todos lados las toallitas desmaquilladoras. ¿Dónde narices las había dejado? Cansada de buscar, fue a coger una de las que Nerea guardaba en su neceser blanco y dorado con el contorno de la cara de Hello Kitty, pero al sacarlas, el neceser cayó al suelo y todo su contenido quedó esparcido por el baño. Poniendo los ojos en blanco por su torpeza, Ada se arrodilló para recoger las cosas, pero se quedó petrificada al coger el blíster que contenía tres filas de siete pastillas rosadas y una cuarta fila de blancas. Pudo apreciar que en la primera fila de las rosadas, faltaban sólo cinco pastillas. Cogiendo la caja con el resto de las pastillas anticonceptivas, sacó de ella dos tabletas más sin estrenar y la que estaba empezada ¡era del mes de julio! Continuó mirando el neceser de Nerea y vio que la caja de tampones que compró a finales de junio, no estaba abierta y el paquete de las compresas apenas estaba empezado. Con la boca abierta y lentamente salió del baño sin soltar el plastiquito del mes de julio.

—Nerea —dijo sin quitar su cara de asombro—. Piensa lo que te voy a decir, ¿vale? ¿Desde cuándo hace que no te visita tu amiga la roja? —le preguntó enseñándole el blíster empezado que tenía entre los dedos.

Al escucharla, Nerea abrió los ojos como platos y se puso a pensar hasta que saltó de la cama y corrió al baño como si tuviera un petardo en el culo. Sacó de su neceser un pequeño calendario y vio una cruz roja el veintisiete de junio. Se tapó la boca. No podía ser. Había estado tan embobada con su relación con Hugo y disfrutando de él, que se le había olvidado por completo tomarse la píldora. ¡Y la regla no le había bajado desde junio! Sintió cómo su corazón se aceleraba y comenzó a inspirar y expirar para tranquilizarse. Ahora entendía su malestar de esos días y sus vómitos continuos, que sumados a la ruptura con Hugo, habían empeorado debido al estrés. El cansancio, los mareos… todo. Ada al ver que comenzaba a ponerse nerviosa la cogió del rostro e hizo que la mirara.

—Nerea, tranquilízate, ¿vale? Voy a llamar a Sergio, él se conoce mejor la zona, y que me lleve a la farmacia de guardia más cercana.

—No le digas nada, por favor, Ada.

Ella asintió y le dio un beso en la mejilla antes de salir de la habitación. Por el camino hasta la puerta del hotel, Ada llamó a Sergio y le dijo que le esperaba en la salida de este. Sergio, sorprendido por esa llamada, se vistió y en menos de cinco minutos presionaba los labios de Ada contra los suyos. Su casa estaba muy cerca de ahí.

—Hola mi ninfa —la saludó tras el beso—. ¿Nerea está mejor?

—No, pero necesito que me lleves a una farmacia de guardia.

—¿Te ocurre algo? —le preguntó preocupado acariciándole el rostro.

—Tranquilo, ¿vale? Pero de momento no puedo decirte nada más.

Sacando su móvil, Sergio comenzó a buscar las farmacias abiertas a esas horas de la noche. Por suerte, la farmacia que se encontraba doblando la esquina estaba abierta y cogidos de la mano caminaron a paso ligero hacia ella. El ruido de la campana avisó a la farmacéutica de guardia de la llegada de clientes y con una sonrisa los recibió.

—Buenas noches. Díganme, ¿en que puedo ayudarles?

—Buenas noches, deme dos test de embarazo, uno normal y otro digital.

Sergio al oír lo que le pedía, la miró y poniendo los ojos en blanco, cayó redondo al suelo. Ante el ruido del impacto, ambas mujeres se miraron para ver a un desmayado Sergio en el suelo. Rápidamente comenzaron a auxiliarle subiéndole las piernas, hasta que poco a poco comenzó a recuperar la conciencia. Sentándole en una silla, Ada le dio un poco de agua mientras negaba con la cabeza.

—Anda que… ¡menudo blandengue! —le dijo sonriendo—. ¿Estás mejor?

—Sí, pero… Ada —La miró—. ¿Estás embarazada? Pero… ¿cómo es posible? Si siempre… ya sabes… siempre hemos usado protección.

—No estoy embarazada, la que puede que lo esté, y yo diría que sí, es Nerea, pero yo no te he dicho nada, ¿entendido?

El chico suspiró aliviado y asintió. Ada le dio la botella de agua y le dejó sentado mientras atendía las instrucciones de la farmacéutica.

—Ambos test pueden realizarse en cualquier momento del día, pero es preferible con la primera orina de la mañana —le indicó a Ada metiendo los dos paquetes en una pequeña bolsa—. Para cualquier duda, vuelvan y se la atenderemos y si da positivo, vaya cuanto antes a su médico de cabecera.

Ada le dio las gracias y cogiendo la mano de un aún pálido Sergio regresaron al hotel. Antes de entrar, guardó la bolsa de la farmacia en el bolso para que nadie la viera. No quería que Alejandro o incluso Hugo la interrogaran por lo que había en su interior. Muy a su pesar, se despidió de su chico y subió a la habitación donde vio a Nerea de pie mirando por el cristal de la terraza. Estaba pensativa y con una mano se acariciaba el vientre.

—Nerea, ya estoy aquí —dijo Ada para que notara su presencia.

—¿Qué voy a hacer ahora, Ada? —susurró sin dejar de mirar el mar presionando ligeramente su vientre—. No tengo trabajo, subsisto gracias al dinero que me pasa mi padre todos los meses hasta que encuentre algo. ¿Cómo voy a mantener a un... bebé? —dijo tras tragar saliva.

—Lo primero —Se acercó a ella con uno de los test en la mano— es confirmarlo.

—Llevo casi dos meses sin la regla, Ada...

—Haz el test, Nerea.

Tras resoplar, Nerea miró el test y luego a Ada. Con la mano temblorosa lo cogió y fue al baño. Al acabar, colocó de nuevo la capucha de plástico y dejó el predictor en una de las mesillas de noche bocabajo. Ada, mientras, había ido leyendo las instrucciones.

—Aquí pone que hay que esperar unos cinco minutos. Un palito, negativo; dos, positivo.

Guardó las instrucciones y se sentó en la cama junto a Nerea.

—¿Sabes que hay dos opciones en el caso de que dé positivo, verdad?

—Sí, pero ya sabes lo que opino sobre el... aborto. Cada mujer con su cuerpo puede hacer lo que quiera, pero siempre os he dicho que si me pasara a mí... me vería incapaz de hacerlo.

—¿Y la adopción? —le propuso retirándole un mechón detrás de la oreja.

—No podría, Ada. Es mi bebé, mi hijo y... —Se acarició el vientre— va a ser lo único que me quede de él.

Sabiendo que se refería a Hugo, Ada la abrazó y dejó que su cabeza reposara en su pecho mientras la acariciaba el pelo. No iba a ser fácil para ella, pero tanto ella como Elena y Laila y, por supuesto, su padre, la ayudarían en todo.

—¿Lo miras tú o lo miro yo?

—Mejor tú.

Nerea se quitó de encima de Ada y esta sentándose a lo indio cogió el predictor de la mesilla y lo miró. Nerviosa, Nerea se mordió el labio inferior a la espera de que dijera algo y tras resoplar, Ada la felicitó:

—Enhorabuena, Nerea. ¡Me vas a hacer tía!

Nerea sonrió negando con la cabeza tras varios días sin hacerlo. ¡Ada era tremenda! Sin saber por qué, de repente se sintió feliz y se acarició el vientre. ¡Iba a ser madre! Ada, dejando de nuevo el test donde estaba, se acercó a su amiga y la abrazó dándole de nuevo la enhorabuena.

—De todas formas, mañana haces el otro test que he comprado. Es ese digital tan famoso que sale por la tele. Así sabremos de cuántas semanas estás —dijo acariciando su todavía liso estómago—. Tía, aún no me lo creo... ¡Vas a tener un bebé! —Sonrió, pero enseguida esa sonrisa desapareció—. ¿Se lo vas a decir?

—¿A quién?

—A mi tía la del pueblo ¿A quién va a ser? A Hugo.

Nerea bajó la mirada y negó con la cabeza. No quería que se viese obligado a volver con ella o seguirla a Oviedo sólo porque un hijo de ambos estuviera de camino. No había sido premeditado y quizá no quisiera tampoco asumir la responsabilidad que conllevaba la paternidad. Lo mejor era quedarse callada, marcharse y criarlo sola.

—Tiene derecho a saberlo, Nerea.

—Me dijo que no le volviera a dirigir la palabra. Lo siento, Ada, pero no y más te vale que mantengas la boca cerrada —la amenazó señalándola con un dedo.

—Uyss… las hormonas comienzan a hacer efecto —se mofó—. Anda avisemos a las otras dos futuras titas.

Ada salió de la habitación y llamó a la puerta de Elena y Laila. Aún estaban despiertas, pero ninguna de las dos dejaba de bostezar. Emocionada, las cogió de las muñecas y las llevó hasta su habitación. Les hizo sentarse en la cama de Nerea junto a ella mientras cogía tres chupitos de whisky para ellas y un chupito de zumo para la futura madre. Laila y Elena aún sin entender nada, le siguieron el brindis a Ada al grito de «¡Por el futuro de Nerea!» y las cuatro bebieron su bebida de un trago.

—¿Se puede saber qué pasa? —preguntó Laila tras toser cuando el amargo líquido bajó por su garganta.

—¿Vosotras qué preferís? ¿Que una monada de niño o que una preciosa niña os llame titas?

Ambas abrieron los ojos estupefactas y clavaron los ojos, en un principio, en el vientre de Ada.

—¡¿Estás preñada, insensata?! —escupió Laila.

—Laila, sujétame, que me desmayo aquí mismo —dijo una alucinada Elena.

—¡No! —gritó Ada riendo—. Más desmayos, ¡no! Con el de Sergio, ¡suficiente!

—Normal que el pobre chico haya besado el suelo…

—A ver que os desviáis —dijo Ada poniendo calma—. Yo no estoy embarazada, pero Nerea sí y ¡no la estreséis! —las advirtió.

Con los ojos como platos miraron a Nerea con la boca abierta. ¿Estaba embarazada? Como pudo, Nerea les contó lo sucedido ese mes y medio que Hugo y ella estuvieron juntos. Se había olvidado por completo de tomar la píldora y no se dio cuenta de la ausencia de la menstruación hasta que esa noche Ada descubrió en el neceser su caja de anticonceptivos sin tomar. Les pidió que no le dijeran nada a Hugo y Laila le amenazó con una colleja si se lo callaba, pero Elena y Ada la hicieron entender que esa era su decisión y, aunque no estuvieran de acuerdo, debían respetarla. Ellas tras abrazarla y besarla, se ofrecieron a ayudarla en todo y estaban dispuestas a malcriar al pequeño sobrinito o sobrinita que estaba de camino.

—Joder con Hugo... ¡menudo semental! No lo esterilizaste con el apretón de huevos... ¡lo avivaste más!

Todas rieron hasta que Ada al ver a Nerea comenzar a dormirse, echó a Elena y a Laila de la habitación quedando con ellas al día siguiente en el pequeño pasillo de sus habitaciones para bajar a desayunar. Con el corazón un poco más tranquilo y la emoción del futuro que le esperaba, se durmió, aunque volvió a entristecerse al despertar y recordar su sueño. Ella y Hugo criando a un precioso bebé en una maravillosa casa. Su conciencia, en ocasiones, era muy rencorosa.

Tras despertar y obligada por Ada, hizo el segundo test, que volvió a dar positivo e indicaba que estaba de más de tres semanas. Sin poder evitarlo, Nerea se miró de perfil en el espejo y levantó la camiseta que llevaba a la altura del vientre, incrédula porque un pequeño ser estuviera creciendo dentro de ella.

29

Había pasado más de una semana desde que Nerea hubiera decidido poner fin a su relación con Hugo. Ahora sólo salía de la habitación para comer, pero en cuanto podía, se escabullía de nuevo a ella.

No quería verle, ya le dolía bastante pensar en él. Tras la noticia de su embarazo, Nerea decidió que era hora de luchar de verdad por un trabajo. No podía hacer que su padre siguiera manteniéndola. Durante los siguientes días, Nerea pensó en cómo contarle a su progenitor que iba a ser abuelo. ¿Le decepcionaría? Tragándose su miedo, decidió saltarse la comida e ir a hablar con su padre.

—¿Se puede? —preguntó Nerea asomando la cabeza por la puerta tras llamar.

—Claro, pasa princesa.

Con los nervios a flor de piel, Nerea se acercó a su padre que, como siempre, la recibió con un candoroso abrazo y beso en la frente. Tomaron asiento en las sillas que se encontraban frente a la mesa del despacho y Alejandro tomó las manos de su hija.

—¿Has comido ya? ¿Quieres un café o algo?

—No, no he comido, tengo el estómago revuelto y tampoco quiero café, pero gracias.

—Nerea... —suspiró cansado—. Tienes que comer.

—He descubierto la razón por la que no puedo comer.

Nerea se puso de pie y se sacó del bolsillo trasero del pantalón el segundo test que se había hecho. Se lo tendió a su padre y esperó con manos temblorosas su reacción. Alejandro cogió el alargado aparato blanco y azul y se fijó en lo que ponía en la pantalla digital. Clavó los ojos en su hija y de nuevo en el predictor. No daba crédito a lo que veía.

—Cariño, ¿estás embarazada?

Ella asintió.

—¿Sabes quién es el padre?

—¡¡¡Papá!!! —gritó Nerea con los ojos como platos—. Pero papá, ¿por quién me tomas? ¿Y no ves la fecha? Estaré de un mes o así y corté con Hugo hace diez días.

—Tienes razón, lo siento cariño, es sólo que… no me lo esperaba.

—¿Estás enfadado?

—Por supuesto que no, cariño. —La abrazó besándola en la mejilla—. ¡Me vas a hacer abuelo! Y ya no tienes dieciocho años. —Con los ojos llorosos miró a su hija—: Has crecido, princesa, y te has convertido en una preciosa mujercita que está a punto de formar su propia familia. Parece mentira que hace sólo cuatro días te sentabas en esta mesa a pintar tus princesas favoritas mientras yo trabajaba y después me las hacías pegar con celo por todo el despacho. A Pedro se lo llenaste entero.

Con lágrimas de felicidad, Nerea sonrió y volvió a abrazar a su padre mientras notaba cómo él posaba una mano en su inexistente barriga.

—Se lo tienes que decir, Nerea. Hugo tiene derecho a saber que va a ser padre.

—¿Para qué? El martes regreso a Oviedo y no creo que vuelva a verle…

—¿El martes? Pero si tus amigas se van dentro de diez días. El 31 tal y como dijisteis.

—Lo sé, papá. Pero estoy encerrada en la habitación porque no puedo verle y me asusta que me diga algo o me mire mal. Quiero irme, papá. Ya no soporto esto. Y además tengo que buscar trabajo. Ya no soy sólo yo.

—Sabes que te voy a ayudar, princesa. No te va a faltar de nada. Ni a ti ni al bebé, pero pienso que antes de que te vayas, es mejor que hables con Hugo.

—Lo siento, papá. Sé que tenías la esperanza de que me quedara —dijo ignorando lo que le había dicho de Hugo—. Vi en tu ordenador una carpeta con mi nombre y llena de ofertas de trabajo.

—Cariño, no te preocupes. Lo único que me importa es que tú estés bien y tienes que tranquilizarte. No es bueno para el bebé que te alteres. Pero piensa lo de Hugo, ¿me lo prometes?

Ella lo hizo y se quedó una hora más en el despacho de su padre hablando con él, pero Alejandro debía atender a sus responsabilidades y muy a su pesar, Nerea regresó a la habitación sin darse cuenta de que unos ojos azules la habían estado observando durante todo el trayecto hasta las escaleras.

Hugo no soportaba más la soledad. Cada noche la echaba más de menos a su lado, y aunque en varias ocasiones había estado a punto de ir a hablar con ella, su orgullo se lo impedía. Si le amaba, sería ella quien tendría que buscarle. Pero ver que la tenía tan cerca y a la vez tan lejos, le consumía. Quizá debería templar un poco su humor e intentar convencerla de que para él no habría nadie más salvo ella, pero sus pensamientos desaparecieron cuando notó algo sobre su cabeza y vislumbró un fondo marrón. Quitándose la caja de cartón con la que Samuel le había cubierto hasta el cuello, le golpeó en el brazo con ella, antes de tirarla a una bolsa amarilla de basura. El animador sacó las asas blancas e hizo un nudo para ir a tirarla al contenedor.

Acababan de terminar de hacer una limpieza a fondo en el almacén. Había demasiados materiales rotos o inservibles y necesitaban espacio antes de que no cupiera ahí ni una mosca. Durante las dos horas largas que duró la limpieza, Hugo no le había dirigido la palabra a Samuel, quien lo veía ausente y tremendamente enfadado. Tenía todo el rostro tenso, los labios y la mandíbula apretados y unas pequeñas arrugas aparecían en su frente fruncida. Cogía las cosas y las dejaba de mala manera, y maldijo en voz alta cuando se le cayó, haciéndose añicos, una botella de anís vacía con la que habían enseñado a los niños a tocar música con ella y un palo.

Samuel no quiso decirle nada. Sabía lo ocurrido y no quería meterse en algo que debían solucionar Nerea y él, pero cuando se fijó en cómo la miraba salir del despacho de su padre, supo que no la quería dejar escapar. Aunque su orgullo le impidiera ir a buscarla.

—A ver, Gruñón —dijo llamándole como al famoso enano de Blancanieves que siempre estaba enfadado—. ¿Vas a dejar de hacer el idiota?

—No me toques los huevos, Samuel. No estoy de humor —bufó enfadado.

—¿Me lo dices o me lo cuentas?

—Te lo narro —contestó vacilón.

Cogió todas las bolsas que pudo haciendo que los músculos de sus brazos se tensaran y las clientas del hotel babearan al verlo. Miradas que él ignoró, pues la única que le interesaba era la mirada castaña de su princesita.

A paso rápido, caminó hasta los contenedores y pulsando con un pie la palanca de la parte inferior del contenedor, alzó todas las bolsas hasta que acabaron dentro.

—Lo dicho —dijo Samuel tras alcanzarle—. Te estás comportando como un idiota. Te consumes cada día porque no tienes a tu lado a Nerea y en vez de ir y hablar con ella, pasas el día cabreado y pagando tu mal humor con los demás. Creo que eso no soluciona nada.

—Mira, Samuel, creo que ya me he arrastrado hacia ella más de una vez. La princesita Cascanueces decidió mandarme a la mierda cuando le confesé lo que sentía por ella. Dejó claro que para ella sólo fui un rollo.

—Hugo…

—¡Ni Hugo ni pollas! Si de verdad quiere estar conmigo, ¡que me lo demuestre!

Cerró de mala gana la tapa del contenedor sin querer hablar más con nadie sobre Nerea. Estaba harto de dar explicaciones, cuando él era la única víctima de todo esto. Dispuesto a no cruzarse con nadie más, decidió coger algo de comida y comer en su cuarto. Estaría a salvo de las miraditas de los empleados y de algún sermón de su padre o de Alejandro. Consiguió esquivarles y subir a su habitación sin ningún impedimento, pero cada vez que entraba la veía completamente vacía. Le faltaba ella. Dejando la comida en una pequeña mesa que tenía en la terraza, se acercó a la cama para levantar un poco la almohada y acariciar el pijama. Sólo le quedaba eso de ella. Por una vez en esos días, Hugo asumió que no había vuelta atrás. Era hora de poner punto y final a esa etapa de su vida. En una mano, cogió el pijama y, como si de un vendaval se tratase, bajó a la habitación de Nerea y Ada, donde, por suerte, esta última le abrió. Ada se quedó sorprendida al verle y por un momento pensó que había ido a solucionar las cosas con Nerea, pero su gesto cambió cuando el animador le tiró el pijama de Nerea a la cara de mala manera.

—¡¡¡Serás imbécil!!! —le gritó roja por la furia—. ¡¿Qué cojones crees que haces?!

—En este hotel, los animales están prohibidos, así que haz el favor de dejar de gruñir como los perros y dale eso a tu amiga. Y dile que ya es definitivo y que no hay nada que me ate a ella. Que se vaya y que no quiero volver a verla en mi vida.

Hugo se dio media vuelta para marcharse pero volvió a girarse cuando algo impactó en su cabeza. Como acto reflejo se llevó la mano a la zona donde le habían golpeado y vio el zapato que Ada le había tirado desde la puerta. Por un momento, Hugo pensó en llevárselo, pero quería ver a la pelirroja lo menos posible, por lo que se lo lanzó dentro de la habitación, oyendo cómo impactaba con el cristal de la terraza.

—Venga, busca, busca —se burló Hugo.

Ada, cabreada, cerró de un fuerte portazo que hizo sonreír al animador. ¡Menos mal que los días para soportarlas llegaban a su fin!

—¿Quién era? —preguntó Nerea saliendo del baño con una toalla anudada a su pecho y secándose las puntas con otra toalla blanca más pequeña que la del cuerpo.

Durante la ducha había permanecido con los ojos cerrados imaginando que el agua que corría por su cuerpo eran las cálidas manos de Hugo, pero para nada la sensación era la misma que sentía cuando era él quien la acariciaba. El agua no hacía que las piernas le temblaran ni que su piel se estremeciera. No hacía más que torturarse con imágenes de ellos dos juntos. La pregunta volvía a replantearse en su cabeza. ¿Debería intentar-lo? ¿Debería quedarse? ¿Debería arriesgarse? ¿Debería hablar con él? Quizá se había precipitado tomando la decisión, pero cuando le dijo que la quería, se asustó. Es más, seguía asus-tándose al recordarlo, pero no podía negar que ella sentía lo mismo por él.

—¡¡Un gilipollas!! —gritó Ada dándole el pijama a Nerea.

Al ver la prenda, su corazón se rompió en mil pedazos. Si se lo había devuelto, era porque no la quería volver a ver. Expulsó el aire retenido en sus pulmones y doblándolo lo puso en el fondo de la maleta tapándolo con otras prendas. De espaldas a Ada, se puso la ropa interior tras dejar caer la toalla al suelo y cogió el primer pantalón corto que pilló. Pero antes de po-nerse una camiseta, observó que Ada la miraba de una forma extraña.

—¿Qué pasa? —le preguntó Nerea.

—Que ahora que me fijo... ¡te han crecido las tetas!

Nerea puso los ojos en blanco mientras la loca de su amiga se acercaba para manoseárselas por encima del sujetador, com-probando su tacto, su tamaño y su peso.

—Sí, sí. Están más grandes y joder, ¡¡están ardiendo!! —quitó las manos de sus pechos como si fueran un objeto prohibido de tocar—. ¿No te estaré excitando al tocártelas para que las tengas así de calientes, verdad?

—Ada, mejor no vuelvas a toquetearme las tetas y no, lo que menos estoy ahora mismo es excitada —resopló poniéndo-se la camiseta.

Los días pasaban y la marcha de Nerea se acercaba. Sus ami-gas intentaban que esperara para irse todas juntas, pero ella era cabezota como ninguna y no se dejó convencer. Deseaba irse cuanto antes. Era lo mejor para todos.

Los últimos días que Nerea estuvo en el hotel, se dedicó a dar largos paseos nocturnos por la orilla del mar, dejando que las olas mojaran levemente sus pies. Iba a echar mucho de menos todas aquellas sensaciones. Paseaba durante el tiempo suficiente para que los animadores realizaran su espectáculo y se fueran a descansar. Pero no podía irse sin visitar la pequeña urbanización donde la había llevado Hugo, por lo que cogió su coche y, con ayuda del GPS, condujo hasta ahí.

Pasó allí su penúltimo día en Gandía. Subió a la pequeña colina donde disfrutó con él de su primera cita y después comió en el pequeño restaurante donde la llevó a cenar. A paso lento, caminó por la acera que daba acceso a las puertas de las distintas viviendas deteniéndose en la última. La más grande de todas y con la que Nerea soñaba desde que era pequeña. Pero como se suele decir, los sueños, sueños son. La vida no era un cuento de princesas y castillos con príncipes azules que te despiertan con un beso.

Como le pasaba desde que sabía que estaba embarazada, al comenzar a llegar la noche su estómago se revolvía. Dejó pasar la cena y caminó hasta la pequeña cala. Se sentó en mitad de ella agarrándose las rodillas con las manos y contemplando la inmensidad y los misterios del mar mientras el viento agitaba su pelo. Sin poder evitarlo, le llegaron a la mente los recuerdos de aquel día en esa cala. Una risa tímida se le escapó al recordar cómo al día siguiente amaneció escocida por la arena. Pero ahora volvería a repetir lo que hizo sobre esa suave y limpia playa con él. Con Hugo.

Una brisa algo fría para ser verano comenzó a azotar su cuerpo y frotándose los brazos para entrar en calor, supo que era hora de irse. El sol se había puesto hacía rato y la única luz que había, era la de la luna.

Durante el camino de regreso al hotel, su cabeza dio mil vueltas. Quizá debería hablar con Hugo antes de marcharse. Las cosas entre ellos no podían empeorar más. Pero le aterraba. Era consciente de que no la iba a mirar igual y, posiblemente, la ignoraría. Ella sólo quería que la siguiera mirando igual, con esa mirada entre pícara y risueña que hacía que sonriera como una boba. Limpiándose una lágrima que estaba a punto de salir de sus ojos, aparcó cerca de la entrada del hotel y comprobó la hora en el reloj del vehículo. Eran las doce menos cuarto de la noche. El tiempo se le había pasado volando. Nerea supuso que los empleados encargados del comedor y el bar-salón estarían recogiendo para dar el día por finalizado, por lo que entró y atravesó la recepción lo más rápido que pudo, saludando con una sonrisa a la recepcionista. Pero algo se bloqueó dentro de ella cuando había puesto un pie en el primer peldaño de la escalera. Su voz. Esa voz que llevaba días sin oír, que anhelaba escuchar en su oído como un susurro. Volteó la cabeza hacia esa dirección y lo vio desaparecer por la puerta del bar-salón. ¿La habría visto? ¿O quizá la habría ignorado? Nerea comenzó a abrir y cerrar las manos, nerviosa, pensando si seguirle o por el contrario, dejarle ir para siempre. La duda volvía a instalarse en ella. Hugo le declaró su amor. ¡La quería! Y ella a él. ¿Pero la seguiría amando tras lo ocurrido? Cerrando los ojos y cogiendo aire, caminó hasta el umbral de la puerta del bar-salón. Apoyando las manos en el marco de la entrada, asomó tímidamente la cabeza dejando su cuerpo fuera de la vista de los que se encontraban ahí dentro. Posó sus ojos en los pocos empleados que en ese enorme espacio había, hasta que lo vio. Estaba junto a Samuel y bebía agua de una botella de medio litro. Nerea clavó la vista en su nuez que se movía al ritmo que él tragaba.

Soltando un aliento de satisfacción, Hugo cerró la botella y se quitó el sudor que le recorría la frente. Se le veía cansado y la joven pudo apreciar que, al igual que ella, él también había perdido algo de peso. Posando una mano en su vientre para inflarse de valor, entró en el bar-salón cuando vio a Samuel desaparecer por una puerta que conectaba con el restaurante. Sin que Hugo se percatase de su presencia, Nerea continuó avanzando hacia él hasta que quedó a una distancia de dos metros. Necesitaba saber si la seguía queriendo, pero no sabía qué decirle. ¿Y el embarazo? Debería decírselo. ¿Pero si sólo quería volver con ella por el bebé? Nerea tragó saliva echa un mar de nervios dispuesta a solucionar las cosas.

—Hola —dijo en un tono de voz casi imperceptible.

Hugo se quedó paralizado al oírla. ¿Era verdad o estaba tan cansado que ya se imaginaba cosas? Pero al darse la vuelta, la vio. No se estaba imaginando nada. Ella, su chica, su princesita estaba ante él con ese pelo que siempre le cautivó, algo revuelto y las mejillas encendidas por el calor y el nerviosismo que se le notaba. Algo en él que había muerto en esos días revivió y quiso acercarse a ella para besarla, abrazarla, cogerla y llevarla a su habitación. Quería hacerle el amor durante horas y no permitir que volviera a huir de él. La secuestraría si era necesario, pero no se movió ni habló, esperando a que ella confirmara sus esperanzas.

Nerea, cada vez más nerviosa y preguntándose si había hecho bien en ir a hablar con él, se mordió el labio inferior intentando averiguar qué pasaba por su cabeza. Los ojos azules de Hugo mostraban sorpresa e incluso esperanza, pero algo en ellos le desconcertaba. ¿Qué estaría pensando?

—No sé muy bien por dónde empezar –dijo suspirando con una sonrisa nerviosa.

—¿A qué has venido, Nerea? –le preguntó Hugo sin cambiar de gesto.

—Yo, quería hablar contigo y… bueno… –titubeó.

—Soy todo oídos, princesita.

Un cosquilleo recorrió el estómago de Nerea al oír como la llamaba y se lamió el labio inferior.

—Verás, me voy mañana y supongo que no quiero que las cosas entre nosotros queden así y…

—¡¿Que te vas mañana?! –bramó Hugo cuando el corazón le volvió a latir. Creía que había ido a hablar con él para volver a estar juntos y su respuesta le había caído como un jarro de agua fría–. ¡¿Y a qué has venido, Nerea?! ¡¿A restregármelo?! ¡¿A hacerme más daño de lo que ya me has hecho?!

—¡Por supuesto que no! Sólo quería que fuésemos amigos y…

—Vaya… me has subido de categoría… ¡he subido de ser un rollo de verano a ser un amigo! ¡Menudo honor por parte de la princesita!

Nerea ahogó un gemido.

—¡¿Y qué más da lo que sintamos el uno por el otro?! –gritó sin importar que los dos camareros que se encontraban allí les miraran–. ¡¡¡Estoy segura de que me engañarías con la primera guiri con tetas que se te cruzara!!!

—Me encanta que tengas esa opinión de mí, princesita –dijo irónico y molesto–. ¿Pero sabes qué? ¡¡Me da igual lo que pienses de mí!! Porque lo que yo pienso de ti es que eres una maldita niñata consentida, una caprichosa y una persona sin sentimientos, que no mira más allá de sus narices. Una persona llena de prejuicios que juzga a la gente sin conocerla y colocando las etiquetas que según ella corresponde. Pero ¿sabes qué? Me alegro de que cuando te dije que te quería no respondieras lo mismo, así pude abrir los ojos con respecto a ti y ver que toda tú eres un engaño. Porque si alguna vez alguna mujer me dice que me quiere, quiero que sea de verdad —expresó invadido por la furia y la rabia que sentía en ese momento al ver que esa última esperanza moría con él.

Nerea se quedó completamente pálida y no pudo controlar las lágrimas que comenzaron a derramarse sin control por todo su rostro ante esas duras palabras. ¿Cómo la podía hablar así?

—Yo... yo no soy así... Creía que me conocías, Hugo —dijo sollozando.

—Creía conocerte, sí. Pero no eres como muestras. Lárgate, Nerea... ¡¡¡vete!!! ¡¡¡Márchate de una maldita vez y no vuelvas!!! Porque no quiero volver a verte en mi vida. ¡¡¿¿Me oyes??!! ¡¡En mi vida!! Y, tranquila, que mañana mismo retomaré lo poco de vida que me has dejado y seguiré follándome cada noche a una clienta distinta. Al fin y al cabo, para follar todas las tías valéis. Es más, creo que es para lo único que valéis. Y tú no te libras de esa categoría.

Destrozada y completamente dolida por todo lo que le había dicho, Nerea apartó la mirada de la suya y derrotada caminó a paso ligero hasta la salida tapándose la boca con la mano para disimular su llanto.

Lo que no sabía era que esas palabras le habían dolido más a él que a ella. Hugo, dando una patada al pequeño escenario, apoyó en él los codos y se cubrió la cara con las manos. La furia y la rabia le habían invadido y en el mismo momento que vio cómo ella salía del bar-salón, el arrepentimiento y el sentido de culpa sustituyeron a esa rabia que había liberado contra Nerea. Ella se iba a ir. No se lo podía creer y lo peor era que él no estaba dispuesto a hacer nada para evitarlo.

30

Nerea se despertó al amanecer. A pesar de sus intentos por descansar un poco más, le fue imposible conciliar de nuevo el sueño. El reloj marcaba las siete menos cuarto de la mañana y el sol comenzaba a dejar ver sus primeros rayos. Sin cambiarse, cogió una fina chaqueta y subió a la planta donde se encontraban las habitaciones de los empleados.

Deteniéndose frente a la puerta que había cruzado casi todas las noches, pasó con delicadeza sus dedos por la fría madera oscura que la componía. A esas horas, sabía que ni él ni su padre se encontraban en las habitaciones, ya que estarían desayunando. Mirando hacia atrás para comprobar que estaba sola, Nerea empujó la puerta transparente situada al final del pasillo, por la que se accedía a las escaleras de emergencia y frotándose los brazos al notar la brisa fresca del mar, subió a la azotea.

Lentamente, anduvo hasta apoyarse en el borde y se asomó levemente para mirar las vistas que el amanecer ofrecía. El mar brillaba con la luz del sol y las suaves olas morían en la arena a los pies de los corredores que más habían madrugado. Sin poder evitarlo, se tumbó en el suelo para contemplar el cielo y escuchar el sonido de las aguas del Mediterráneo de fondo. Cerró los ojos impregnándose de esa única sensación. Sin darse cuenta, se quedó dormida.

La vibración de su móvil la despertó y estirándose se quejó al notar una punzada de dolor en su espalda y en el cuello. El suelo de la azotea no era el mejor sitio para echar una cabezadita. Al desbloquear el móvil, comprobó que se trataba de un mensaje de Ada para preguntarle dónde estaba. Tras contestarle que enseguida iba, se puso en pie y estirando la espalda, los brazos y el cuello, echó un último vistazo al paisaje y se fue.

Al llegar a la habitación, Nerea supo que estaba completamente convencida de su marcha. La noche anterior Hugo había dejado claro lo que pensaba de ella y de nada servía replantearse si quedarse a su lado. Desayunó junto a sus amigas sin ningún ánimo y con la mirada apesadumbrada. A pesar de que se moría por un café o alguna bebida con cafeína para estar despejada en el viaje, era consciente de que su embarazo no se lo permitía y quería cuidar a ese bebé desde el principio. Sólo la tendría a ella.

De nuevo en la habitación, Nerea sacó la ropa del armario doblándola con cuidado para meterla en la maleta bajo la atenta y triste mirada de sus amigas, quienes observaban cada uno de sus movimientos sentadas en las camas. Todas querían que se quedara hasta el día de su marcha, pero ella se negaba. Lo único que deseaba era irse de allí y olvidar a Hugo. Además, Nerea tenía la sensación de que jamás podría volver a pisar el hotel. Ni siquiera verlo. Todo le recordaría a él.

Agitó la cabeza suspirando para eliminar esos pensamientos y, metiendo la última prenda de ropa, fue al baño para coger su neceser y guardarlo también. Consiguió cerrar la maleta tras comprimir la ropa todo lo que pudo y la dejó junto a la otra que ya tenía preparada. Agotada, bebió agua y se cambió las chanclas que llevaba puestas por las manoletinas. Así conduciría mejor.

—Nerea, te lo pido como un favor, espera hasta el domingo cuando nos vayamos todas – le suplicó Elena.

—No, lo siento, chicas. Pero yo me voy.

—No me gusta que conduzcas tú sola en tu estado —replicó Laila cruzándose de brazos.

—Estoy bien y os prometo que si me encuentro mal, pararé en la primera área de servicio que encuentre —las tranquilizó Nerea sentándose junto a ellas.

—Y si no encuentras, ¡paras en mitad de la carretera! ¡¿Me has oído?! –le advirtió Ada.

—Sí, hombre, y provoco un accidente múltiple. –Y viendo que ninguna decía nada continuó–: Os prometo que en cada parada os mandaré un mensaje para que sepáis que estoy bien, ¿vale?

Dándola por imposible y sin querer presionarla, las cuatro se envolvieron en un emotivo abrazo y decidieron dar todas juntas una vuelta por el paseo marítimo, echándose las últimas fotos de sus largas vacaciones. Pero enseguida regresaron. El viaje era largo y Nerea odiaba conducir de noche, por lo que a las once y media de la mañana, sus amigas, algo llorosas y mostrando tristeza en sus rostros, le ayudaron a bajar las maletas hasta la recepción. Pidiéndoles un segundo, Nerea entró en el comedor para despedirse de Sara, la *maître*, con un abrazo y un beso en la mejilla. Como esperaba, ella la despidió con una sonrisa y le deseó buen viaje antes de recordarle que llamara a su padre cuando llegara, si no se pondría nervioso y movilizaría media España.

Entregando su llave, se despidió de la recepcionista y vio aparecer por la puerta que se encontraba tras esta a su padre, Pedro y Samuel. Los ojos de Alejandro estaban húmedos y algo rojos. Nerea al verle, supo que estaba aguantando las ganas de llorar, lo que hizo que su corazón se encogiera. Con sus amigas resguardando las maletas, se acercó primero a Samuel que la abrazó.

—Cuídate mucho, preciosa. Me ha encantado conocerte y espero que vuelvas pronto. –Deshaciendo el abrazo, colocó las manos sobre sus hombros y la miró–: Llevo seis años trabajando aquí y nunca había disfrutado de unas clientas como vosotras. Habéis dado más vida a este hotel sin daros cuenta.

—¡Hala! –se quejó Ada–. Que nosotras aún no nos vamos, pero si nos dices eso… ¡nos va a costar más!

Samuel sonrió y se acercó a ellas para abrazarlas también. Tres meses con ellos y ya, esas tres locas formaban parte de la gran familia del hotel.

—Creo que todos los años hablaré con Pedro y Alejandro para que os traigan de nuevo.

—¡Puf! Ojalá –dijo Laila–. Ha sido un verano increíble, creo que de los mejores de mi vida. Creo, no. ¡El mejor de mi vida!

Pero bueno, ahora hay que buscar curro y da por hecho que te vendremos a visitar. La loca esta –Señaló Laila a Ada que sonreía emocionada– se muda a Gandía con su chico.

—¿En serio? –dijo Samuel sorprendido mirando a la pelirroja.

—Totalmente, pero espero que cuando Sergio me eche de casa porque no me aguanta, tengáis una habitación para mí.

—Eso siempre, preciosa.

Samuel las volvió a abrazar y se despidió de todas de nuevo. Tenía que seguir trabajando. Al llegar a la piscina, se dirigió al almacén donde se encontraba Hugo cogiendo todos los materiales necesarios para la actividad que tenían preparada. Al llegar a su lado, le revolvió el pelo ganándose una mirada asesina.

—Ya se va –le dijo Samuel para ver si reaccionaba.

—Me parece estupendo. Espero que la princesita tarde mucho en pisar de nuevo el hotel.

—Tío, a mí no me engañas. Y al igual que sé que odias la mermelada de fresa, sé que te jode que Nerea regrese a su ciudad. Pero allá tú, tío. No te tragues el orgullo y piérdela para siempre. Creo que es lo mejor que puedes hacer –dijo irónico y molesto antes de salir del almacén.

Hugo ni siquiera le miró durante la conversación, a pesar de que era verdad lo que decía. No quería que se fuera, pero con sus crueles palabras del día anterior ya había destruido todo. Esas palabras les habían destrozado a ambos. Lo mejor que podía hacer era dejarla marchar para que fuera feliz. Necesitaba a un hombre que la mereciera y que no tuviese la fama que tenía él. En ese momento se dio cuenta que, al igual que su ex, no había sabido valorarla y, a pesar de quererla más que a su propia vida, había sido capaz de hacerla daño con sus palabras. En un principio, Hugo se puso como excusa el dolor por la reciente muerte de su madre y más tarde, su ruptura. Pero la noche anterior, se le había puesto por delante la oportunidad de arreglarlo, a pesar de que las intenciones de Nerea eran otras. Aunque quizá, si no se hubiese dejado llevar por un impulso, ahora permanecería a su lado. Ya nada podía hacer.

Sin ser visto, se asomó por la puerta que daba a la recepción, en el momento que Nerea abrazaba a Pedro. Separándose, este la cogió el rostro y siguió hablándola lo que parecía que eran unas indicaciones, a lo que ella correspondía asintiendo.

Nerea le había contado a Pedro lo de su embarazo. En un principio, él se sorprendió, incluso el color desapareció de su rostro. Nerea, pensando que le había decepcionado, bajó la mirada, que Pedro inmediatamente volvió a subir para que lo mirara.

—No hace falta que te pregunte de quién es.

—Menos mal —dijo recordando que su padre sí lo había hecho cuando le contó la noticia.

—Pero, como padre de Hugo que soy, pienso en lo mejor para él. Y lo siento, princesa. Pero me parecería muy mal por tu parte que se lo ocultaras. Te doy tiempo, Nerea. Sé que las cosas entre ambos ahora están complicadas, pero si antes de que nazca, mi hijo no sabe nada, se lo diré yo.

Nerea soltando el aire retenido, asintió sin saber qué hacer o qué decir. Nunca Pedro se había puesto tan serio con ella y sentía una opresión en el pecho al pensar que parte de su relación con él había muerto, pero Pedro le borró esos pensamientos cuando la atrajo hacia sí para abrazarla y besarla en la mejilla, notando que algunas lágrimas de la chica le mojaban la americana del traje.

—Ahora, Nerea, cuídate. Conduce con cuidado, si te encuentras mal, para, y si necesitas algo, estés donde estés, ¡llama! ¿Entendido?

Ella asintió y tras un nuevo abrazo se despidió de él. Odiaba las despedidas y ahora llegaba la peor de todas. La de su padre, que finalmente había sacado su pañuelo blanco de tela y se secaba los ojos con él.

—Papá, no llores, por favor —dijo ella intentando sonreír y pasándose el dedo índice por debajo de las pestañas inferiores para evitar que las lágrimas cayeran.

—Cuando eras más pequeña y tu madre llegaba para recogerte, nada más que te ibas, me ponía a llorar como un niño pequeño en el despacho —soltó una tímida carcajada triste—. Apenas te veía y cada vez te veo menos al año y te echo mucho de menos, princesa. Por eso estos tres meses que hemos pasado juntos han sido un regalo. Sabía que si decidías marcharte, la despedida iba a ser dura, pero no cambiaría estos días a tu lado por nada. Es cierto que tenía la esperanza de que te quedaras y la esperanza es lo último que se pierde, pero sabes que quiero que seas feliz y que estés donde estés, vayas a donde vayas o hagas lo que hagas, siempre te querré.

—Y yo a ti, papá.

Se fundieron en un cálido abrazo lleno de emociones y sentimientos mientras las lágrimas les corrían a ambos a pesar de que Alejandro se las secaba lo más rápido posible.

—Te repito lo mismo que Pedro, si necesitas durante el camino que vayamos a buscarte, necesitas ayuda o lo que sea, me llamas y estaré allí lo más pronto posible. Si te encuentras mal, para en un área de descanso o en el arcén. Bebe agua, hidrátate y, por favor, Nerea, come. Aunque sea un sándwich, pero come algo. Y cuando llegues a Oviedo, llámame. ¡Ah! Y acuérdate de pedir cita con tu médico de cabecera. Debes ir lo más pronto posible.

—Que sí, papá. Tranquilo, ¿vale?

—Nunca estoy tranquilo cuando conduces y menos si lo haces sola.

Nerea rio negando con la cabeza.

—Ni que fuera la primera vez que hago este viaje sola o condujera mal.

—Lo sé, pero sabes que es algo que me asusta. Y cada día más con los accidentes que veo en las noticias.

—No pienses en eso, papá. Iré despacio, ¿vale?

Él asintió y dándole un último abrazo y un beso, se despidió de su hija hasta las Navidades, en las que se reunirían Nerea y él quince días como cada año en la casa que tenía en Gandía para celebrar las fiestas los dos juntos. Sin querer alargar más la despedida, Alejandro se dio media vuelta y se metió en su despacho.

Nerea caminó hacia sus amigas y despidiéndose de todas, sacó las asas de las maletas y salió del hotel. Al bajar la larga rampa para acceder a la acera, la joven giró el rostro viendo por última vez la fachada del hotel. Empujó sus maletas en dirección al coche y al llegar guardó las asas y buscó en su bolso las llaves. Dándole al botón del pequeño mando, dos luces parpadearon y abrió el maletero para meter las maletas. Pero cuando caminaba hacia la puerta del conductor, una mano la agarró por la muñeca y la empujó hasta que su espalda quedó pegada al coche. No le dio tiempo a reaccionar y unos suaves labios se posaron sobre los suyos en un beso desesperado.

Nerea abrió los ojos como platos ante ese inesperado contacto, pero al ver de quien se trataba los cerró apretándolos y disfrutando del beso. La lengua de Hugo se enroscaba con la suya. Miles de mariposas recorrieron el estómago de Nerea, la cual llevó las manos hacia su pelo enredando los dedos en él y apretándolo más contra su boca para impregnarse de su sabor. Con las respiraciones entrecortadas, se separaron dándose un último y suave beso. Hugo se fijó en los labios rojos e hinchados de Nerea tras ese intenso contacto. Sin saber por qué, la había seguido sin que ella se diera cuenta y no había podido controlar su instinto de besarla. Aún no podía creer que se marchara y necesitaba probar sus labios por última vez. Mostrando un semblante serio, la miró a los ojos y dando un paso hacia atrás, se alejó de ella.

—Buen viaje, Nerea. Sé feliz.

Dejándola completamente confundida, Hugo se dio media vuelta y sin mirar atrás regresó al hotel. Nerea no dejó de mirarlo hasta que le perdió de vista. ¿Cómo podía haberla besado con esa pasión y anoche decirle las palabras tan crueles que le dijo? Inconscientemente, se llevó los dedos a los labios, aún los tenía calientes e hinchados por el beso y podía sentir en ellos su sabor.

Al ver cómo la besaba y sentir su cuerpo aprisionándola contra el coche, por un momento pensó que había ido a por ella. Que había ido a impedir que se fuera. Que iba a luchar por ella. Pero todos esos pensamientos desaparecieron al oírle. ¿Cómo podía haber sido tan idiota? Hugo no iba a luchar más. Él le confesó sus sentimientos y ella le rechazó. Soltando el aire retenido en sus pulmones, abrió la puerta del piloto y sentándose, metió la llave en el contacto. Puso la radio a un volumen bajo y cogió el GPS. Introdujo la ruta y colocándolo en el soporte pegado en la luna delantera, metió primera y salió de la plaza de aparcamiento sin poder olvidar ese beso. Miró por el retrovisor el hotel y girando a la derecha, lo perdió de vista.

Fijándose en los carteles de la carretera, fue conduciendo hasta la salida de la ciudad, pero frenó en un semáforo en rojo perteneciente a una intersección. Estaba sumida en sus pensamientos cuando oyó sonar en la radio la canción *Impossible*.

—¡Esto es surrealista! —se quejó golpeando suavemente el volante con las dos manos.

Impaciente porque el semáforo se pusiera en verde, comenzó a mover la pierna derecha hasta que vio algo dorado en la alfombrilla del asiento del copiloto. Agachándose como pudo, consiguió cogerlo y colocándola entre sus dedos índice y pulgar vio que era una moneda de veinte céntimos. Sin saber por qué, al ver esa pequeña y dorada moneda, le vinieron a la mente las palabras que le dijo su padre: «Mira cariño, cuando estés entre dos opciones y no sepas qué elegir, lanza una moneda al aire. Lanzar una moneda es un truco que siempre funciona, no sólo porque por fuerza te saca de dudas, sino porque en ese breve momento en el que la moneda está en el aire, de repente sabes qué cara quieres que salga».

Pensando en esas palabras y con la moneda en la mano, la lanzó. Esta dio unas cuantas vueltas en el aire y antes de que cayera, Nerea arrancó sin mirar la cara que había salido pero sabiendo lo que ella quería. Regresar al hotel junto a su padre. Junto a Hugo. Sin darse cuenta de que el semáforo seguía en rojo, fue a hacer una peligrosa maniobra para dar media vuelta, pero no se percató de que el semáforo de su izquierda se había puesto en verde y los coches ya arrancaban. Uno de esos coches impactó lateralmente con el coche de Nerea, haciendo que esta se golpeara fuertemente en la cabeza contra la ventana. Su visión comenzó a hacerse borrosa y notó cómo el oído iba perdiendo capacidad de escuchar. Sólo oía voces lejanas y suaves golpes en la ventana de su coche.

—Señorita, ¿está bien? —le preguntó la voz de un hombre—. ¡¡Una ambulancia!! —gritaba el hombre intentando abrir la puerta del coche de Nerea, pero estaba atascada.

—Hugo...

Fue lo único que pudo susurrar Nerea antes de quedarse inconsciente, con la imagen de él en su cabeza.

31

❦

—Alejandro, ¿puedes venir? Acaban de llegar estos papeles del banco —le dijo Mónica, la recepcionista, tendiéndole una carpeta azulada.

Llevaba dos horas metido en su despacho sin hacer nada. Simplemente, como cuando Nerea era pequeña, había llorado en soledad viendo álbumes de fotos de años atrás. En una de esas fotos, vio a su niña jugando en el hotel con apenas diez años y la boca mellada. Y ahora, su princesa estaba a punto de convertirse en madre. Era increíble cómo pasaba de rápido el tiempo. Había estado mirando todos los álbumes de fotos que guardaba en su despacho, hasta que miró el reloj y vio que era hora de continuar con su labor.

Esperó unos minutos para serenarse y salió de su despacho cuando le llamó la recepcionista. Con su habitual sonrisa, aunque algo forzada, se acercó hasta el mostrador para examinar los papeles que le tendía y comprobar que les habían concedido el crédito para reformar la piscina. Querían poner más toboganes y cambiarla por completo. Las obras empezarían en octubre y para la temporada de verano del año siguiente ya estaría acabada.

—¿Le has enseñado esto a Pedro?

—No, le he llamado a su despacho y no me cogía —explicó Mónica.

Alejandro agitó la muñeca para colocarse bien el reloj y mirando la hora dijo:

—Estará tomándose el café o su copa de coñac.

—Hoy ha tocado café, Alejandro —le sobresaltó Pedro a su espalda que llegaba a la recepción junto con su hijo.

Habían estado tomando un café los dos juntos. Pedro, por fin consiguió que su hijo se sincerara del todo con él. Le notaba deprimido y demasiado callado y en sus ojos vio arrepentimiento. Hugo se mostró ante su padre como de verdad se sentía y le contó lo que le dijo la última noche que habló con ella. Pedro no dijo nada, sólo le miró con gesto de desaprobación y le explicó que en ocasiones la ira es una mala compañía para la lengua, ya que te ciega y dices cosas que en realidad ni sientes, ni quieres.

—Han llegado los papeles del banco. En octubre comenzamos las obras.

—Me parece perfecto. Es hora de renovar un poco el hotel.

Alejandro iba a hablar en el momento que su móvil comenzó a sonar. Alejó la pantalla para ver mejor quién era y frunció el ceño al comprobar que era un número desconocido para él. Pensando que se podían haber confundido, optó por no coger, pero finalmente la curiosidad pudo con él, y lo hizo.

—¿Dígame?

—Buenas tardes, disculpe ¿es usted el señor Alejandro Delgado? —dijo una voz femenina.

Dándose la vuelta se apoyó en el mostrador de recepción mientras Pedro y Hugo lo observaban.

—Sí, soy yo, ¿y usted es?

—Le llamo del Hospital Francesc de Borja. Se trata de su hija, Nerea Delgado.

El corazón de Alejandro se detuvo y un sudor causado por el miedo comenzó a invadir su cuerpo. Su cabeza comenzó a dar vueltas y caminando a paso lento, se sentó en uno de los sofás que había en el *hall* aflojándose el nudo de la corbata.

Pedro y Hugo al verle, se acercaron a él preocupados, y este primero mandó a su hijo ir a por una botella de agua.

—Alejandro, ¿estás...?

Alejandro levantó la mano para pedirle a su amigo silencio y vio por el rabillo izquierdo cómo Hugo corría hacia él con la botella en mano. El joven se la ofreció y un asustado Alejandro la aceptó. Con manos temblorosas la abrió y dio un pequeño sorbo, ya que su estómago no podía con nada en esos momentos.

—Señor, ¿sigue ahí? –preguntó la voz de la mujer.

—Sí, sí... –dijo pasándose la mano por la frente quitándose el sudor.

—Su hija ha sufrido un accidente y ahora mismo está aquí, en el hospital. Le están realizando una serie de pruebas para comprobar sus lesiones.

—¡Voy para allá!

Como un resorte se levantó del sofá tras colgar, y con las manos temblorosas buscó las llaves de su coche.

—¡Eh! ¡Eh! –Le detuvo Pedro que se percató de cómo Alejandro temblaba, especialmente las manos–. ¿Qué ocurre, Alejandro?

Cada vez más nervioso y completamente asustado porque a su hija le hubiese pasado algo grave, contestó:

—Nerea... ha tenido un accidente. Se la han llevado al hospital que está a diez minutos de aquí y... y...

—Alejandro, tranquilízate y...

—¡¿Nerea ha tenido un accidente?! –exclamó Hugo detrás de ellos.

Pedro se volvió para ver a su hijo que tenía el rostro descompuesto y estaba igual de nervioso que Alejandro. Su pecho subía y bajaba rápidamente y comenzó a pasarse asustado las manos por el pelo mientras se movía en círculos por la recepción.

—Voy contigo, Alejandro –decidió cogiendo en recepción las llaves de la moto.

—A ver, ninguno de los dos está para conducir –medió Pedro–. Sé que estáis nerviosos y preocupados. ¡Yo también lo estoy! Pero hay que relajarse y enterarse de lo que ha pasado. Coged un taxi, yo me quedo aquí y llamadme cuando tengáis noticias.

—Tienes razón –Y mirando a Hugo, Alejandro concluyó–: Vamos.

Como les ordenó Pedro, cogieron un taxi que les llevó al hospital donde se encontraba Nerea. El camino se les hizo eterno y no pararon de repetir al conductor que se diera más prisa.

Durante el trayecto, Hugo no paraba de pensar en todo lo que le había dicho. Si le ocurría algo, no se lo perdonaría. Además, si hubiese impedido que se fuera ahora no estaría en el hospital, sino junto a él. Rezaba por que no le hubiera ocurrido nada, pero tanto él como Alejandro estaban demasiado asustados. No les habían adelantado nada, si estaba bien, grave, en coma… ¡nada!

El taxi se detuvo frente a la puerta y Alejandro le tendió un billete de veinte euros. Salió del taxi sin coger las vueltas y entró corriendo en el hospital buscando a alguien que pudiera ayudarles. Hugo le cogió del brazo y le señaló la recepción. A paso ligero se acercaron y Alejandro se secó nervioso el sudor.

—Hola, buenas tardes. Me han llamado hace un rato… mi hija… —dijo comenzando a hiperventilar.

La recepcionista al verle en ese estado, se levantó y se colocó junto a Alejandro mientras llamaba a un médico que pasaba por ahí para que le atendiera. Este mandó a una enfermera que trajera un vaso de agua.

—Cálmese, por favor. Respire con tranquilidad —dijo el doctor tomándole el pulso y comprobando que lo tenía demasiado acelerado.

Poco a poco, Alejandro consiguió calmarse y miró al médico que le había atendido con ojos preocupados.

—Mi hija ha sufrido un accidente y está aquí. Necesito saber si está bien, por favor… —suplicó.

—¿Cómo se llama su hija?

—Nerea… Nerea Delgado. —El médico fue a pedir los papeles de los pacientes ingresados recientemente pero Alejandro se levantó y le cogió del brazo—. Doctor, mi hija está embarazada.

Al oír lo que había dicho, el doctor asintió y se metió por una de las puertas por donde se accedía a las diferentes habitaciones del hospital. Alejandro, un poco más tranquilo, pero aún asustado por no saber nada de su hija, se sentó en la sala de espera junto con Hugo.

—¿Estás bien? —le preguntó al ver al chico completamente pálido y con la boca abierta.

—¿Nerea está embarazada?

Hugo había escuchado lo que Alejandro le había dicho al médico. ¿Nerea embarazada? Se había quedado completamente petrificado. Ella. La mujer de la que estaba enamorado. La mujer que amaba. La mujer que había estado a punto de marcharse. ¿Embarazada? Hugo comenzó a dar marcha atrás en el tiempo y se dio cuenta de que desde que empezaron su relación, en ningún momento le dijo que le hubiera visitado el período. ¿Cómo no se pudieron dar cuenta antes? Y lo peor de todo, aquella princesita pensaba largarse sin decírselo. Pensó en echárselo en cara cuando la viera y en enfadarse con ella, decirle que le parecía increíble que se fuera sin contarle que iba a ser padre. Y que era una egoísta por apartarle de su hijo, pero lo pensó con más detenimiento y se dio cuenta de que así sólo empeoraría las cosas. Y eso era lo último que quería, ya que lo que más necesitaba en el mundo era que ella volviera a su lado.

—Sí, Hugo. No te voy a mentir.

—No me lo pensaba contar, ¿verdad?

Alejandro suspiró y le pasó un brazo por los hombros mientras Hugo miraba el suelo como si fuera lo más interesante de ver en aquella fría sala.

—Tu padre, mientras se despedía de ella, le dio de plazo hasta que naciera la criatura. Hugo, ahora las cosas entre vosotros no están bien y a pesar de que le dije que me parecía mal que te lo ocultara, la entiendo. Nerea tenía miedo de que sólo quisieras hablar con ella para solucionar las cosas por ese bebé. No quiere que estéis juntos y estéis incómodos el uno con el otro.

—Nunca haría eso. Alejandro amo a Nerea más que a nada y cuando has dicho que había sufrido un accidente, he creído morir. Ha tenido que pasarle eso para darme cuenta de que no quiero que desaparezca de mi vida. Soy un gilipollas —resopló negando con la cabeza—. .Samuel tenía razón. Debería haber hablado con ella.

Alejandro se quedó callado. En esos momentos no sabía qué decir. Lo único que quería era tener noticias de su hija. Desesperados, daban pequeños paseos por la sala de espera y tomaban un café de vez en cuando, hasta que cuatro horas después de su llegada apareció una enfermera preguntando por los familiares de Nerea Delgado. Rápidamente, ambos se levantaron y se acercaron a una enfermera cincuentona y algo rolliza, impacientes por que les dijeran cómo estaba.

—¿Cómo está? –le preguntó Alejandro.

—Tranquilo, todo está bien. El choque no se ha producido a mucha velocidad, ya que según nos han informado, el conductor acababa de arrancar y no ha dado tiempo a que el coche fuera a una velocidad mayor de veinte kilómetros por hora, por lo que ha tenido suerte. Tiene una brecha en el lado izquierdo de la frente, le hemos tenido que dar puntos y una distensión muscular en el cuello. Le hemos hecho una serie de pruebas y podemos descartar lesiones craneales y/o cervicales. El bebé está perfectamente, pero lo mejor es que estos días haga reposo absoluto. Por lo demás, ahora está dormida, pero pueden pasar a verla, eso sí, mejor de uno en uno.

Hugo miró a Alejandro y le indicó con un gesto con la cabeza que pasase él primero. Este asintió y le mandó llamar a su padre para contarle cómo estaba Nerea. Alejandro siguió a la enfermera y Hugo se quedó solo en la sala, donde cogió el móvil y llamó a su padre.

—Ya era hora –contestó este tras coger–. Estaba a punto de ir al hospital.

—Acaba de venir la enfermera a darnos noticias –dijo con voz ahogada–. Nerea está bien y… el bebé también.

—¿Te lo ha dicho ella?

Hugo tragó saliva y se dirigió de nuevo a la máquina de café para coger otro y un snack de la máquina de al lado.

—No, ha sido Alejandro.

—¿Estás bien, hijo?

—Asustado y confundido –confesó dando un sorbo al café y sentándose de nuevo en la sala de espera.

—¿Vas a hablar con ella?

—Voy a intentar recuperarla.

Pedro no dijo nada pero Hugo notó como sonreía al otro lado del teléfono.

—Lo harás, hijo.

—Ella creerá que quiero estar a su lado sólo por el bebé, pero no es así. Papá, quiero estar con ella porque la quiero, porque quiero que forme parte de mi día a día y porque mi vida está vacía sin ella.

—Díselo.

—¿Y si no me cree?

—Convéncela. Hijo, la vida te está dando una segunda oportunidad de recuperarla. Está a apenas unos metros de ti. Así que ve a hablar con ella y cuidado con lo que le dices, Hugo, y cómo lo dices.

La recepcionista le siseó y al volverse, Hugo comprobó que debía colgar. Estaba prohibido hablar por teléfono en la sala, por lo que se despidió de su padre, colgó y volvió a sentarse para terminarse el café. Al acabarlo, tiró el vaso de plástico a la basura mientras seguía esperando a Alejandro, el cual llevaba una hora con Nerea y aún no había salido. Ya eran las seis de la tarde y Hugo estaba cansado, pero no pensaba irse de allí sin verla y mucho menos, sin hablar con ella.

Al cabo de unos minutos, Alejandro apareció más tranquilo y le indicó que regresaba al hotel. Mañana a primera hora volvería, pero lo mejor era que regresara ahora sabiendo que su hija estaba bien, aunque seguía dormida. Le mostró a Hugo cuál era la habitación y dándole las gracias se despidió de Alejandro y caminó hacia ella.

Nervioso, abrió la puerta despacio y primero asomó la cabeza para comprobar que no se había confundido de habitación y al ver que se trataba de Nerea entró cerrando la puerta tras de sí. Como le había dicho Alejandro, seguía dormida. Tenía un apósito en la frente cerca del nacimiento del pelo y una vía intravenosa en el brazo izquierdo. Se acercó hasta la cama y se sentó en el filo de esta cogiéndole la mano. Se la llevó a la boca y besó cada uno de sus nudillos.

—Voy a hacer todo lo posible para que no quieras separarte de mi lado, princesita —le susurró sin soltar su mano.

Los minutos pasaban y ella no despertaba. Comenzaba a preocuparse y aprovechó que una enfermera entró a ponerle una nueva bolsa de suero para preguntarle si era normal que aún no hubiera despertado. Con una sonrisa para tranquilizarle, le respondió que aparte del golpe en la cabeza, otros factores como el estrés, los nervios o la falta de sueño podrían afectar a su estado actual.

Cuando la enfermera se fue, él volvió a sentarse en el filo de la cama y apoyó su frente en la de ella con cuidado de no tocar ninguno de los cables que la rodeaban. Poco a poco fue bajando sus labios y depositó un suave, pero largo beso sobre los suyos, hasta que notó que se movía. Hugo se apartó lo justo para verle la cara en el momento que ella, por fin, abría los ojos.

—Me encanta despertarte con un beso, princesita —susurró sonriendo al ver de nuevo sus ojos castaños.

Nerea fue a moverse pero un intenso dolor le azotó todo el cuerpo. Hugo colocó sus manos sobre los brazos de ella impidiendo que se moviera.

—Hugo... ¿dónde estoy? —Se llevó una mano a la frente tocándose el apósito— ¿Qué me ha pasado?

—Tranquila, mi amor. Estás en el hospital. Has tenido un accidente, pero estás bien. —Colocó una mano sobre su vientre—. Los dos estáis bien.

Nerea miró primero la mano de él posada suavemente sobre su estómago y después clavó sus ojos en él sorprendida porque lo supiera y asustada por la reacción que tuviera con ella por no decírselo.

—Yo... yo... sé que hice mal —sollozó— pero... pero —tartamudeó— habíamos roto y... y... luego... luego... tú me dijiste esas palabras y yo... yo...

Hugo al verla nerviosa y con los ojos humedecidos, le colocó una mano en la boca para que callara. Lentamente se la apartó al comprobar que había dejado de hablar y le retiró un mechón de la cara.

—No puedo evitar sentirme molesto y enfadado por querer irte sin decírmelo y...

—No quería que me buscaras sólo por el bebé o que le negaras y te desentendieras o que...

Le volvió a colocar la mano en la boca.

—No me interrumpas, princesita. Escucha, yo jamás me desentendería y quiero que sepas que no pienso permitir que te separes de mi lado, y no sólo por el bebé, sino porque eres la persona a la que más quiero en este mundo, Nerea, aunque no lo creas. Y pienso tragarme el orgullo que he mostrado estos días y que hace que casi te pierda, para demostrarte cada día, cada hora, cada minuto y cada segundo que para mí no hay nadie más importante que tú.

Nerea dibujó una pequeña sonrisa de emoción y acarició con la yema del dedo índice sus nudillos.

—Estaba en un semáforo cuando he tenido el accidente —dijo recordando—. Pero soy una impaciente, y decidí saltármelo porque me di cuenta de lo que de verdad quería. Te quería a ti, Hugo —se sinceró mirándole a los ojos—. Iba a dar la vuelta para ir a buscarte e intentar conseguir que me perdonaras. Iba a volver para decirte que te quería y que sí, que quería quedarme contigo. Porque te quiero, Hugo. Me he enamorado de ti como una idiota sin quererlo, pero ha ocurrido y no quiero separarme de ti. Perdóname Hugo, por favor —le suplicó con la voz temblorosa y bajando la mirada.

—¿Has dicho que me quieres?

Sin poder evitarlo ella soltó una tímida carcajada y asintió frotándose con los dedos el ojo izquierdo.

—¡Repítelo! —exigió acercando su rostro al de ella.

—Te quiero… —dijo en apenas un susurro.

—Más alto, princesita, y mirándome a los ojos.

Ella sonriendo, negó con la cabeza, e incorporándose en la cama como pudo, le miró a los ojos cogiéndole el rostro con las manos.

—Te quiero, te quiero, ¡te quiero!

Feliz por esas palabras, Hugo la besó demostrándole todo el amor que sentía por ella. Nerea echó los brazos a su cuello para poder besarle mejor y él le abrazó por la cintura apretándola contra su cuerpo hasta que ella emitió un gemido de dolor.

—Lo siento, princesita. ¿Te he hecho daño?

—Un poco, pero te perdono si esta noche duermes conmigo.

Acariciándole la mejilla, Hugo sonrió y juntó su frente con la de ella.

—No pensaba irme, princesita.

—Me refería aquí, en la cama. Conmigo.

Hugo se separó y sus labios dibujaron una fina línea recta. La cogió de la mano y entrelazó sus dedos con los de ella.

—Princesita, la cama es pequeña y tú necesitas descansar.

—Pues al menos, túmbate a mi lado hasta que me duerma —le dijo con ojos suplicantes.

—Está bien, pero sólo hasta que te duermas.

Hugo no se separó de ella ni salió de la habitación, ni siquiera cuando Nerea le dijo que bajara a la cafetería a comer algo. Cuando una enfermera le llevó la cena, le tomó el pulso y comprobó con una pequeña linterna sus pupilas. Al comprobar que estaba todo bien, se marchó a terminar la ronda.

Mientras Nerea cenaba como podía aquella asquerosa comida, Hugo le contó que su padre y él habían esperado cuatro largas horas hasta que por fin una enfermera les había indicado su estado. Ella le preguntó por su padre y él le respondió que tras pasar a visitarla, había vuelto al hotel. Como pudo, Nerea terminó de cenar y esperó a que la enfermera se llevara la bandeja diciéndole que enseguida el doctor pasaría a verla y así fue. Un hombre de unos cuarenta años con el pelo negro y una amplia sonrisa se acercó a ella y le hizo una pequeña exploración física.

—¿Cómo se encuentra, Nerea?

—Cansada y con dolor de cabeza, pero bien.

—El dolor y sentir mareos es normal. Tienes seis puntos en la frente que tendrás que venir a que te los retiremos en quince días y una leve lesión en el cuello. Deberás llevar collarín una semana, pero por las noches retíratelo. Probablemente estos días te salga algún que otro moratón, pero por lo demás no tienes nada por que preocuparnos y tu bebé está perfectamente. Mañana te realizaremos las últimas pruebas y si todo sale bien, por la tarde te daremos el alta.

—Gracias, doctor.

Guiñándole un ojo, el hombre se despidió y Nerea abrió la boca en un largo bostezo. Los medicamentos le causaban bastante sueño, por lo que haciendo hueco en la cama, le hizo una señal a Hugo para que se acercara y se tumbara a su lado.

—Has dicho que te tumbarías conmigo hasta que me duerma —dijo poniéndole morritos.

Él no dijo nada. Se limitó a sonreír y a hacer lo que le había prometido. Tumbándose a su lado con cuidado de no tocar los cables, Nerea apoyó la cabeza en su pecho hasta que poco a poco se fue quedando dormida, y sin poder evitarlo, Hugo también.

32

❧❀❧

A la mañana siguiente, unos gritos histéricos les despertaron. Hugo apretando los ojos se estiró y se llevó una mano
al cuello. Lo tenía dolorido tras dormir toda la noche en esa
pequeña e incómoda cama, pero estaba tan cansado que se
dejó llevar por los brazos de Morfeo. Nerea ronroneó en su
pecho cuando oyó los gritos y al abrir los ojos, pudo ver cómo
Ada, Laila y Elena se abalanzaban sobre ella sin importarles que
Hugo estuviera aún tumbado en la cama.

—¡Por Dios, Nerea! ¡¿Estás bien?! —se preocupó Ada acariciándole el rostro mientras Hugo salía de la cama para que sus
amigas pudieran verla—. Anoche tu padre nos dijo que habías
tenido un accidente y estabas aquí.

—Estoy bien, fui a hacer un giro prohibido para regresar al
hotel y no me di cuenta de que el semáforo seguía en rojo.

Laila fue a decir algo pero antes de poder hablar, Nerea la
señaló y la advirtió:

—No empieces con tus amenazas, Laila. No estoy para que
me den más golpes en la cabeza.

De una en una abrazaron a Nerea, y esta les explicó lo que
la noche anterior le había contado el médico. Todas soltaron
un suspiro de alivio cuando se enteraron de que no había perdido al bebé.

—¡Joder, Hugo! —saltó Ada al verle apoyado en la pared—. Se me había olvidado que estabas aquí.

—No, si ya me he dado cuenta —dijo sonriendo—. Ni un hola me habéis dicho.

—¿Por fin habéis recapacitado? —le preguntó Elena.

Todas las chicas le miraron esperando que les contara lo que había pasado. Hugo clavó varias veces la mirada en cada una de ellas y negó con la cabeza al ver cómo le observaban.

—Ya veo que para cotillear, ¡sí existo! —se hizo el enfadado.

—Por cierto, ¿y mi coche? —preguntó Nerea cambiando de tema. Sabía lo pesadas que podían ser esas tres cuando algo les interesaba.

—Tu padre se ha encargado de él. Nos ha dicho que iba ahora al taller donde lo dejaron y después vendría a visitarte —contestó Laila.

Poco después, una joven con el uniforme blanco del hospital le trajo el desayuno y Nerea puso cara de asco al verlo. ¡Odiaba la leche sola! Y sus amigas lo sabían. Elena, que había trabajado como auxiliar de enfermería en uno de los hospitales de Oviedo, sabía lo exigentes que podían ser algunas enfermeras con el tema de la comida, por lo que se acercó a la bandeja cuando la chica se fue, y cogiendo el vaso lo bebió de un tirón.

—¡Ea! Ahora el resto, te lo comes. ¿Entendido?

Nerea se llevó la mano a la frente imitando el saludo militar y desayunó bajo la atenta mirada de sus amigas y de Hugo, pero este no tardó en retirarse. Tenía que irse a trabajar y sin importar que sus amigas estuvieran delante, se acercó a Nerea cuando acabó su desayuno y la besó con ardor dejando ojipláticas a sus tres espectadoras.

—Volveré en cuanto pueda, princesita. Y si te dan el alta y yo no estoy, llámame y vendré a buscarte, ¿de acuerdo?

Ella asintió y le dio un suave beso antes de que se fuera de la habitación, no sin antes mostrar a las tres cotillas de la habitación una sonrisita pícara. Una vez cerró la puerta, las tres se acercaron a la cama y se sentaron en ella cuando Ada preguntó:

—¿Algo que contar, Nerea Delgado?

Las pruebas que le realizaron esa mañana salieron perfectas. Alejandro había llegado a las nueve de la mañana a la habitación de su hija, y las tres amigas aprovecharon para irse y dejarles a solas. Nerea se abrazó a su padre y le contó lo sucedido con respecto al accidente. En un principio, Alejandro se enfadó y le echó una pequeña regañina, pero al ver que su niña estaba bien la abrazó con cuidado de no dañarla, y sonrió al saber que ella y Hugo se habían dado una nueva oportunidad.

A mediodía, un grupo de cuatro médicos se la llevaron para hacerle las últimas pruebas y tras comer, le dieron el alta. Alejandro, había ido en taxi por lo que Nerea llamó a Hugo para decirle que ya salía del hospital y que les esperara, a ella y a su padre, en la salida.

Nerea se cambió con cuidado de no caerse, ya que sentía un leve mareo y un fuerte dolor de cabeza. Bajaron a la recepción del hospital, donde le entregaron sus pertenencias que recogieron tras el accidente y gracias a las que habían podido localizar a Alejandro. Hugo no tardó en llegar con el todoterreno negro con el que la había llevado a aquel castillo. Un día algo agridulce, ya que ese mismo día, Nerea decidió dejarle. Al verle, ella le sonrió y este le devolvió la sonrisa bajando del coche para ayudarla mientras Alejandro los miraba con complicidad. Una vez los tres montados, Hugo condujo en dirección al hotel.

—¿Me dejas secuestrar a tu hija? —preguntó Hugo mirando a Alejandro por el retrovisor cuando paró frente a la puerta de su destino.

—Siempre que me la traigas sana y salva. Y pronto, que debe descansar. —Sonrió guiñándole un ojo antes de bajar del coche.

—¿A dónde me llevas? —quiso saber Nerea.

—Ahora lo verás.

Hugo arrancó de nuevo y al ver el camino que tomaba, Nerea sonrió. La llevaba a la urbanización. Sabedor de sus mareos, condujo despacio con el volumen de la radio muy bajo. Casi un susurro. Pero cuando llegaron, en vez de aparcar donde siempre, Hugo se introdujo en el carril por el que se accedía a las puertas de las viviendas hasta llegar a la última.

Las ruedas derechas del coche subieron a la acera para dejar paso a otros conductores.

Apagando el motor y la radio, Hugo se quitó el cinturón y bajó del coche para ponerse rápidamente en la puerta del copiloto y como el mejor de los caballeros, abrírsela y ayudarla a salir.

Nerea le ofreció la mano para que la ayudara y cuando sus pies se posaron en el suelo, caminó hasta la verja que impedía el acceso a la maravillosa vivienda. Cerró las manos en torno a dos de sus barrotes y miró por el hueco en medio de estos de nuevo la majestuosa casa hasta que unos brazos la abrazaron por detrás y notó cómo una de sus manos se posaba abierta sobre su vientre. Nerea giró la cabeza dibujando una sonrisa y soltó los barrotes para posar sus manos sobre las de Hugo, feliz por tenerle a su lado.

—¿Qué hacemos aquí? –dijo mirándole sonriendo.

Hugo le devolvió la sonrisa y le indicó que mirara a la casa con un gesto con la cabeza. Cuando ella lo hizo, él bajó su boca primero a su mejilla para depositar en ella un suave beso, y finalmente la posó en su oído susurrándole:

—Te presento nuestra nueva casa, princesita.

Un cosquilleo le recorrió el cuerpo entero al escucharle y se giró para mirarle sorprendida por lo que acababa de decir.

—¿Nuestra casa? –preguntó con un hilo de voz.

Al verla tan desconcertada, Hugo asintió mostrándose endemoniadamente feliz.

—En una hora que he tenido libre, he venido y he llamado al número del cartel de «se vende», diciendo que estaba interesado y hemos quedado con el de la inmobiliaria el lunes que viene para verla. Si nos gusta, negociaremos y la compraremos –y pegando su frente a la de ella dijo–: Porque es aquí donde quiero vivir y cuidar de vosotros dos. –Le acarició el vientre con ternura–: Te quiero, Nerea.

—Y yo a ti, mi amor –dijo antes de abalanzarse sobre él para besarle– Siempre.

—Tú y yo… siempre.

Epílogo

Ocho meses después…

—¡¡Que no!! Que ese tobogán en los planos sale descubierto. ¡¡No cubierto!! —bramó enfadado Alejandro a los arquitectos que estaban arreglando la piscina del Hotel Villa Magic.

El jefe de obra, cansado de oírle, llamó a sus trabajadores y les mandó desmontar todo el tobogán que ya tenían hecho. Llevaban siete meses intentando remodelar por completo la piscina, y el proceso se estaba alargando más de lo que Pedro y Alejandro creían.

—Malditos incompetentes… ¡hay que decírselo todo!

—¡Me parece increíble que maldecir sea lo primero que oiga mi hija de su abuelo! —dijo una dulce voz tras él.

Al oír la voz de su hija, Alejandro rápidamente se dio media vuelta para encontrarse con la amplia sonrisa de su yerno y su princesa, quien sujetaba en brazos y envuelta en una manta rosa a su pequeña nieta. Hacía tres días que Nerea había dado a luz a una preciosa niña rubita con los ojos azules de su orgulloso padre, al cual se le caía la baba al mirarla.

Aquellos últimos meses habían sido un caos para todos. Hugo y Nerea estuvieron un tiempo instalados en el hotel hasta que por fin pudieron mudarse a su hogar en aquella maravillosa urbanización que había enamorado a Nerea. Por aquel entonces, ella estaba de cuatro meses y ayudada por su padre pudo conseguir el puesto vacante de orientadora en el centro educativo de la urbanización. Este se encontraba al lado de la casa en la que vivía con Hugo quien continuaba trabajando como animador infantil, pero con un horario fijo.

Tras mudarse junto a Nerea, Hugo habló con su padre para que contratara a más gente y así establecer un horario de ocho horas a los animadores. Pedro aceptó encantado entendiendo que, ahora, su hijo tenía una familia por la que velar.

Ada y Sergio siguieron con su particular historia de amor en el piso de él situado en primera línea de playa y ya comenzaban a hacer planes de boda. Mientras, en Oviedo, Elena y Laila habían montado un pequeño bar de tapas que había tenido bastante éxito y ya comenzaban a idear cuándo regresaban a Gandía para visitar a sus dos amigas y a su pequeña sobrinita.

—Es preciosa, princesa —dijo Alejandro emocionado cogiendo a su nieta que movió sus pequeños bracitos al notar que la separaban de los brazos de su madre—. Hola, Alba. Soy el yayo Alejandro. Sí… el yayo Alejandro.

—Por Dios, otro que habla balleno —rio Pedro llegando hasta ellos.

—Calla, abuelo, y mira que nieta más bonita tenemos.

Pedro, sonriendo, se acercó a la pequeña y le colocó el dedo índice sobre la palma de la mano para que la niña le atrapara el dedo. La pequeña Alba fue pasando de mano en mano como la falsa moneda, hasta que cansada y hambrienta comenzó a llorar. Nerea la tomó en sus brazos y la meció con suavidad siseándole para calmarla. Se despidieron de la pequeña familia del hotel y Hugo ayudó a Nerea a montarse en el asiento trasero del coche con su pequeña hija en brazos.

Llegaron a su hogar y aparcando en el garaje, Hugo cogió de los brazos de Nerea a su pequeña, para que ella pudiera bajar mejor del coche. Al ver que la niña comenzaba a llorar, él la calmó y le dio un suave beso en la frente. Adoraba a su hija. A su pequeña princesa.

Tras darle el pecho y hacer que echara los gases, Hugo se llevó a Alba a su moisés que movió suavemente hasta que por fin consiguió que se durmiera.

—¿Se ha dormido? —preguntó Nerea en un susurro asomándose a la habitación.

Hugo asintió y ella se acercó hasta sentarse en la cama al lado de él. Entrelazando sus dedos, apoyó la cabeza en su hombro mirando maravillada a su hija dormir.

—Es perfecta —susurró sonriendo y mordiéndose el labio inferior.

—Porque ha salido a ti, princesita.

—Mentiroso. Los ojos son tuyos.

Él soltó una suave carcajada y giró un poco la cabeza para besar la frente de Nerea. Cada día que había pasado a su lado había sido perfecto y aunque tuvieran sus discusiones, las reconciliaciones hacían que se olvidaran de esos pequeños percances.

—Será mejor que durmamos. La pequeña princesa se despertará en apenas tres horas reclamando nuestra atención.

—Más bien la mía —dijo cerca de sus labios—. Que soy la que le da de comer.

Nerea besó su sonrisa y abriendo la cama, ambos se tumbaron. Como cada noche, ella se recostó en su pecho y Hugo apagó la luz, pero no dejó de notar las suaves caricias del dedo de Nerea sobre su cuello.

—¿En qué piensas, cariño?

—En lo que me decía mi padre y… en que tenía razón.

—¿En qué? —le preguntó abrazándola.

—En que el tiempo lo decide todo y en que… —sonrió mordiéndose el labio inferior—…en que encontraría a esa persona que, como en los cuentos, me despertaría con un beso.

Agradecimientos

❧✖❧

A mi familia, por seguirme en esta aventura. A mi padre por estar a mi lado siempre que le he necesitado.

A mi fuente de inspiración, Cintia. Porque tus collejas han dado su fruto y por ayudarme con algunas escenas del libro. ¡Gracias!

A Wanda, mi tonti, por estar siempre a mi lado apoyándome y soportándome, tanto en las buenas como en las malas y por tener confianza en mí.

A mi motera, Verónica, por creer en mí desde el principio y por animarme a seguir con mis historias.

A Ana Lizarraga, por demostrarme que siempre voy a poder contar con ella. Eres grande, Ana.

A Elena Montagud, por ayudarme con parte del proceso y aguantar mis continuas preguntas. ¡Gracias!

Muchas gracias a la Editorial Tombooktu por esta gran oportunidad y por confiar en mí, en especial a Isabel López-Ayllón Martínez, por su infinita paciencia conmigo.

Y como no, muchas gracias a mis compis Paula Rivers y Noelia Fernández, porque gracias a vosotras dos, lo he conseguido. Paula, eres una gran escritora y te has convertido en una gran amiga para mí. Te mereces lo mejor, y esta historia, en parte, es gracias a ti. Noelia, si no fuera por ti no habría conocido a esta editorial y esto no hubiera sido posible. ¡Os quiero!